CHAQUE PAS DOIT ÊTRE UN BUT

DU MÊME AUTEUR

Discours pour la France à l'heure du choix, 1978
La Lueur de l'espérance : réflexion du soir pour le matin, 1978
Une nouvelle France. Réflexions 1, NiL éditions.
La France pour tous, 1995, NiL éditions
Mon combat pour la France, tome 1, 2007, Odile Jacob
Mon combat pour la paix, tome 2, 2007, Odile Jacob

JACQUES CHIRAC
en collaboration avec Jean-Luc Barré

CHAQUE PAS DOIT ÊTRE UN BUT

MÉMOIRES 1

NiL

ISBN 978-2-84111-393-4

« Ce n'est pas assez de faire des pas qui doivent un jour conduire au but, chaque pas doit être lui-même un but en même temps qu'il nous porte en avant. »

Goethe
Conversations avec Eckermann

À mon petit-fils Martin

1

LES MILLE SOURCES

Je garde à portée de main, depuis longtemps, un document personnel résumant les grandes étapes de l'évolution de la Vie, de la Terre et de l'Univers. Cette fiche chronologique, qui remonte aux sources mêmes de notre histoire collective, ne m'a jamais quitté, que ce soit dans la vie courante ou dans l'exercice du pouvoir, à l'Élysée ou lors de mes déplacements à l'étranger. Il m'est souvent arrivé de l'extraire de ma serviette et de m'y plonger quand une réunion me paraissait traîner en longueur ou se perdre dans des débats inutiles.

Le fait de consulter régulièrement un tel document m'a sans doute conforté dans une certaine idée de la relativité des choses, aidé à préserver la distance, le recul nécessaire à une meilleure compréhension des hommes et des événements. Celui-ci demeure aujourd'hui une de mes références les plus précieuses pour apprécier, sur la durée, l'importance des enjeux auxquels notre planète est confrontée, et interpréter la psychologie des peuples et de leurs dirigeants à la lumière des traditions, des façons d'être, de vivre et de penser qui l'ont façonnée de longue date.

Dès mon adolescence, en même temps que je découvrais, au musée Guimet, le génie des civilisations asiatiques, je me suis intéressé à l'histoire de l'Homme. Savoir d'où nous venons et où nous allons, quels liens nous unissent aux peuples les plus anciens, comment s'est forgée la trame de nos identités, de nos cultures, de nos croyances, de notre mode de vie, et quel sera l'avenir de notre espèce, sans doute vouée, comme toutes les autres, à disparaître : ces questions n'ont cessé, avec les années, de nourrir ma réflexion politique et d'inspirer ma vision des problèmes nationaux et internationaux. Si je m'interroge sur les raisons profondes de mon engagement durant plus de quarante années de vie publique, j'aboutis immanquablement à la conclusion que tout est lié chez moi à cette passion de l'humain, de tout ce qui fait l'originalité de chaque être et le génie singulier, à mes yeux irremplaçable, de chaque race et de chaque nation.

Rien, par ailleurs, ne me prédestinait vraiment à accomplir une carrière politique. Aussi surprenant que cela puisse paraître, je n'ai pas grandi dans l'obsession d'accéder, un jour, aux plus hautes charges de l'État. Longtemps, mes aspirations, mes rêves ont été différents, même s'il s'agissait toujours, d'une manière ou d'une autre, de servir mon pays. Après avoir envisagé une carrière dans l'armée au moment de la guerre d'Algérie, pour laquelle je m'étais porté volontaire, ma seule ambition, à la sortie de l'ENA, était de devenir directeur de l'Aviation civile ou gouverneur de la Banque de France, comme le souhaitait mon père. C'est par hasard, et pratiquement sur ordre, que je suis entré en politique en 1967, à trente-cinq ans.

Affecté au cabinet de Georges Pompidou depuis le mois de décembre 1962, je suis convoqué, un jour de mai ou juin 1966, par le Premier ministre : « Chirac, me dit-il, vous allez vous présenter aux élections législatives à Paris. C'est ainsi que vous me servirez le mieux. » Pris de court, je lui réponds que je ne crois pas être fait pour cela, nourrissant, comme il le sait, d'autres projets, mais que je lui obéirai en toute hypothèse. J'insiste néanmoins pour être candidat, non à Paris, comme il me le demande, mais en Corrèze, une terre dont je me sens plus familier. « Hors de question, me rétorque Georges Pompidou. Le département dispose de trois circonscriptions : Brive, Tulle et Ussel. La première est réservée à Jean Charbonnel. La deuxième, celle du radical-socialiste Jean Montalat, est imprenable à l'heure actuelle. Quant à la troisième, c'est pour nous l'une des plus difficiles de France. Depuis la proclamation de la République, quels que soient l'élection ou le mode de scrutin, la circonscription d'Ussel n'a jamais échappé à la gauche. Qui plus est, les trajets, les routes sont épouvantables. Vous allez vous user et, quand j'aurai besoin de vous, vous ne serez plus bon à rien. Dans ces conditions, insiste-t-il, mieux vaut vous présenter à Paris. » Non sans mal, j'obtiendrai finalement gain de cause. Et c'est ainsi, sans l'avoir voulu, mais très vite galvanisé par ce nouveau défi, que je suis né, si je puis dire, à la vie politique, au cœur de la haute Corrèze, sur ce plateau des Mille-Sources, improprement appelé plateau de Millevaches, où la chaleur humaine compense la rudesse du climat.

Bien plus qu'une question de partis ou d'idéologies, la politique est d'emblée pour moi une affaire d'hommes, de caractères, de sensibilités. Par instinct et goût des autres, c'est sur ce terrain-là que je me trouve spontanément le plus en accord avec moi-même. Issu d'un milieu familial attaché à la défense de la laïcité et aux valeurs premières du radicalisme – mes grands-parents étaient tous quatre instituteurs –, je n'ai pas reçu pour autant de mon père ni de ma mère ce qu'on peut appeler une éducation politique. Aucun d'eux n'a jamais manifesté à cet égard des convictions susceptibles de m'influencer et de me préparer, moins encore, à devenir un jour député de Corrèze. Étaient-ils un peu plus à gauche qu'à droite, ou l'inverse? Je n'ai jamais vraiment réussi à le savoir. Tous deux, qui faisaient preuve d'une authentique générosité, m'ont d'abord appris le sens du service et du partage à l'égard des autres et surtout des plus démunis.

Le seul de mes proches à avoir fait de la politique est mon grand-père paternel, Louis Chirac. J'avais à peine cinq ans à sa mort, en mai 1937, mais je garde de lui un souvenir assez précis. C'était un personnage imposant, tant par la stature que par le caractère. Mon grand-père mesurait près de deux mètres. Doté d'une magnifique chevelure et d'une voix superbe, il me terrorisait, enfant, par une autorité que personne parmi les siens ne songeait à contester. Devant lui, tout le monde filait doux. Et il suffisait qu'il entre dans une pièce pour que je décampe aussitôt ou me cache sous la table.

Instituteur apprécié de ses élèves comme de ses supérieurs, Louis Chirac a terminé sa carrière à Brive comme directeur de l'école Firmin-Marbeau, qu'on appelle encore aujourd'hui « l'école Chirac », tant la figure de mon grand-père est restée ancrée dans les mémoires. J'ai connu nombre de ses anciens élèves à qui il avait coutume de taper sur les doigts avec sa règle.

Soucieux de faire de ses élèves des citoyens responsables, il leur inculque les valeurs républicaines de solidarité et de fraternité. Il leur fait apprendre par cœur quelques poèmes extraits des *Châtiments* de Victor Hugo, ceux notamment écrits en l'honneur des « soldats de l'an II », étudier la vie de Voltaire et l'histoire des idées au siècle des Lumières. Archétype même du « hussard noir de la République », c'est un militant passionné de l'enseignement public.

Franc-maçon notoire – j'ai retrouvé, plus tard, dans le grenier de notre petite maison familiale de Sainte-Féréole, des accessoires qui en témoignaient –, Louis Chirac est devenu localement le vénérable de la loge de la Fidélité à l'Orient. Il faisait profession d'anticléricalisme avec une franche allégresse. Avant d'être le correspondant local de *La Dépêche de Toulouse*, il signait chaque semaine, dans *La Corrèze républicaine*, des articles au vitriol contre le chanoine Chastrusse, qui lui répondait sur le même ton dans un journal catholique de la région. C'était *Don Camillo* avant la lettre, et leur affrontement ne devait pas manquer, lui non plus, d'une certaine truculence. Il échangeait aussi des lettres d'une grande agressivité avec le député de Corrèze, Charles de Lasteyrie, qui deviendra ministre des Finances : le grand-oncle de ma future épouse, Bernadette de Courcel…

Membre actif du parti radical-socialiste de l'arrondissement de Brive, Louis Chirac a été de tous les combats politiques de l'entre-deux-guerres et un ardent défenseur du Cartel des gauches, dans les années vingt, comme du Front populaire, qu'il eut le bonheur, peu avant sa mort, de voir triompher aux élections du printemps 1936. À cette date, déjà président dc l'Université populaire, vice-président de l'association des Écoles laïques et secrétaire de la section locale des pupilles de la Nation, il prend part au congrès de l'Union française pour le suffrage des femmes, qui se tient à Brive cette année-là. Une photographie parue dans les journaux montre Louis Chirac au milieu d'un groupe de féministes, sous une banderole proclamant : « Les Françaises veulent voter ! »

Mon grand-père était d'autant plus fier du Front populaire que deux Corréziens siégeaient dans le gouvernement de Léon Blum : Suzanne Lacorre, sous-secrétaire d'État à la Protection de l'enfance, et Charles Spinasse, ministre de l'Économie nationale. Toujours maire d'Égletons et resté, avec Henri Queuille, ancien président du Conseil de la IVe République, qu'on surnommait « le petit père Queuille », l'un des personnages incontournables de la vie politique locale, quand je commençai, trente ans plus tard, à faire campagne dans la circonscription d'Ussel, Charles Spinasse a souvent évoqué devant moi ses souvenirs du Front populaire. C'est à lui que je dois d'avoir mieux compris la noble aventure de ces hommes emportés par un espoir fou de transformer la société, de la rendre plus juste et plus équitable. Grâce à eux, un grand vent salubre traversait alors les esprits. Et j'étais heureux et fier d'entendre Charles Spinasse me parler du rôle que mon grand-père avait joué à ses côtés lors des rassemblements antifascistes qui se tenaient à Brive, durant l'été 1936, pour soutenir les républicains espagnols dans l'effroyable guerre civile qui les opposait aux troupes de Franco.

Sans être politiquement aussi engagé, mon grand-père maternel, Jean Valette, bien qu'ancien élève des jésuites, était empreint, tout comme son épouse, de la même fibre républicaine, attaché aux mêmes principes d'un radicalisme rigoureux, laïc et progressiste. Cet esprit humaniste, que chacun de mes aïeux a ainsi défendu et incarné à sa manière, fait partie intégrante d'un héritage familial dans lequel je me suis toujours reconnu. Ce n'est pas par hasard que je suis devenu à mon tour un combattant de la laïcité, convaincu qu'une société se doit d'accorder la plus grande liberté de conscience et de convictions à tous ses membres et qu'il n'est pas acceptable de vouloir imposer à quiconque une direction religieuse. Ce qui, pour ma part, ne m'a jamais empêché d'être croyant, ni de m'intéresser de près aux questions spirituelles et à l'histoire de toutes les religions...

C'est ma mère, restée une catholique fervente et pratiquante, qui assurera mon éducation chrétienne. Ainsi ai-je servi comme enfant de chœur à l'église Saint-Philippe-du-Roule avant d'effectuer un bref passage chez les scouts, où l'on me surnomma, je ne sais pourquoi, « Bison égocentrique ». Soucieuse de me transmettre sa propre foi, ma mère s'est employée autant qu'elle l'a pu à me préserver de l'anticléricalisme déclaré d'une grande partie de mes ancêtres corréziens.

Si je me suis toujours senti profondément enraciné dans cette terre de Corrèze, d'où les miens sont issus depuis plusieurs générations, j'ai été pourtant le premier à ne pas voir le jour du côté de Noailhac ou de Sainte-Féréole, de Beaulieu ou de Queyssac-les-Vignes, aux alentours de Brive. Pour l'état civil, et comme nombre d'Auvergnats ou de Limousins dont les ascendants sont venus chercher fortune dans la capitale, je suis né à Paris, le 29 novembre 1932, à la clinique Geoffroy-Saint-Hilaire, dans le Ve arrondissement.

Mon père s'y est installé une dizaine d'années auparavant, après avoir quitté la Corrèze pour faire carrière dans la banque. Il dirige à cette date l'agence de la Banque nationale pour le Commerce et l'Industrie, avenue de la Grande-Armée. Un poste envié, qui lui permet de nouer des relations étroites avec les milieux aéronautiques. C'est ainsi qu'il fera la connaissance de deux hommes appelés à jouer un rôle décisif dans la suite de son parcours professionnel : Henry Potez et Marcel Bloch, futur Marcel Dassault.

Comme la plupart des hommes de sa génération, mon père avait été très marqué, tant moralement que physiquement, par son expérience de la Grande Guerre. Mobilisé en 1917, à l'âge de dix-neuf ans, Abel François Marie Chirac, qui choisira plus tard de se faire appeler par son second prénom, François, est blessé à la poitrine par un éclat d'obus, devant Montdidier, en mai 1918 et laissé pour mort sur le terrain. Il met trois mois à récupérer, avant de retourner sur le front en août 1918. Au lendemain de l'armistice, il se porte volontaire pour aller se battre en Pologne contre l'Armée rouge. Ce qui lui vaut d'être cité à l'ordre du 1er régiment des chars polonais, pour son courage et son dévouement.

Mon père reviendra en France, en juin 1920, épuisé par le véritable calvaire qu'il avait enduré à la frontière russe, dans les marais du Pripet, lesquels n'étaient pas, comme on l'imagine, des lieux très hospitaliers. Il acceptait de me raconter ses années de guerre, quand je l'interrogeais. Mais sans s'y attarder et en s'efforçant de ne pas trop trahir ses sentiments. Mon père était toujours d'une grande pudeur pour tout ce qui le concernait. Il lui était difficile de se livrer et il répugnait manifestement à revenir sur un passé qui l'avait meurtri sur tous les plans. Sans doute pour me permettre de mieux ressentir ce qu'il avait vécu sur le front, il me fit lire, très jeune, *Les Croix de bois* de Roland Dorgelès. Ce roman a été l'une de mes premières émotions littéraires.

Mon père avait une grande autorité naturelle. C'était un homme sûr de lui, exigeant, froid et déterminé. Joueur de rugby, sa haute taille lui conférait un avantage incontestable. Je l'aimais beaucoup, mais nos rapports étaient avant tout placés sous le signe de la hiérarchie père-fils, celui-ci étant fait pour obéir à celui-là. À l'époque, ce type de relation allait de soi et ne se discutait pas. Même s'il m'est arrivé de m'affranchir de la règle familiale, sans doute conforté par le fait d'avoir toujours été extrêmement gâté par ma mère.

Mes parents s'étaient mariés à Noailhac en février 1921 et leur vie de jeune couple avait été aussitôt endeuillée par un drame qui les avait traumatisés l'un et l'autre : la perte de leur premier enfant, une petite fille, Jacqueline, emportée par une broncho-pneumonie deux ans à peine après sa naissance. Ce drame explique probablement pourquoi ils ont attendu près d'une dizaine d'années avant d'avoir un deuxième enfant.

Ma mère, née Marie-Louise Valette, était une femme de caractère, douée d'un sens aigu de la repartie et d'un franc-parler qui pouvait déconcerter. Énergique, tenace et chaleureuse, elle savait se montrer attentive aux autres et d'une très grande bonté. Maîtresse de maison hors pair, réputée pour ses talents de cuisinière, sa principale préoccupation était de prendre soin de mon père et de moi, son fils unique qu'elle couvrait d'attentions et protégeait à l'extrême. À mon retour de l'école, quand j'étais enfant, elle allait jusqu'à préparer ma sucette en enlevant le papier pour m'éviter toute fatigue inutile ! Elle me passait tous mes caprices, s'empressait de satisfaire le moindre de mes désirs. « Il me mange tous mes chapeaux ! » se plaignait-elle parfois, tant elle ne reculait devant aucun sacrifice pour me faire plaisir et s'assurer que je ne manquais de rien. C'est ainsi qu'on finit par prendre de mauvaises habitudes...

J'adorais ma mère autant qu'elle m'adorait. Si mon enfance a baigné dans une atmosphère d'autorité certaine, elle fut aussi l'une des plus heureuses et des plus comblées qui soient, malgré la menace d'une guerre dont je n'avais encore, par la force des choses, qu'une conscience très évasive.

Trois ans après ma naissance, mon père a pris la direction, en septembre 1935, de la succursale de la BNCI à Clermont-Ferrand, dont il s'occupera jusqu'à notre retour à Paris en novembre 1937. Je me souviens de promenades en famille sur la place de Jaude et des fins de semaine que nous passions dans le village de Vertolaye, traversé par une rivière, la

Dore, où je faisais semblant de pêcher la truite. J'avais quatre ans et une « petite amie », prénommée Bernadette, que j'embrassais tout le temps, paraît-il, et qui n'arrêtait pas de me dire : « Jacques, tu m'uses, tu m'uses! »

L'été, je passe une grande partie de mes vacances à Sainte-Féréole, sur la terre de mes ancêtres, vite devenue pour moi un symbole de liberté et de vagabondage. J'aime vivre en pleine campagne. Mes grands-parents maternels habitent en face d'une ferme où j'aide à traire et à soigner les vaches. On les utilisait alors comme animaux de trait et on les ferrait. Il y a aussi, à proximité, un forgeron et un charron chez qui je connaîtrai des moments de pur bonheur.

Avec un de mes camarades, Léon Bordes, je vais pêcher les écrevisses à la lampe à carbone. Les garçons du village m'ont vite adopté. L'après-midi, nous nous retrouvons autour du baby-foot dont l'arrivée au café de Sainte-Féréole a été pour eux un véritable événement. Un autre de nos jeux favoris est de préparer des bombes à châtaignes pour les lancer sur le passage des filles.

Dès cet instant, je me suis senti physiquement, instinctivement plus corrézien que parisien, attaché aux êtres que je côtoie à Sainte-Féréole par des liens qui s'exprimaient d'une façon plus authentique. Je me souviens du maire d'une petite commune de Corrèze, Combressol, dont j'ai fait la connaissance quelques années plus tard. Ce maire s'appelait Fernand Rougerie. Chaque fois qu'il me voyait, il me passait la main dans les cheveux, que j'avais plus épais qu'aujourd'hui, et s'amusait à me décoiffer. C'était sa manière à lui de me manifester son amitié.

En juin 1940, tandis qu'une débâcle militaire sans précédent dans notre histoire nationale plonge la France, en quelques jours, dans le chaos et la pénurie, c'est à Sainte-Féréole que ma mère et moi trouvons refuge, après avoir quitté précipitamment Paris sur les conseils insistants de Marcel Bloch. Un vieil ami de ma famille, Georges Basset, vient nous chercher en hâte à Parmain, près de L'Isle-Adam, où mes parents louent une maison de campagne pour le week-end. Nous entassons quelques bagages dans sa Renault Vivaquatre et partons vers le sud, comme tous ceux qui, par milliers, fuient la capitale au milieu d'un désordre inextricable. Sur le pont de Parmain, notre voiture est bloquée par un premier embouteillage. C'est alors que j'assiste à une scène demeurée pour moi inoubliable.

Georges Basset, ancien combattant de la Grande Guerre, qui a le patriotisme chevillé au corps, avise un officier en train de marcher sur le bord de la route : « Mon capitaine, que se passe-t-il ? Qu'est-ce que vous faites ? – Je m'en vais, je file. Les Allemands sont à cinquante kilomètres. – Mais enfin, vous ne vous battez pas ? » s'étonne Georges Basset. J'entends encore la réponse de l'officier : « Vous vous rendez compte, monsieur, ils nous tirent dessus ! » Tel était malheureusement l'état d'esprit d'une partie de mes compatriotes à cette époque.

Au moment de l'exode, mon père se trouve au Canada, où il négocie une affaire pour Henry Potez, qui l'a recruté en 1937 comme directeur général de son entreprise. Henry Potez et son ami Marcel Bloch avaient révolutionné l'industrie aéronautique en mettant au point l'hélice « Éclair » durant la guerre de

14. Devenus les patrons du groupe français le plus florissant dans ce secteur, ils entretiennent avec mon père, chargé de gérer leur compte au sein de la BNCI, des relations professionnelles d'une grande proximité. En 1936, Henry Potez et Marcel Bloch avaient su tirer parti des nationalisations industrielles opérées par le Front populaire, en obtenant du gouvernement de confortables indemnités. Coup de génie dont mon père, qui avait l'habitude de les conseiller, fut peut-être l'inspirateur judicieux. Toujours est-il qu'il se voit confier, l'année suivante, la direction de la société Henry Potez qui continuera, jusqu'à la guerre, à s'occuper de la production de nouveaux prototypes pour répondre aux besoins des états-majors. C'est ainsi que, durant mon enfance, j'ai toujours entendu parler d'aviation et secrètement rêvé d'y faire carrière à mon tour.

Si j'ai bien connu Henry Potez, pour l'avoir beaucoup côtoyé, ainsi que sa femme et ses trois enfants, pendant les cinq années de guerre au Rayol, près de Toulon, où nos deux familles s'étaient établies à une courte distance l'une de l'autre, ce sont des liens d'un autre ordre qui ont commencé de se nouer entre Marcel Bloch et moi à partir de cette époque.

Je l'ai rencontré pour la première fois à une terrasse de café à Vichy, un jour de l'été 1940, alors que nous descendions vers la Côte d'Azur pour nous y installer en attendant de pouvoir regagner Paris. J'avais huit ans et me passionnais aussi pour les voitures, comme beaucoup de garçons de mon âge. Celle de Marcel Bloch me paraissait inouïe. Il affirmait qu'il n'en existait en France que quelques modèles. Son automobile me fascinait à tel point que ma mère finit par lui avouer, en riant, que j'étais incollable sur ce sujet.

Il se penche alors vers moi :

— Si tu me dis la marque de la mienne, nous allons tout de suite chez le marchand de jouets en face et je t'achète ce que tu veux.

Je réponds sans hésitation :

— C'est une Graham Paige.

Sidéré, Marcel Bloch se lève aussitôt et m'entraîne dans la boutique voisine où il m'offre ce que je souhaitais : un train électrique... Plus tard, Marcel Dassault m'a souvent rappelé la surprise que ma réponse lui avait causée. Après la guerre, nous nous sommes un peu perdus de vue et c'est au cabinet de Georges Pompidou, où je m'occupais notamment des questions aéronautiques, que nous avons repris contact et sommes redevenus proches jusqu'à sa mort, en 1986. J'y reviendrai.

Au Rayol, où Henry Potez a décidé de transférer le siège de sa société, après avoir fermé ses usines de Méaulte à l'arrivée des Allemands, nous habitons une charmante villa, *La Farandole*, proche de son domaine où mon père et lui continuent de travailler. En réalité, tous deux n'ont plus grand-chose à faire, en dehors de jouer au bridge et de commenter l'actualité. Un jour où ils prennent le soleil en fumant, sur la grande terrasse face à la mer, j'entends mon père déclarer à Henry Potez : « Les Allemands, de victoire en victoire, vont à la défaite finale ! » Hostile à la collaboration, mon père n'en gardait pas moins un certain respect pour le Maréchal, comme beaucoup d'hommes de sa génération, liés par une même vénération pour le vainqueur de Verdun. Mais au fil du temps, il s'est mis à parler de Pétain avec un regret croissant et une sorte de désespoir, devenant du même coup de plus en plus ouvertement gaulliste. Il le restera jusqu'à sa mort, en juin 1968.

Chaque matin, je me rends à l'école communale du Rayol, située à une heure de marche de notre villa. Mon meilleur ami s'appelle Darius Zunino. C'est le fils d'un immigré italien, qui travaille comme ouvrier agricole. Sa famille est communiste. Darius passe pour un « petit voyou », ce qui n'est pas fait pour me déplaire. Ensemble, nous faisons naturellement les quatre cents coups. Après l'école, je passe le plus clair de mon temps à musarder avec Darius Zunino sur les collines environnantes, à courir dans les ravins, à chasser les oiseaux ou à pêcher, le plus souvent pieds nus, si bien que j'aurai beaucoup de mal à me réhabituer à porter des chaussures, une fois rentré à Paris. Je garde un souvenir enchanteur de cette période de ma vie, malgré l'arrivée des Allemands en novembre 1942.

Depuis qu'ils ont envahi la zone libre et fait leur apparition sur la Côte, on les rencontre un peu partout, dans les vignes ou sur les chemins des plages. Ils communiquent entre eux par des téléphones de campagne. Des kilomètres de fils noirs, qu'ils n'enterrent pas, courent dans les champs. Avec Darius, nous nous amusons à couper ces fils, inconscients des risques que nous prenons en le faisant. Non pour commettre, évidemment, un acte de résistance, mais parce qu'en ces temps de pénurie ce fil noir se prête, pour des garçons de notre âge, à quantité d'utilisations.

Le 27 novembre 1942, alors que je me promène comme souvent sur les hauteurs du Rayol, j'entends tout à coup une énorme explosion et vois le ciel s'embraser avant de se couvrir de fumée. Je viens d'assister, sans le savoir, à mon premier événement historique : le sabordage de la flotte française en rade de Toulon. En rentrant chez moi, j'apprends par mon père ce qui s'est passé. Il est très en colère à l'idée que la France, ou plutôt Vichy, ait pu détruire de sa propre initiative un de ses derniers atouts militaires, au lieu de tenter une sortie en direction d'un des ports d'Afrique du Nord ou d'Angleterre. Et instinctivement, j'en ai été choqué, moi aussi, ressentant, comme une évidence physique, qu'il venait de se produire quelque chose qui n'était pas digne et qu'on aurait dû empêcher. D'une certaine manière, le drame de Toulon a contribué à mon éveil politique.

Deux ans plus tard, dans la nuit du 14 au 15 août 1944, les premiers commandos alliés débarquent non loin de notre nouvelle résidence, la villa *Casa Rosa*. C'est mon autre rendez-vous avec l'Histoire en train de s'accomplir. Trompés par une mer anormalement calme, les hommes du capitaine Ducourneau échouent, non devant le point de repère prévu, en face de la plage d'Henry Potez, mais à proximité des falaises du cap Nègre, qu'ils doivent escalader à pic sous le feu des batteries allemandes. Puis, dans la lumière du matin, nous voyons surgir de la mer des soldats qui parlent notre langue. Parmi eux, un personnage déjà mythique, le général Diego Brosset, chef de la 1re division de la France Libre. L'un des premiers militaires à avoir rallié le général de Gaulle.

Mes parents l'hébergent dans leur villa, durant la nuit qui suit celle du débarquement. Très impressionné, je le salue, au vu de ses deux étoiles, en l'appelant « Mon lieutenant », parce qu'on m'avait appris que les lieutenants ont toujours deux galons. Cette confusion lui plaît beaucoup. Par la suite, Diego Brosset m'adressera plusieurs lettres toujours signées « Ton lieutenant », avec une complicité amusée.

Quelques mois après, j'apprends qu'il vient de se tuer accidentellement en Alsace où sa voiture est tombée dans un ravin. J'éclate en sanglots à cette nouvelle. Bouleversé, je décide de lui rendre hommage à ma manière en baptisant « avenue du Général-Brosset » la route en terre reliant, au Rayol, la côte à la route nationale. Je le fais au moyen d'un simple écriteau que j'ai moi-même confectionné. Trente ans plus tard, cet écriteau étant toujours là, le maire du Rayol, Étienne Gola, découvrant que j'en étais l'auteur, me demandera, alors Premier ministre, de venir inaugurer une plaque plus officielle. Ce que je ferai, en présence des deux enfants du général Brosset, le héros de mon adolescence.

*

La guerre nous a donné une jeunesse particulière. Elle a fait de moi un garçon un peu rebelle, provocateur et prompt, non à se dresser contre l'ordre établi, mais à suivre sa propre inspiration, à n'écouter que ses élans et sa curiosité. De ces cinq années passées sur la Côte, je gardais une impression de liberté, d'ivresse et d'insouciance, une sensation de grandes vacances, qui ne me prédisposaient pas à rentrer spontanément dans le rang à l'âge où l'on doit pourtant commencer à se préoccuper de ses études.

En 1945, je suis inscrit au lycée Hoche, à Saint-Cloud, où mes parents se sont installés provisoirement à leur retour à Paris. Je n'y effectuerai qu'un bref séjour, renvoyé quelques mois plus tard pour avoir tiré des boulettes en papier contre mon professeur de géographie. Je continue à marcher pieds nus dès que j'en ai l'occasion. Ma mère a beau insister pour que je mette des chaussures, je ne peux plus les supporter. Et plutôt que de discuter, je les garde jusqu'au moment où, ayant quitté le domicile familial, je m'empresse de les enlever pour marcher de nouveau librement, comme je le faisais sur les sentiers du Rayol, en compagnie de Darius Zunino.

L'année suivante, nous quittons Saint-Cloud pour vivre 10, rue Frédéric-Bastiat, dans le VIIIe arrondissement de Paris, où mon père a réussi, non sans difficultés, à trouver un appartement. J'intègre le lycée Carnot, où je m'efforcerai tout au plus, jusqu'en classe de première, de travailler suffisamment pour ne pas avoir à redoubler l'année suivante et risquer de gâcher mes vacances en étant contraint de préparer un examen de rentrée. Je me débrouille pour arriver à franchir la barre, même de justesse, afin de ne rien avoir à faire durant les trois mois d'été. C'est mon seul objectif. Il est fréquent, le reste du temps, que je me fasse mettre à la porte de ma classe pour indiscipline, quand je ne décide pas, certains jours, de sauter les cours, préférant demeurer dans ma chambre ou flâner le long des rues.

En seconde ou troisième, je suis devenu la tête de Turc de mon professeur de français. Il porte un nom irrésistible : M. Vandaele. C'est un personnage très distingué, qui a l'habitude de circuler à vélo. Un vélo superbe, rutilant, tout en aluminium, qu'il range dans la classe à son arrivée et impose au mauvais élève du moment de nettoyer pendant l'heure de cours. Et c'est moi qu'il désigne le plus souvent : « Chirac, mon vélo ! » Je m'exécute sans rechigner. À tout prendre, cette punition me paraît moins fastidieuse que l'enseignement qu'il s'efforce de me dispenser.

En dehors des connaissances élémentaires qu'on reçoit à l'école, l'essentiel de ce que je sais, à ce moment-là, je l'ai reçu au-dehors ou appris par moi-même. Aux alentours de ma quinzième année commence de se constituer ce « jardin secret » que je me suis efforcé, depuis lors, de toujours préserver. Avec l'argent que me donne ma mère, j'achète en cachette des livres d'art ou de poésie. Pourquoi me cacher ? Par crainte d'être incompris et souci qu'on me laisse tranquille, qu'on ne se mêle pas de mes petites affaires. J'ai continué, à l'âge adulte, à ne rien livrer de mes hobbies personnels, au point qu'on a fini par me croire imperméable à toute culture. Un quiproquo que j'ai soigneusement entretenu, il est vrai, en laissant penser que je n'avais pas d'autres passions que les romans policiers et la musique militaire.

Mon intérêt pour l'art et la poésie date de l'époque où mes parents viennent de s'installer rue de Seine. Je passe de longues heures à flâner sur les quais et les trottoirs du boulevard Saint-Germain, fasciné, émerveillé par tout ce que je découvre chez les bouquinistes ou à la vitrine des libraires et des antiquaires. Je me passionne pour les poèmes d'Aragon, de Paul Éluard et de René Char, collectionne les reproductions, sur cartes postales, des tableaux de Chirico, de Balthus, de Miró, de Kandinsky, qui restera l'un de mes peintres préférés. C'est alors, sur le chemin du lycée Carnot, que je me suis mis, à l'insu de tous, à faire des haltes régulières au musée Guimet, lieu initiatique sans équivalent pour un garçon solitaire déjà attiré, comme je l'étais, par les cultures les plus anciennes, et qui vit un peu hors du temps, indifférent à tout ce qui fait l'actualité du moment, politique ou autre.

C'est au musée Guimet que j'ai rencontré et appris à aimer l'Asie, découvert le génie de civilisations majestueuses, mesuré leur grandeur et, par contraste, le carcan, ethnographique ou exotique, dans lequel l'Occident les avait trop souvent enfermées. Admirant, sur les linteaux et frontons des temples khmers, l'affrontement des dieux gracieux et des titans. Interrogeant le sourire énigmatique des somptueux bodhisattvas. Fixant leurs figures harmonieuses et calmes, écoutant leur message silencieux de détachement et de sérénité. Comme beaucoup de visiteurs, à travers les années, j'y ai médité sur l'Éveil du prince Siddhârtha, et suivi en imagination le long chemin de Sa pensée, par la route de la Soie. Devant les bouddhas à visage d'Aphrodite ou de Ganymède exhumés de Hadda, j'ai rêvé à la prodigieuse rencontre des soldats perdus d'Alexandre avec les cavaliers des steppes et les ascètes de l'Inde.

Vers ma seizième année, en même temps que je songe à me convertir à l'hindouisme, je me mets en tête d'apprendre le sanskrit, une des plus vieilles langues du monde. On m'indique alors l'adresse d'un professeur, du nom de Vladimir Belanovitch, et je m'empresse d'aller lui rendre visite dans la petite chambre qu'il occupe, au fond d'une cour du XIVe arrondissement.

C'est un « Russe blanc » d'une soixantaine d'années, qui a réussi à préserver une grande élégance en dépit de conditions d'existence assez misérables. Ancien diplomate contraint à l'exil par la Révolution, il a dû, comme beaucoup de ses compatriotes arrivés en France, faire tous les métiers pour survivre. D'abord ouvrier chez Renault, puis chauffeur de taxi, il fabrique des « écorchés » en carton-pâte pour les écoles. Il donne également des cours de langues lorsque je fais sa connaissance. « Monsieur Belanovitch » en parle plusieurs, dont le latin, le grec et le sanskrit, qu'il va tenter de m'enseigner.

Au bout de quelques semaines, il me conseille de renoncer. « Écoute, me dit-il, premièrement tu n'es pas doué et deuxièmement le sanskrit, ça ne sert à rien. Si tu veux apprendre une langue, il vaut mieux que tu apprennes le russe. » J'ai accepté et à partir de là nous nous sommes liés d'amitié. Je l'ai présenté à mes parents qui l'ont pris à leur tour en affection, lui proposant même de l'héberger. Il nous accompagne parfois pour les vacances en Corrèze, où ce Russe, parlant russe, fait sensation à Sainte-Féréole.

« Monsieur Belanovitch » m'a non seulement révélé cette langue que je parle presque couramment à dix-sept ans, mais aussi l'histoire de son pays, de son peuple, de sa littérature. Il m'oblige à lire tout Tolstoï, me fait découvrir Pouchkine et Dostoïevski. C'est lui qui m'incitera, à vingt ans, à traduire *Eugène Oneguine*, traduction que j'adresserai en vain à une dizaine d'éditeurs et que je conserve aujourd'hui dans mon bureau.

Sans être un maître ni un père, comme on l'a écrit, Vladimir Belanovitch a été pour moi un incomparable initiateur à l'âme russe, qui est une de celles, dans le monde, à laquelle je suis resté le plus profondément attaché.

Lorsque je quitte le lycée Carnot, à dix-huit ans, mon baccalauréat en poche, avec une mention « assez bien » décrochée à la surprise générale, je n'ai qu'un désir : devenir capitaine au long cours. Voyager, sillonner toutes les mers du globe, je n'aspire qu'à cela depuis que j'ai commencé à explorer d'autres univers. Mon père, qui nourrit pour moi des ambitions plus sérieuses, m'inscrit d'autorité en mathématiques supérieures au lycée Louis-le-Grand afin que j'y prépare Polytechnique. Résolu malgré tout à tenter la seule expérience qui m'intéresse, je décide, au début de l'été 1950, d'aller m'engager secrètement comme pilotin sur un bateau de la marine marchande. N'écoutant que mon besoin d'évasion, je prends le risque, sans le vouloir expressément, de défier l'autorité paternelle. Peut-être parce que je me sens assuré, quoi qu'il advienne, de la haute protection de ma mère…

Prétendant être invité à passer une dizaine de jours de vacances chez des amis, en Normandie, je vais faire le nécessaire, à Rouen, pour être inscrit maritime et trouver de l'embauche. J'en trouve à Dunkerque, sur un cargo charbonnier de cinq mille tonnes, le *Capitaine Saint-Martin*, appartenant à l'Union Industrielle et Maritime. En partance pour Alger où il transporte du charbon, le cargo doit se rendre ensuite à Melilla, au Maroc espagnol, pour y charger du minerai de fer qu'il ramènera à son point de départ.

Avant de monter à bord, pour avoir l'air d'un authentique marin, je prends soin de m'acheter une pipe et un paquet de tabac noir – du « gros cul », comme on disait à l'époque. Et me voilà embarqué...

Le capitaine du bateau est un vieux bourlingueur. À l'heure des accostages, il monte sur la dunette, sans doute un peu imbibé, embouche son haut-parleur et hurle : « Hop ! là ! Oh ! là ! Ça va y aller ! » Et de fait, « ça y allait », on encadrait le quai à tous les coups. J'apprendrai, plus tard, qu'en remontant la Seine à côté du Havre il avait renversé une péniche et que l'Union Industrielle et Maritime avait dû se priver de ses services.

Dès le golfe de Gascogne, le mal de mer m'a pris. Il faut dire que, pour faire davantage loup de mer, je n'avais cessé de fumer la pipe durant la traversée, ce qui a fini naturellement par me donner la nausée. Le « bosco » me surveille du coin de l'œil. Il a franchi le cap Horn au temps de la marine à voiles et raconte des choses étonnantes à ce sujet. Quand il me voit en perdition, penché sur le bastingage, il m'entraîne dans sa cabine :

— Viens. Tu vas voir...

Ce n'est pas le luxe, à bord. On pratique les trois-huit. Nous n'avons qu'une couchette pour trois qu'on occupe à tour de rôle. Le « bosco » farfouille dans son coin, sort quatre boîtes de sardines à l'huile et me les fait avaler. Au début, j'ai cru que j'allais mourir, mais il insiste :

— Encore... Encore...

De fait, ce « remède » se révèle radical et je ne serai plus malade jusqu'à la fin de la traversée. En mer, je forme des projets. Résolu à arrêter mes études, je présenterai à mon retour le concours de capitaine au long cours et, pour finir, je serai capitaine de navire marchand, naviguant sur tous les océans du monde. Je n'ai qu'une envie : quitter Paris et partir le plus loin possible. Si j'avais trouvé, à Dunkerque ou ailleurs, un bateau en partance pour les Indes, j'aurais sauté dedans sans hésiter.

Avant même le débarquement à Alger, les marins s'étaient passé le mot. J'ai eu droit au grand jeu. Le « bosco » me demande si je suis puceau. Je lui réponds que oui. « Alors, on va arranger ça, tu vas voir ! » me dit-il. C'était très gentil de sa part, il fallait bien le faire ! Et il m'a emmené dans les fameux quartiers de la Casbah où nous avons passé la nuit entière. Quand, au matin, je suis redescendu vers le port, dans l'odeur de crésyl sur les trottoirs, d'anisette et de produits coloniaux, je n'étais plus le même homme.

Puis nous sommes repartis en direction de Melilla, pour charger du minerai de fer. Le matériau le plus désagréable qui soit à transporter, puisqu'il dégage une poussière rouge qui s'infiltre partout, dans les cheveux, dans les oreilles, entre les cils, et qu'il faut plusieurs jours pour s'en débarrasser…

Cette escapade a duré plus de trois mois. Elle m'en a plus appris sur la vie, sur les hommes et sur moi-même que tout ce que j'avais connu jusqu'alors. Elle a conforté en moi ce goût de l'aventure, cet amour des grands espaces, qui ne m'a jamais quitté par la suite. En rentrant en France, je me sens, sur tous les plans, « amariné ».

Nous sommes en octobre et les cours, à Louis-le-Grand, ont débuté sans moi, à la grande fureur de mon père qui me destine toujours à Polytechnique. Lorsque le *Capitaine Saint-Martin* accoste à Dunkerque, je remarque tout de suite, sur le quai, une haute silhouette qui m'est familière, et pense au fond de moi : « Pas de doute, voilà les ennuis qui commencent ! » D'un ton assez rude, mon père me dit que c'en est fini de plaisanter et qu'il est temps de rentrer à la maison. C'est à peine s'il me laisse placer un mot. Il me ramène à Paris sans que j'aie eu le temps de m'expliquer. Il faut dire que mon père étant plus grand et plus solide que moi, le rapport de forces jouait nettement en sa faveur.

Adieu, donc, l'Union Industrielle et Maritime et ma carrière de navigateur ! J'ai conservé ma première fiche de paie de pilotin. Lorsque j'ai été nommé Premier ministre, en 1974, la Compagnie en a publié le fac-similé dans son bulletin intérieur. Il ne subsistait plus que cette trace d'une autre vie possible.

2

LE NOUVEAU MONDE

Lorsque j'intègre Sciences-Politiques, en octobre 1951, je ne suis encore fixé sur rien. Ni sur la carrière que j'envisage, ni sur la vie que j'entends mener. Après avoir préparé Math sup. sans réel enthousiasme, j'ai convaincu mes parents de me laisser passer l'année suivante rue Saint-Guillaume. Si l'expérience ne se révèle pas davantage concluante, il est convenu que je retournerai au lycée Louis-le-Grand.

J'ai dix-neuf ans et conserve en moi le même désir d'évasion. Plein d'une énergie qui cherche à s'employer sans trop savoir ni où ni comment, et conscient que le moment est sans doute venu de me consacrer sérieusement à mes études, je demeure un jeune homme solitaire, indépendant, encore en quête de lui-même à l'âge où tant d'autres croient s'être trouvés.

Contre toute attente, je me plais très vite à Sciences-Po. Je m'adapte d'autant plus facilement à ma nouvelle vie d'étudiant que je bénéficie de l'enseignement de grands professeurs. Je suis leurs cours avec intérêt et assiduité. Parmi eux, Marcel Reinhard, spécialiste d'Henri IV, qui fut, en première année, mon maître de conférences en histoire. Jean Chardonnet, professeur de géographie, qui a été pour chacun de ses élèves un extraordinaire initiateur aux réalités de la vie : il nous emmène visiter des usines ou les mines de Lorraine. Et André Siegfried, le précurseur de la sociologie électorale, le premier de tous les politologues, que nous trouvons parfois un peu sentencieux dans sa façon de nous parler de son « quarante-deuxième » ou « quarante-troisième voyage aux États-Unis », où il avait observé que « l'Amérique est un continent »...

À Sciences-Po, je me constitue rapidement un petit groupe d'amis dont je resterai proche. Il comprend Laurence Seydoux, la fille du diplomate François Seydoux de Clausonne, Claude Delay, dont le père est le grand psychiatre Jean Delay, Marie-Thérèse de Mitry, jeune et séduisante héritière de la famille Wendel, et Michel François-Poncet, neveu de notre ambassadeur en Allemagne de l'Ouest. Michel François-Poncet est un beau garçon élégant, fin, distingué, cultivé, qui incarne pour moi ce qu'on fait de mieux dans la société parisienne. Amateur d'art, esthète dans l'âme, c'est en réalité un amateur de tout, y compris des jeunes femmes auprès desquelles il aura toujours beaucoup de succès. Rue Saint-Guillaume, je retrouve avec plaisir mon camarade du lycée Carnot, Jacques Friedmann, qui figure déjà, lui aussi, parmi mes intimes. Il travaillera plus tard à mes côtés comme conseiller et directeur de cabinet, dans mes fonctions ministérielles puis de chef du gouvernement. C'est un des hommes qui a le plus compté dans ma vie.

C'est à Sciences-Po que j'ai fait la connaissance de ma future épouse, Bernadette de Courcel. En entrant en première année à Sciences-Po, nous étions automatiquement affectés à ce qu'on appelait une conférence de méthode, qui réunissait une vingtaine d'élèves sous l'autorité de deux professeurs. L'un d'eux, Marcel Reinhard, était particulièrement soucieux de faire participer ses étudiants, à travers des exposés que chacun, à tour de rôle, devait présenter. Le plus dur était de se lancer.

C'est alors qu'une jeune fille, surmontant sa réserve et sa timidité, lève le doigt et se porte volontaire pour le premier exposé. Étonné, pour ne pas dire épaté, je me renseigne aussitôt à son sujet. Un peu plus tard, je lui propose de faire partie d'un petit groupe de travail que j'ai l'intention de constituer et qui se réunira au domicile de mes parents, rue de Seine. Elle accepte. Et c'est ainsi que je me suis lié à Bernadette de Courcel et entrepris de fréquenter celle qui m'est apparue d'emblée, sous ses airs de jeune fille rangée, comme une femme de caractère...

Assez vite, une grande complicité s'établit entre elle et moi. Nous apprenons à nous connaître, sans jamais cesser de nous vouvoyer, comme il est d'usage dans sa famille. Je mentirais si j'affirmais avoir déserté, dans le même temps, la compagnie des autres demoiselles de Sciences-Po. Il n'en reste pas moins qu'une entente profonde et singulière me rapproche peu à peu de Bernadette de Courcel et que, de petits mots en coups de téléphone, nous ne tardons pas à nous découvrir indispensables l'un à l'autre. Plus appliquée et consciencieuse, Bernadette m'aide à préparer les fiches de lecture que nous devons rendre chaque semaine, quand elle ne lit pas à ma place les ouvrages concernés, tel *De la démocratie en Amérique* de Tocqueville. Je lui dois parfois – injustice du sort – d'obtenir de meilleures notes qu'elle... Et de mon côté, après les cours, je l'entraîne dans des endroits qu'elle n'a guère l'habitude de fréquenter, comme La Rhumerie martiniquaise, tout près du carrefour Mabillon. Il n'était pas courant, à cette époque, qu'une fille de son milieu se montre attablée avec des garçons à la terrasse d'un café du boulevard Saint-Germain. En revanche, Bernadette fréquentait volontiers un lieu moins exposé, Chez Basile, à proximité de l'école, où se retrouvaient tous les élèves de Sciences-Po.

Le fait est que nous n'appartenons pas, socialement, au même monde. Ce genre de critère ne compte guère à mes yeux, mais je n'ignore pas que d'autres y attachent de l'importance. Dans un premier temps, ce n'est pas sans méfiance ni perplexité que les parents de Bernadette de Courcel voient un camarade d'études, de condition plus modeste, côtoyer leur fille avec autant d'assiduité. Ils ne me considèrent pas spontanément comme le parti idéal. D'autant que je suis encore très jeune, sans situation et passe même pour être de gauche, voire communiste... Apprenant la probabilité de nos fiançailles, les grands-parents de Bernadette demanderont : « Est-ce au moins un être baptisé ? »

Bernadette est issue, du côté de sa mère, d'une lignée de très vieille noblesse, la famille de Buisseret, dont les armes figurent, depuis le xe siècle, sur la clé de voûte de la cathédrale de Tunis, pour avoir pris part aux Croisades. Sa lignée paternelle, celle des Chodron de Courcel, est d'une aristocratie plus récente. Mais plusieurs de ses membres ont accompli de brillantes carrières dans la diplomatie, l'armée, les finances et l'industrie. Le grand-père de Bernadette, Robert Chodron de Courcel, a été ministre plénipotentiaire à Constantinople puis à Rome. Son grand-oncle Alphonse de Courcel, ambassadeur à Berlin puis à Londres, est un des précurseurs de l'idée européenne. Un autre grand-oncle, Charles de Lasteyrie, l'« ennemi juré » de mon grand-père paternel comme je l'ai dit, fut ministre des Finances de Raymond Poincaré. Son père, Jean de Courcel, dirige, avec son frère Xavier, les manufactures de Gien et de Briare, propriétés de famille depuis le milieu du XIXe siècle. Mais le personnage le plus célèbre, celui qui confère alors à sa famille un certain prestige, est son oncle Geoffroy de Courcel, le tout premier compagnon du général de Gaulle, et son aide de camp à Londres au début de la France Libre.

Je n'aurai l'occasion de rencontrer Geoffroy de Courcel que quelques années plus tard, à l'automne 1955, peu après mon admission à l'ENA, pour lui demander un service, qu'il refusera d'ailleurs fermement de me rendre. Geoffroy de Courcel occupe, à ce moment-là, les fonctions de secrétaire général de la Défense nationale. Ayant terminé ma période d'instruction militaire à Saumur, je viens d'être écarté du classement des EOR, les élèves officiers de réserve, pour cause de… communisme. J'ai beau assurer – ce qui est vrai – n'avoir jamais appartenu à ce parti, rien n'y fait. Seule une intervention au plus haut niveau de la hiérarchie peut permettre d'en finir avec cette mention suspecte qui m'a déjà valu beaucoup de difficultés pour obtenir un visa à l'ambassade des États-Unis. « Jeune homme, je ne peux rien faire pour vous. Je ne m'occupe pas de ces choses-là ! » me répondra sèchement Geoffroy de Courcel. Sans doute craignait-il de se trouver impliqué dans une affaire susceptible d'entacher sa propre réputation et celle de sa famille.

C'est une démarche personnelle effectuée, à ma demande, par mon professeur de Sciences-Po, Jean Chardonnet, auprès du général Kœnig, ministre de la Défense nationale, qui permettra de régler le problème. Kœnig me recevra quelques minutes pour me déclarer, en me tutoyant d'emblée selon son habitude : « Il n'y a rien dans ton dossier, sauf cette histoire d'appel de Stockholm. Encore une connerie des RG. J'ai supprimé ta fiche… Tu vas retrouver ton rang. »

L'arrivée en son sein d'un présumé militant communiste avait de quoi, j'en conviens, effaroucher ma future belle-famille. D'autant que j'ai bel et bien signé, à dix-huit ans, l'appel de Stockholm, lancé par le Mouvement mondial des partisans de la paix en 1950 pour réclamer « l'interdiction absolue de l'arme atomique », et même vendu *L'Humanité-Dimanche* devant l'église Saint-Sulpice, durant quelques semaines…

Cet engagement momentané n'a rien pour moi d'idéologique, tant je me sens déjà étranger à toute conviction de cet ordre. Je ne me reconnais alors qu'un seul idéal : celui de la non-violence incarné par le Mahatma Gandhi. J'ai été bouleversé par son assassinat, lorsque je l'ai appris en écoutant la radio dans ma chambre le 31 janvier 1948. Sa disparition fut un des grands chocs de mon adolescence. Idole de ma jeunesse, le Mahatma Gandhi est un de ceux dont l'enseignement a le plus contribué à forger ma sensibilité politique. Un jour, je découvrirai dans un de ses livres, *Young India*, publié en 1925, ce qu'il considérait comme les « Sept péchés sociaux ». J'en recopierai aussitôt la liste, déterminé à ne jamais les oublier dans la conduite de ma propre vie :

La politique sans principes.
La richesse sans travail.
Le plaisir sans conscience.
La connaissance sans caractère.
Le commerce sans moralité.
La science sans humanité.
L'adoration divine sans sacrifices.

Ce qui m'a entraîné brièvement vers les communistes, c'est avant tout les idéaux pacifistes dont ils se réclamaient. Comme beaucoup de jeunes gens de ma génération, horrifiés par la tragédie d'Hiroshima, j'étais hostile à toute nouvelle utilisation de l'arme nucléaire. Je n'ignorais pas que ceux qui m'avaient incité à signer l'appel de Stockholm appartenaient au parti communiste – ce qui, de prime abord, ne me gênait en rien. Ils m'invitèrent peu après à assister à une de leurs réunions de cellule : « Si tu veux adhérer au PC, me dirent-ils, il faut commencer par vendre *L'Humanité*... » Ce que j'ai donc fait, vaillammant, pendant quelques dimanches... Le temps de me rendre compte à quel point j'étais manipulé par la propagande stalinienne. Épouvanté par le sectarisme de mes camarades, j'ai eu vite fait de m'éloigner d'eux.

C'est à cette époque que j'ai été fiché par la police. Un jour où je faisais signer dans la rue l'appel de Stockholm, un policier m'a amené de force au commissariat du VIe arrondissement, où l'on a consigné mon nom sur un registre, avant d'alerter mes parents en leur recommandant de me surveiller pour m'empêcher de faire des choses que la morale réprouve...

À Sciences-Po, je me lie d'amitié, dès la première année, avec un étudiant de gauche, du nom de Michel Rocard, dont j'apprécie l'intelligence étincelante, la sensibilité et la vivacité d'esprit. Il parle vite, roule en Solex, fume autant que moi. Toujours fébrile, pressé, impatient, traînant une sacoche bourrée de livres et de dossiers, Michel Rocard est un des animateurs, rue Saint-Guillaume, du groupe des Étudiants socialistes. Avec un autre de mes amis, Gérard Belorgey, il a fondé les Cercles d'études politiques et sociales. Je me sens tellement en phase avec ses convictions anticolonialistes et tiers-mondistes que je le juge parfois trop modéré.

Un jour, Michel Rocard m'explique qu'il est temps pour moi d'adhérer à la SFIO. Je lui réponds, après avoir accepté de l'accompagner à une réunion de section, que son parti me paraît encore trop conservateur, si ce n'est réactionnaire, et qu'il manque de dynamisme. En bref, la SFIO, pour moi, n'est pas assez à gauche... Sur ce point, Michel Rocard et moi sommes plutôt d'accord : nous portons de concert un jugement peu flatteur sur le parti socialiste de l'époque. Un parti aussi gangréné et discrédité que cette IVe République dont je tiens Guy Mollet pour un des principaux responsables. Devenu maître de conférences à Sciences-Po, au tout début des années soixante, je demanderai à mes élèves de commenter une formule de mon cru, selon laquelle

« le molletisme est un mouvement alternatif du mollet droit et du mollet gauche qui permet d'affirmer que le socialisme est en marche »... Cette initiative ne fut pas jugée de bon goût, rue Saint-Guillaume.

Comment faire la part, chez moi, entre provocation, esprit de contradiction et convictions réelles, dans ces tentations politiques de ma vingtième année ? Comme beaucoup de mes camarades, c'est le rejet d'une certaine droite conformiste et rétrograde, et plus encore de l'extrême droite, qui me rapproche instinctivement de la gauche. Mais je ne rejoindrai pour autant ni le parti communiste, ni même les cercles socialistes qu'anime Michel Rocard. Quant au gaullisme, il se confond pour moi avec le RPF que je juge lui-même trop conservateur et auquel je n'ai pas davantage adhéré, contrairement à ce qu'on a écrit depuis lors à ce sujet.

Pour d'autres raisons, que je m'explique aujourd'hui moins facilement, je n'ai pas été non plus mendésiste. Est-ce par défiance à l'égard de ce que je percevais comme une sorte de mode intellectuelle ? Je me suis toujours méfié des modes, quelles qu'elles soient. Pierre Mendès France était à l'évidence un personnage d'exception, dont le caractère, l'intransigeance, le goût de l'austérité et de la solitude, ne pouvaient qu'inspirer le respect. Mais je n'étais sensible ni à son style, ni à son langage, et son action, bien que décisive en matière coloniale, ne suffisait pas à me convaincre au point de lui apporter mon soutien. Si j'avais eu l'occasion de mieux connaître Pierre Mendès France, que j'ai dû seulement croiser une ou deux fois par la suite, probablement l'aurais-je apprécié de façon plus positive...

En réalité, mon intérêt pour la politique demeure encore très relatif à cette date. D'autres expériences m'attirent bien davantage, à commencer par celles, restées inassouvies, de l'aventure et de la découverte du monde. À la fin de ma première année à Sciences-Po, je pars pour le cap Nord avec un de mes bons copains de l'époque, Bernard Neute. Durant le trajet, sa voiture, une S4C Salmson de vingt ans d'âge, menace à tout instant de tomber en panne. Une nuit, alors que nous venons de traverser un fjord, au nord de la Suède, et nous trouvons à quelque soixante kilomètres de la première ville, nos phares cessent brusquement de fonctionner. Impossible de nous repérer dans l'obscurité. Un Suédois, surgi d'on ne sait où, propose de nous guider. « Je roulerai pleins phares et vous me suivrez », nous dit-il. Mais il avance si vite sur les routes de montagne que nous avons le plus grand mal à lui coller au train... Je garde malgré tout un souvenir grisant de cette première randonnée dans les pays scandinaves, où je me rendrai de nouveau deux ans plus tard, accompagné cette fois de Michel François-Poncet.

À l'aller, nous nous arrêterons, pour faire le plein de provisions, à Bonn, chez son oncle, l'ambassadeur André François-Poncet. Ce dernier, qui était déjà en poste à Berlin avant guerre, durant la période hitlérienne, avait réussi, lors de la désignation des hauts-commissaires alliés en Allemagne, à prendre possession de la plus belle résidence de toute la région, celle du Schloss Ernich, doublant son homologue américain qui, placé devant le fait accompli, avait dû s'installer ailleurs. À notre arrivée, son épouse, qui ne parle de lui qu'en disant « l'ambassadeur pense que…, l'ambassadeur a décidé que… », nous prévient : « Vous ne verrez pas l'ambassadeur aujourd'hui, parce qu'il est de très mauvaise humeur. » Nous cherchons à savoir ce qui s'est passé. Sa femme nous raconte qu'ayant écrit à Françoise Sagan, qui venait de publier *Bonjour tristesse*, pour lui donner quelques conseils sur le thème « Jeune femme, j'ai lu votre ouvrage, il a des qualités, mais venez me voir, j'ai des suggestions à vous faire pour vos prochains ouvrages », l'ambassadeur avait reçu de la romancière une réplique plutôt sèche et désagréable, lui demandant, en bref, de se mêler de ce qui le regardait. La lettre était arrivée le matin même et, depuis lors, le diplomate, qui se faisait une idée aussi élevée de sa personne que de sa fonction, ne décolérait pas. Retranché dans son bureau, il refusait de recevoir quiconque.

Le voyage le plus marquant sera celui que j'ai accompli aux États-Unis durant l'été 1953. Le mythe américain est plus que jamais en vogue. C'est l'époque où je découvre la musique de Sidney Bechet, les romans d'Hemingway et les premiers films de Marlon Brando. Mais rares sont les jeunes gens de Sciences-Po à s'être encore rendus outre-Atlantique, plus familiers de l'Espagne ou de l'Italie. Avec deux autres camarades, Philippe Dondoux et Françoise Ferré, nous parvenons à nous faire inscrire à la session estivale de la Harvard Business School, l'école de gestion la plus prestigieuse des États-Unis. Grâce aux relations de Philippe Dondoux, nous obtenons d'un homme politique alors influent, M. de Felice, une bourse qui nous permet de payer au moins nos frais de voyage et d'inscription. Pour le reste, nous aviserons sur place…

Nous embarquons sur un vieux bateau de la Greek Line. Nos cabines, en dernière classe, sont situées juste au-dessus de la salle des machines. Nos conditions de voyage sont épouvantables. Mais nous avons vingt et un ans et ne doutons de rien.

Dès notre arrivée à Boston, nous devons nous mettre en quête de moyens de subsistance. La chance veut que nous rencontrions une vieille dame très gentille, la directrice du Radcliff College, l'équivalent féminin de Harvard. Elle part en vacances et nous propose de nous prêter sa villa. Reste à dénicher un travail pour se nourrir. Là aussi, des solutions s'offrent assez vite. Françoise trouve un emploi de serveuse dans un restaurant français. Philippe et moi faisons la plonge dans un Howard Johnson sur le Harvard Square, juste devant l'université. L'Amérique est à nous!

Le travail débute à six heures du soir pour se terminer à deux heures du matin et nos cours reprennent à huit et se poursuivent jusqu'à seize heures. Le plus pénible est la chaleur. Nous sommes en plein mois d'août. Dans le sous-sol du restaurant règne une température étouffante. On y transpire comme dans un hammam. Mais je ne rechigne pas à la tâche, tandis que Philippe Dondoux s'adapte assez mal à ce mode de vie. Si bien qu'au bout de trois jours, remarqué par la direction pour mon « bon esprit », je suis promu garçon-serveur derrière le comptoir. Un grand moment dans l'histoire de mon ascension sociale! Je l'ai ressenti physiquement, comme si je passais de l'enfer au paradis. En bas, je vivais et trimais dans la sueur. En haut, j'arbore une blouse immaculée et évolue gaiement dans l'air climatisé.

Trois jours à peine pour accéder à la classe supérieure, tandis que d'autres poursuivaient, sous mes pieds, un labeur de forçat !

La grande spécialité de ce restaurant où l'on ne sert pas d'alcool, ce sont les ice-creams aux vingt-huit saveurs, et un nombre limité de plats tels que burgers, cheeseburgers, turkey sandwiches, banana split... J'excelle vite à les préparer et, du même coup, à me faire des clients fidèles, autant dire de bons pourboires. On se presse au comptoir pour voir le petit Français – certains n'ont même jamais vu un Européen –, et je vis là dans une atmosphère de sympathie et de spontanéité que je n'ai jamais connue jusque-là et rarement retrouvée depuis lors. Professeurs et élèves de Harvard me sont devenus familiers. Je fais passer une petite annonce pour donner des leçons particulières de latin, et c'est ainsi que j'entre en relation avec une jeune fille ravissante, Florence Herlihy, dont le père, catholique bon teint, est une personnalité connue de Caroline du Sud. Sa famille y possède une maison coloniale.

Le week-end, Florence Herlihy vient me chercher dans sa Cadillac blanche décapotable. Elle m'appelle tendrement *Honey child.* Nous allons nous promener dans la campagne autour de Boston et pique-niquer sur les bords de la Charles River. Nous envisageons très vite de nous fiancer, bien que je sois en partie déjà engagé auprès de Bernadette. Cette nouvelle, lorsque je la lui apprends, provoque la fureur de mon père. De son côté, ma mère est littéralement horrifiée à l'idée d'avoir une bru américaine qui « roule en décapotable ». Mes parents me prient de rompre cette relation sans délai. Mais je feindrai, pendant quelque temps, de ne pas avoir reçu leur lettre, bien décidé à ne pas en tenir compte.

À la fin de notre période de cours, tandis que Florence regagne la Caroline du Sud pour les vacances d'été en attendant de nous retrouver à Washington, Philippe Dondoux et moi, réunissant nos économies respectives, décidons de partir en voiture, à l'invitation d'un de nos copains américains, pour un périple qui nous conduira de San Francisco à La Nouvelle-Orléans. Mais la voiture est trop usagée pour nous permettre d'atteindre la côte Ouest. Si bien que nous sommes obligés, en cours de route, de poursuivre le voyage en auto-stop…

Arrivé à San Francisco, je découvre une petite annonce providentielle dans un journal local : la veuve d'un pétrolier texan cherche un chauffeur pour se rendre à Dallas. Je me porte aussitôt candidat et fais la connaissance d'une vieille dame affable et distinguée qui, une fois parvenue à Dallas, se propose de nous loger à ses frais dans un des grands hôtels de la ville. C'est alors que survient un incident assez rocambolesque.

Au moment de nous séparer, la vieille dame ayant décidé de rentrer seule à son domicile, j'ouvre le coffre de la voiture pour prendre nos valises et commence à sortir les siennes qui se trouvent au-dessus des nôtres. Sans que je le remarque, un groom emporte avec nos bagages une petite valise qui lui appartient. Elle non plus ne s'est aperçue de rien. En rentrant dans le hall de l'hôtel, je constate que nous avons une valise de trop. Je me précipite vers le concierge de l'hôtel en lui signalant que nous avons pris ce bagage par erreur : « Il faut le rendre à sa propriétaire et prévenir le commissariat de police. » Nous connaissions le nom de la vieille dame, mais pas son adresse. On cherche dans l'annuaire. On trouve sept personnes portant le même patronyme. On note leur domicile et appelle un taxi. Coup de chance, le chauffeur est un Breton installé à Dallas depuis dix ans. « Pas de problème, nous dit-il. On va faire le tour. Je ne vous ferai pas payer. » À la cinquième adresse, nous apercevons une villa somptueuse, dans la banlieue résidentielle de Dallas. Des voitures de police sont garées devant. Dès qu'on arrive, la vieille dame, qui se tient dans l'embrasure de la porte, nous montre du doigt : « C'est eux ! » Les policiers fondent sur nous. Nous protestons de notre innocence en montrant la valise. La vieille dame la prend et l'ouvre. Il y a dedans trois étages de diamants, de perles, d'émeraudes, de rubis. Une fortune. Quand les policiers ont pu vérifier que nous avions vraiment déclaré l'erreur de bagage à l'hôtel, tout a fini par s'arranger…

À La Nouvelle-Orléans, c'est une vie de rêve qui nous attend. Nous tombons instantanément amoureux de cette ville, où nous passons des nuits entières à écouter du jazz, Cab Calloway et tant d'autres, dans le quartier français. Nous remontons le Mississippi, visitons la région des bayous, traversons des forêts magnifiques aux arbres couverts de mousse blanche. Nous découvrons des villages, le long du fleuve, où les personnes âgées de plus de cinquante ans ne s'expriment encore que dans notre langue.

Au lendemain d'une soirée mémorable avec mes compagnons d'équipée et quelques amis de rencontre, je me réveille avec la conviction, la certitude même, que j'ai eu grand tort de vouloir me fiancer. Comme si je sortais tout à coup d'un vertige enivrant, je décide de ne pas donner suite à ma relation avec Florence. Lorsque je la revois, comme convenu à Washington en septembre, je lui fais part de mon intention de rompre. Elle m'avoue, de son côté, que son père s'oppose farouchement, comme le mien, à toute union entre nous. Nous sommes aussi émus l'un que l'autre en nous quittant, conscients que nous ne nous reverrons sans doute jamais.

Une quarantaine d'années plus tard, le lendemain de mon élection à la présidence de la République, un reporter de *Paris Match* retrouvera trace de ma « fiancée américaine ». J'apprendrai, en lisant l'interview de celle qui est devenue une grand-mère radieuse, que nous nous sommes mariés, l'un et l'autre, à quelques mois d'intervalle, moi en 1956 avec Bernadette de Courcel, elle l'année suivante avec un enseigne de vaisseau. Je n'ai jamais cherché à maintenir un contact avec Florence Herlihy après mon retour à Paris, ni même lorsque je suis revenu à La Nouvelle-Orléans, à l'automne 1954, chargé de réaliser un numéro spécial de la revue *L'Import-Export français* sur cette ville pour laquelle je m'étais pris de passion. Je gardais de mon idylle avec Florence un souvenir délicieux, indissociable de ce qu'avait été mon apprentissage du Nouveau Monde. Mais mon destin était ailleurs…

En octobre 1953, peu après être rentré en France, je décide de me fiancer avec Bernadette de Courcel. Malgré leurs réticences initiales, ses parents ont fini par donner leur consentement. Au sein de la famille Courcel, ma future belle-mère est devenue mon meilleur supporter. Nos rapports seront toujours faits d'estime, de franchise et d'affection réciproques. Mme de Courcel, que j'appelle « mère », m'a aidé à me familiariser avec un milieu auquel, en partie grâce à elle, je n'aurai pas trop de mal à m'assimiler. En fait, je m'adapte assez facilement aux milieux divers que je traverse. Mais je reste tout de même un phénomène à part dans la mesure où je fuis, dès ce moment-là, toute forme de mondanités, refusant les cocktails, les dîners en ville, où j'ai très vite observé que les gens, fussent-ils les plus intelligents et cultivés, ont rarement à dire quelque chose d'intéressant.

Après trois années passées sans encombre rue Saint-Guillaume, il ne fait plus guère de doute à mes yeux, même si je me laisse un peu porter par les événements, que ma vocation est de servir l'État. En juin 1954, sorti troisième de ma promotion à Sciences-Po, je décide aussitôt de me présenter au concours d'entrée à l'ENA. À l'époque, on mettait près de deux mois à corriger les copies. En attendant les résultats, je repars à La Nouvelle-Orléans, au début de l'automne 1954, pour la revue *L'Import-Export français*, et préparer une thèse de géographie économique sur la ville et son port.

Logé chez le capitaine Henley, ami de la famille de Bernadette, je sillonne La Nouvelle-Orléans en tous sens, rassemble des documents, interroge les principaux responsables économiques de la ville, me mêle aux dockers, écoute, regarde, prends des notes... Cette enquête me permet de mesurer les forces et les faiblesses, tant au niveau local que régional, du fameux géant américain. Je suis frappé, entre autres, par l'état de précarité des digues censées protéger la Nouvelle-Orléans des inondations et souligne, dans mon étude, un demi-siècle avant la catastrophe provoquée par l'ouragan Katrina, les risques de voir la ville engloutie sous les eaux.

En novembre, je me trouve encore aux États-Unis quand mon père me prévient, par télégramme, que je suis reçu à l'écrit à l'ENA. Il me demande de rentrer en France au plus vite pour passer l'oral d'entrée.

Le jury du grand oral se compose d'une dizaine de personnalités, hauts fonctionnaires, professeurs d'université, sous la présidence de Louis Joxe. Après avoir tiré un sujet d'exposé, les candidats vont s'isoler pendant une demi-heure pour se préparer à en parler durant dix minutes. Dix minutes et pas une de plus. C'est une question de discipline, une manière de tester l'aptitude de chacun de nous à se maîtriser.

Mon problème, ce jour-là, est que je suis grippé, et si mal fichu que j'ai peine à répondre aux questions qu'on me pose. Louis Joxe, qui était mélomane, commence à me parler de Bayreuth. Alors je lui explique : « Monsieur le président, je préfère vous dire tout de suite que je ne suis pas musicien. Interrogez-moi sur l'archéologie, la peinture, la sculpture, la poésie. Pas sur la musique. » Il m'a dit après : « Le jury a trouvé que c'était une bonne réponse. » La dernière question, c'est encore Louis Joxe qui me la pose : « On se réfère beaucoup à la philosophie de ce médecin de l'Antiquité, vous voyez qui je veux dire, monsieur Chirac. » J'ai de plus en plus de bourdonnements dans la tête et lui réponds sans réfléchir : « Oui, monsieur le président, vous voulez parler d'Hypocrite. » Lapsus qui plonge l'assistance dans une grande hilarité, mais ne m'empêche pas d'être admis du premier coup à l'ENA.

Mais avant d'y entrer, je dois m'acquitter de mes obligations militaires. Et cela, alors qu'une guerre, qui n'ose pas encore dire son nom, vient d'éclater en Algérie...

3

LE DILEMME ALGÉRIEN

J'ai été particulièrement sensible au problème algérien pour m'être battu dans les djebels pendant plus d'une année, du mois d'avril 1956 à juin 1957, avant d'être affecté comme fonctionnaire, deux ans plus tard, au siège du Gouvernement général, à Alger.

Les gouvernements de la IVe République ne savaient peut-être pas où ils voulaient en venir à propos de l'Algérie, mais les ordres que nous recevions sur place étaient précis. Nous les avons exécutés sans états d'âme, et mon escadron s'est bien comporté. Nous ne méritions pas d'être vaincus. D'ailleurs, nous ne l'avons pas été. Pour beaucoup d'entre nous, le plus grave est que nous avons engagé notre parole et notre honneur, en même temps que la parole et l'honneur de la France, en affirmant aux populations ralliées à notre cause que nous ne les abandonnerions jamais. Ensuite est venu le moment où il a fallu, malgré nous, et la mort dans l'âme, laisser à la merci de l'adversaire ceux qui nous avaient fait confiance et qui souvent s'étaient compromis en notre faveur. J'avais alors quitté l'Algérie, mon service militaire terminé. Pourtant, je mesurais pleinement les terribles conséquences que pouvait avoir, sur le terrain, la politique décidée par Paris. Même si la raison me conduisait à approuver l'action du général de Gaulle, je me reconnaissais plus proche sentimentalement de mes camarades qui se réclamaient de l'« Algérie française ». Je ne tenterai pas aujourd'hui de m'en excuser, en prétextant ma jeunesse ou mon inexpérience politique, car, placé dans des circonstances similaires, je crois que je ressentirais le même dilemme et le même déchirement.

En mars 1956, sorti 8e sur 118 de Saumur où j'ai effectué mon apprentissage d'officier, je suis en train d'accomplir mon service militaire en Allemagne fédérale au sein du 11e régiment de chasseurs d'Afrique, basé à Lachen, quand les événements se précipitent de l'autre côté de la Méditerrannée. Le nouveau chef du gouvernement, Guy Mollet, vient d'obtenir de l'Assemblée nationale les « pouvoirs spéciaux » pour l'Algérie, après avoir lancé en vain au FLN un appel au cessez-le-feu. Il annonce le renforcement des effectifs, portés à 500 000 hommes, le rappel des classes de réservistes et l'allongement du service militaire jusqu'à vingt-sept mois.

La moitié du 11e RCA, dont mon escadron, est mobilisée. Je m'apprête donc à partir, quand j'apprends, indigné, abasourdi, que je viens d'être désigné pour rejoindre l'état-major français de Berlin, où on a besoin d'un interprète parlant la langue russe. Je déclare aussitôt à mon colonel qu'il n'est pas question pour moi d'accepter, en temps de guerre, un poste aussi confortable et protégé. Devant mon insistance, il finit par céder : « D'accord, tu pars. » On manque d'officiers en Algérie. C'est là, et nulle part ailleurs, que je peux être utile à mon pays. Il n'empêche que ma réaction est fort mal accueillie au plus haut niveau de la hiérarchie. Ne me voyant pas arriver, les autorités de Berlin ont alerté la Sécurité militaire. Je suis déjà en route pour l'Algérie, quand les gendarmes surgissent au domicile de mes parents, rue de Seine, me recherchant comme déserteur. Berlin a réclamé contre moi une « sanction exemplaire »! Mais mon colonel prenant fait et cause en ma faveur, cette menace en restera là... Je n'en ai plus jamais entendu parler.

Mon départ précipité n'a pas seulement bousculé la décision de je ne sais quel bureau de la Défense nationale. Ma vie personnelle en est elle-même assez chahutée. C'est, en effet, peu avant de quitter la métropole que j'ai épousé Bernadette de Courcel, le 16 mars 1956, en l'église Sainte-Clotilde, à Paris. Par la force des choses, nous sommes privés de lune de miel et condamnés, à peine mariés, à une séparation de plusieurs mois. Situation qui nous coûte à l'un autant qu'à l'autre, mais plus difficile encore à supporter pour Bernadette, d'emblée confrontée à une vie de couple peu ordinaire...

J'arrive à Oran le 13 avril et prends peu après la tête d'un peloton de trente-deux hommes appartenant au 3e escadron de chasseurs d'Afrique, placé sous le commandement du capitaine Henry Péchereau, un ancien d'Indochine. Nous sommes en poste à Souk el-Arba, près de la frontière marocaine, en pleine montagne. Une zone sauvage, désertique, réduite à quelques maisons en torchis posées sur un promontoire, au sommet duquel on dispose d'une vue très large sur les oueds au sud et les plaines au nord. La mer est proche, à quatre kilomètres à vol d'oiseau, mais difficile d'accès en camion militaire, par des routes impraticables où il est devenu risqué de s'aventurer.

La région commence d'être quadrillée par les groupes de fellaghas lorsque nous y débarquons, chargés du maintien de l'ordre et de la protection des habitants. Ces derniers sont tiraillés entre leur souci de ménager le pouvoir colonial et celui de ne pas contrarier la rébellion.

Dans le *Journal des marches et opérations du 6e RCA*, que j'ai conservé, je retrouve, relatées dans les détails, nos missions quotidiennes à partir du mois de juillet 1956 : patrouilles de nuit aux abords du cantonnement, protection des moissons, ouverture de routes, escortes de ravitaillement, fouille des grottes, contrôle des populations… Les arrestations de suspects sont fréquentes. Elles ne cesseront de s'intensifier au fil des mois.

La plupart de ces maquisards présumés sont transférés, pour interrogatoire, au cantonnement de notre régiment, à Montagnac. Certains sont-ils torturés, comme on l'affirme de plus en plus ouvertement en métropole ? La seule chose que je puisse dire avec certitude est que je n'ai été à aucun moment témoin d'actes de ce genre dans le secteur, il est vrai très limité, où je me trouvais. Ce qui ne veut pas dire que de telles pratiques n'y aient pas existé.

Si j'ignore tout, à ce moment-là, du sort réservé aux prisonniers envoyés par hélicoptère à notre PC de Montagnac, je veille strictement, en ce qui me concerne, au respect des populations algériennes.

C'est à mes yeux une question de principe, un devoir que j'impose à tous sans exception au sein de mon escadron. La cravache dont je ne me sépare jamais est le meilleur moyen de rappeler à l'ordre ceux qui, entrant dans les mechtas, seraient tentés de manquer de respect aux autochtones, les femmes en particulier, et à se laisser aller à toutes sortes de débordements. Les chefs du maquis local m'ont rendu publiquement hommage à cet égard, par la voix du président Bouteflika, lors du voyage officiel que j'ai effectué en Algérie en mars 2003. Le chef de l'État algérien me cita les extraits suivants d'un livre écrit par un ancien chef de la willaya d'Oranie : « Il y avait dans la willaya une unité qui était commandée par un dénommé Chirac et je tiens à faire l'éloge de cet officier français… Parce qu'il a toujours été d'une totale correction à l'égard des gens… »

Cela dit, les hommes placés sous mon commandement – dont une bonne partie est composée de volontaires d'origine polonaise – ont pour la plupart la tête solide et le caractère bien trempé. Pour ceux qui, comme moi, recherchent spontanément le contact avec les autres, cette expérience est humainement aussi riche que passionnante. C'est un des seuls moments de mon existence où j'ai eu véritablement le sentiment d'avoir une influence directe, immédiate, sur le cours des choses et la vie de ceux dont j'étais responsable. Il n'est pas question de politique dans notre engagement, dont nous ne cherchons d'ailleurs pas à discuter le bien-fondé, mais d'une fraternité d'armes éprouvée chaque jour au contact de la mort présente derrière chaque embuscade, chaque accrochage avec un ennemi de plus en plus offensif et insaisissable.

Un jour, mon chef de corps m'enjoint par télégramme d'aller prendre en charge un peloton de « rappelés » de la région parisienne, qui se sont mutinés au départ du train et ont saboté les voies, en criant des slogans antimilitaristes et entonnant *L'Internationale.* Il a fallu les embarquer de force dans les wagons puis, à Marseille, à bord d'un bateau. À leur arrivée à Alger, on a pris soin de sélectionner les meneurs pour les répartir dans des unités en opération. Une trentaine d'entre eux, « engagés » pour six mois, nous sont confiés. Je quitte donc mon piton pour aller les chercher. C'est toute une équipée car, pour couvrir les quinze kilomètres de piste nous séparant du cantonnement, il faut, au préalable, déminer la route.

Sur place, je suis confronté à des garçons furieux, hurlant des injures. Je feins de n'y prêter aucune attention et demande à mes sous-officiers de les faire grimper dans les camions. Une fois à bord, et en plein djebel, ils continuent de s'agiter. Comme la piste peut réserver des surprises, et que leur comportement finit par m'agacer, je prends la décision de les faire descendre et marcher devant les véhicules. Instantanément, je les vois se calmer, soudain plus préoccupés de leur sort immédiat que de leurs récriminations permanentes.

Nous partagerons, durant six mois, les mêmes heures sombres ou exaltantes. Plusieurs d'entre eux seront blessés, quelques-uns, hélas, seront tués. Dans l'ensemble, ces garçons ont eu une attitude irréprochable, et, leur contrat achevé, la plupart se sont réengagés pour six mois. Ce changement s'explique sans doute par le fait que leur révolte n'avait rien de vraiment profond. Ce qu'ils voulaient, à l'origine, c'était ne pas partir en Algérie. Ils n'agissaient pas au nom d'une idéologie ; ils ne cherchaient que le moyen d'échapper à une corvée. Finalement cette expérience a été aussi instructive pour eux que pour moi.

Il serait malséant de m'appesantir ici sur mes « faits d'armes », d'autant qu'ils n'ont rien eu de particulièrement héroïque. Je me bornerai à mentionner l'épisode qui m'a valu, le 4 mai 1957, d'être cité à l'ordre de la division par le général Pédron, commandant le corps d'armée d'Oran, et décoré de la croix de la Valeur militaire : « Jeune chef de peloton qui, depuis dix-huit mois, a participé à toutes les opérations de son escadron. Le 12 janvier 1957, à El Krarba (Beni Ouarsous), alors qu'un élément venait d'être pris à partie par une bande rebelle, a entraîné son peloton, malgré un feu de l'adversaire, et a mené l'assaut à la tête de ses hommes. Son action a permis l'évacuation des blessés et la récupération d'armes et de matériel. »

De cette guerre, qui fut si meurtrière, mon souvenir le plus émouvant est celui d'un jeune Musulman, âgé d'à peine quatorze ou quinze ans, mort dans mes bras après avoir sauté sur une mine, tout à côté de moi. Dans un premier temps, je crus qu'il était sorti miraculeusement indemne de l'explosion. Il ne saignait pas, ne portait aucune blessure visible. En ouvrant sa chemise, je découvris un petit trou rouge : un éclat imperceptible avait traversé sa poitrine et s'était logé dans le cœur. À un moment, il a fermé les yeux et j'ai alors senti que son corps était devenu plus lourd. Bouleversé, désemparé, j'ai tenté en vain de le ramener à la vie. Mais il était déjà trop tard…

En avril 1957, je prends, après le départ de notre capitaine et faute de remplaçant dans l'immédiat, le commandement du 3e escadron que j'assumerai jusqu'à l'arrivée de son successeur, trois mois plus tard, et à la fin de mon séjour prévu en Algérie. Je quitte l'armée avec tristesse, au point de songer quelque temps à m'engager pour de bon. De retour en métropole, je n'ai plus en tête que d'en repartir. N'était l'avis contraire de Bernadette et l'opposition catégorique du directeur de l'ENA, M. Bourdeau de Fontenay, qui me rappelle mon engagement à servir non l'armée mais l'État, sans doute aurais-je choisi le métier des armes. La carrière qui m'était apparue la plus conforme à mes aspirations…

Ce qui me frappe en rentrant d'Algérie où j'ai vécu, pendant plus d'une année, pratiquement coupé de tout, c'est l'effondrement moral, politique et administratif de notre pays, où la faillite de l'État se conjugue à l'inertie de l'opinion. Nul alors ne semble s'indigner, ni même s'étonner que, mois après mois, le gouvernement français soit obligé d'aller mendier ses fins de mois à l'étranger. Après s'être tourné vers les Américains, le voici contraint de s'adresser aux Allemands, douze ans après la Libération. Le jeu politique, sous cette IVe République finissante, s'apparente à un théâtre d'ombres où s'agitent des spectres interchangeables et désabusés. J'en arrive à me demander s'il est encore utile, et même convenable, dans ces conditions, de consacrer sa vie à servir un État qui n'est plus digne de ce nom. Cette période précédant le retour au pouvoir du général de Gaulle me marquera profondément. Elle constitue l'un des rares moments de déception et de découragement que j'ai connus au cours de mon existence.

Nos professeurs, à l'ENA, nous expliquent, démonstrations lumineuses à l'appui, que le redressement économique de la France est devenu impossible. Le déficit de la balance des paiements est considéré, par les plus éminents de nos maîtres, comme une fatalité inéluctable, tout à fait comparable à une anémie chronique, reconnue comme telle par le malade lui-même, qui s'y est résigné. Imaginer une guérison, fût-ce à longue échéance, pouvait faire douter de nos aptitudes à exercer une activité sérieuse. Le bateau coulait lentement dans le port, sous les yeux de promeneurs trop avertis et trop convaincus pour être vraiment attristés. Là-dessus, le général de Gaulle reprend les rênes du pays et Jacques Rueff lance son Plan dans la foulée. Six semaines se passent et la balance des paiements est de nouveau en équilibre. Le redressement est saisissant. J'en tire la conclusion que mieux vaut se méfier de l'opinion des théoriciens, des technocrates et des économistes. Et, depuis lors, mon jugement n'a guère changé.

Le directeur de l'ENA, l'excellent M. Bourdeau de Fontenay, qui a toujours un petit mouchoir tricolore au fond de sa poche pour essuyer une larme patriotique au coin de son œil, a été impressionné par ma prestation militaire et, du coup, il me dispense du stage en faculté de droit auquel j'aurais, normalement, dû être astreint, n'ayant jamais fait de droit. Sans autre formalité, il décide de m'affecter dans un département de province. C'est ainsi que je me suis retrouvé stagiaire à la préfecture de Grenoble.

J'y suis accueilli par le directeur de cabinet, Marcel Abel, homme merveilleux, ancien résistant, bien connu de toute la préfectorale. On le surnomme

« Bibise » à cause des embrassades chaleureuses qu'il prodigue à tout va.

— Écoutez, Chirac, c'est très simple, me déclare-t-il à mon arrivée. Moi qui vous parle, j'ai fait une carrière brillante. Eh bien ! je ne doute pas que vous fassiez la même. À une condition : c'est que, comme moi, et tout de suite, et, comme je l'ai fait, vous commenciez par accepter les tâches les plus modestes. Votre premier travail sera donc de porter des plis. Vous prendrez ceux que je vous donnerai et vous les porterez à leurs destinataires administratifs.

De nature, je ne suis pas contrariant. Puisque M. Abel me prédisait une destinée comparable à la sienne, durant deux jours, j'ai donc porté des plis. Mais le troisième jour, j'ai découvert qu'en donnant la pièce à l'huissier, ce dernier s'acquittait de cette tâche au moins aussi bien que moi. Ma vocation de facteur administratif a vite tourné court.

Il fait, cet été-là, à Grenoble, une chaleur accablante. Réfugié dans un bureau exigu, oublié de tous, et surtout de mon préfet qui ne marque aucun intérêt pour ses stagiaires, j'écoute les informations à la radio, avec l'impression qu'autour de moi tout est en train de s'effondrer. Six longs mois vont s'écouler ainsi, caniculaires et fastidieux. Seul le lancement du premier Spoutnik parvient alors à me distraire quelque peu de la torpeur dans laquelle je finis par m'enliser.

Je dois cependant à cet interminable stage grenoblois ma toute première initiation aux questions agricoles. Je me lie d'amitié avec un des dirigeants syndicaux du département, Fréjus Michon, qui m'apprend beaucoup dans ce domaine. Son sens du réel, sa solidité de raisonnement m'ont été précieux au cœur de cette moiteur grenobloise et dans l'abandon résolu où me tient l'administration préfectorale. Mon rapport de stage porte sur « le développement économique de l'Isère alpestre », sujet qui ne suscite en moi aucun émerveillement particulier, mais que je me suis néanmoins efforcé de traiter de la façon la plus sérieuse. Il me vaudra la plus mauvaise note de ma promotion.

En regagnant Paris, mon stage achevé, découragé par l'expérience que je viens de vivre, je n'aspire plus de nouveau qu'à me réengager dans l'armée. Mais je suis marié et j'ai désormais une petite fille, Laurence. Je dois donc me résigner à terminer mon parcours à l'ENA.

J'y fais irruption, début 1958, à la manière d'une boule qui rase les quilles. À peine arrivé, je suis pris à la gorge par l'atmosphère étouffante qui règne au sein de l'École. Un esprit de compétition poussé jusqu'à l'exaspération entraîne les jeunes gens qui s'y trouvent à une véritable lutte au couteau pour sortir dans le rang qui leur permettra d'accéder aux grands corps de la Haute Administration : le Conseil d'État, l'Inspection des Finances ou la Cour des comptes. Il s'agit de décrocher, à tout prix, l'un de ces trois-là. Plus l'État manifeste son impuissance, et plus on se presse, plus on se bouscule pour le servir. Certains étudiants, persuadés d'avoir découvert un document intéressant dans un livre de bibliothèque, arrachent la page afin de conserver la documentation à leur seul usage. Chacun fonce, se bat avec l'impression qu'un long couloir s'ouvre devant lui, au terme duquel seuls quelques-uns parviendront à la lumière.

Secouant mon abattement, je me mets à travailler ferme et, non sans peine, réussis en juin 1959 à être seizième au classement de sortie de l'ENA. Un rang très moyen qui me donne tout de même accès à la Cour des comptes.

À cette date, grâce au général de Gaulle, servir l'État est redevenu une tâche exaltante. De Gaulle! Avant 1958, le Général était pour moi un personnage mythologique, au même titre que Vercingétorix et Jeanne d'Arc. Une référence historique aussi haute que Richelieu ou Clemenceau. Je me faisais de lui l'idée d'un être altier, solitaire, très respectable, mais retiré de tout et naturellement inaccessible. Je n'imaginais pas qu'il puisse de nouveau jouer le moindre rôle dans les affaires du pays. Quant aux gaullistes, ils incarnaient pour moi le refus de la fatalité, l'aptitude à se lever pour dire « non ». Vertus que je jugeais plus que jamais appréciables et nécessaires. Mais si je me sens proche, en 1959, sortant de l'ENA, de ceux qui ont redressé l'État, je ne me reconnais pas pour autant de leur famille politique.

La politique, pour tout dire, demeure éloignée de mes véritables préoccupations. Et l'intérêt que je continue, même à distance, à porter au sort de l'Algérie, le sentiment de solidarité que je garde vis-à-vis de mes camarades de combat, dont certains ont donné leur vie pour la cause qu'ils avaient reçu mission de défendre, ne procèdent pas chez moi d'une réflexion politique approfondie. Mais d'une réaction instinctive, viscérale en quelque sorte, liée aux hommes en tant que tels bien plus qu'aux idées qui peuvent les animer.

Se réclamer de l'« Algérie française », quand on n'a jamais été un adepte forcené du système colonial, peut sembler à tout le moins contradictoire. Mais les raisonnements les plus solides et les mieux construits se révèlent souvent fragiles à l'épreuve des réalités, elles-mêmes si complexes et paradoxales. Je ne conteste pas le droit des Algériens à l'indépendance et n'ignore pas l'injustice du traitement qui leur est infligé. Mais je comprends aussi le désarroi, la colère même de ceux qui, enracinés dans cette terre d'Algérie depuis des générations, sont légitimement attachés au fruit de leur travail et soucieux de le préserver. Au demeurant, aboutir à un compromis entre les aspirations des deux communautés n'aurait rien eu de chimérique, si une idéologie extrémiste ne l'avait emporté, de part et d'autre, sur une vision plus pragmatique de l'avenir de l'Algérie.

En juin 1959, les élèves de la promotion « Vauban », à laquelle j'appartiens, sont envoyés en Algérie en « renfort administratif », à l'exception de ceux qui y ont déjà accompli leur service militaire. En théorie, je suis donc dispensé d'y retourner. Mais tout m'incite à me porter de nouveau volontaire pour servir en Algérie, où je repars, accompagné cette fois de Bernadette et de notre petite fille, Laurence. Affecté au Gouvernement général, j'ai pour tâche de veiller à l'application du « plan de Constantine ».

Dans l'esprit du général de Gaulle, déjà acquis à l'idée d'« autodétermination » pour le peuple algérien, ce plan est celui de la dernière chance. Il propose la mise en place d'une réforme agraire visant à une redistribution des terres au profit des agriculteurs musulmans, longtemps refusée, hélas! par les grands propriétaires coloniaux. Telle est la mission dont se trouve particulièrement investi le directeur de l'Agriculture et des Forêts au gouvernement d'Alger, Jacques Pélissier, dont je deviens le directeur de cabinet.

Parmi mes camarades de promotion présents à Alger, je suis l'un des rares, avec Alain Chevalier et Pierre Gisserot, à croire encore à un succès possible du « plan de Constantine ». Mes amis Bernard Stasi et Jacques Friedmann se déclarent nettement plus sceptiques quant à une solution du problème algérien permettant de concilier les intérêts des deux parties en présence. Pour eux, il est déjà trop tard, les exactions, les crimes commis de part et d'autre ayant définitivement changé la donne.

Dans la dernière semaine de janvier 1960, les émeutes dites des « barricades », déclenchées par une population pied-noir qui se sent trahie et abandonnée par la métropole, marquent un tournant tragique dans les relations entre Paris et Alger. Comme beaucoup, je suis alors témoin de l'inconsistance, pour ne pas dire de la déliquescence, des autorités qui sont en charge, sur place, du respect de l'ordre et de la légalité. Le spectacle est consternant.

À l'époque, le délégué général est Paul Delouvrier et le commandant en chef, le général Challe. Un attelage superbe entre un haut fonctionnaire d'envergure et un chef authentique, estimé de ses hommes. À la fin des années cinquante, Delouvrier avait été victime d'un grave accident de voiture qui avait nécessité qu'on lui place une pièce d'acier dans la jambe, à titre provisoire. Quand il avait été nommé délégué général, en décembre 1958, il n'avait pas eu le temps de la faire enlever. Dans les jours précédant l'insurrection algéroise, Delouvrier s'était rendu à

Paris pour y être opéré. Il venait tout juste de rentrer et se déplaçait en chaussons, en s'appuyant sur deux cannes.

Lors de l'affaire des « barricades », nous assistons à une scène étonnante, lorsque Delouvrier et Challe apparaissent côte à côte. On s'attendait à voir le premier éclopé et le second altier et imposant. Or, c'est l'inverse qui se produit. Delouvrier, au prix d'un grand effort, avait enfilé des chaussures et jeté ses cannes, et il marchait, le regard net, droit comme un I. De son côté, Challe, en grand uniforme de général de l'armée de l'air, bardé de décorations chèrement gagnées, avançait, chaussé d'énormes pantoufles : une maladie de la plante des pieds en était la cause.

L'image du pouvoir incarné par ces deux hommes à Alger, l'un s'efforçant de sauver les apparences, l'autre ne dissimulant rien de son état, est alors d'autant plus pathétique que leur autorité respective, sur l'administration civile et sur l'armée, est tout aussi vacillante. Dans la fonction que j'occupe, il m'est facile de constater les débandades qui se multiplient au sein du Gouvernement général.

Les directeurs devaient être au nombre de quinze. Combien sont demeurés à leur poste ? Deux ou trois, tout au plus. Les autres se sont volatilisés. Dans la soirée du 24 janvier, jour de l'affrontement le plus sanglant entre forces de l'ordre et manifestants, on finit par retrouver l'un de ces hauts fonctionnaires parmi les plus éminents, caché, apeuré, chez un de ses amis. Les autres ont couru plus loin. Mon directeur, Jacques Pélissier, s'est révélé le plus ferme et le plus digne de tous, et peut-être le seul vraiment loyal.

Son exemple m'a impressionné si fortement que je ferai appel, quatorze ans plus tard, à cet homme courageux pour diriger mon cabinet à Matignon.

La fermeté de Jacques Pélissier est pour moi riche d'enseignements. Elle m'éclaire sur l'attitude qui doit être celle, en toute circonstance, d'un serviteur de l'État. Si bien que je me rallie, dans les jours suivants, à l'initiative prise par Jacques Friedmann et Bernard Stasi, en réaction à la couardise manifestée au plus haut niveau de l'Administration, de faire signer une déclaration d'allégeance au général de Gaulle, qui s'est imposé dans ces circonstances comme le seul garant de l'intégrité et de la dignité de l'État. Ceci ne m'empêche pas, sur le plan personnel, de conserver de la sympathie à l'égard de mes amis restés attachés jusqu'au bout à l'espoir, devenu désormais illusoire, de préserver une Algérie française. Certains en toute bonne foi, mais piégés tant par le climat trop passionnel qui régne de tous côtés à Alger que par la stratégie souvent tortueuse, ambiguë, d'un pouvoir métropolitain impatient, à juste titre, d'extirper la France d'un bourbier devenu inextricable.

De retour en métropole en avril 1960, alors que le général de Gaulle, par sa poigne et son éloquence, a remporté une première victoire sur la sédition, j'entre en tant qu'auditeur à la Cour des comptes. Nostalgique des heures somme toute exaltantes que j'ai vécues en Algérie, je n'en ai pas moins acquis la conviction que la seule issue possible au drame qui s'y joue réside dans la reconnaissance du droit des Algériens à assumer leur propre destin. Tel est le sens de l'Histoire, pour eux comme pour la France.

Comment ne pas être choqué cependant, à l'heure du bilan, par le sort effroyable infligé à beaucoup de ceux qui furent nos compagnons d'armes, les harkis, humiliés, massacrés, pour avoir été indéfectiblement fidèles à notre cause ? Les souffrances, les atrocités auront été, certes, innombrables de part et d'autre. Mais celles subies par les harkis restés en Algérie après la cessation des hostilités ne sauraient être davantage oubliées. C'est un devoir de mémoire. Je me suis efforcé par la suite de toujours le respecter.

4

L'APPRENTISSAGE DU POUVOIR

Songeant aux années pleines et riches que j'ai connues, je ressens la dureté des choses mortes, des solitudes que la vie amoncelle, le poids de devoir faire face seul à sa destinée. Il est plus doux d'être guidé, de recevoir l'impulsion et l'élan, de se reposer sur l'expérience, la confiance et l'amitié. J'ai eu cette chance pendant plus de dix ans, jusqu'à la disparition de Georges Pompidou. Je ne serais pas tout à fait celui que je suis devenu si la vie ne m'avait réservé la grâce d'une rencontre qui m'a enrichi et révélé à moi-même. Plus encore qu'un père spirituel, Georges Pompidou a représenté pour moi un modèle. Une référence supérieure qui n'a cessé de m'inspirer quand je me suis trouvé, à mon tour, confronté à l'exercice du pouvoir.

Rares, parmi les hommes politiques, sont ceux qui savent se dégager de leur ambition personnelle et se contraindre jusqu'à incarner l'âme et la destinée de la nation. Georges Pompidou a été de ceux-là. En travaillant à ses côtés à partir de 1962, je suis devenu, si je puis dire, le témoin direct de cette mutation essentielle qui allait faire de lui le successeur du général de Gaulle à la présidence de la République.

À l'origine, Georges Pompidou ne souhaitait pas s'engager dans la vie politique. Le poste de Premier ministre, il l'avait dans un premier temps refusé, en 1958, quand le Général le lui avait proposé. La seconde fois, il lui était apparu inconvenant de décliner cet honneur que de Gaulle lui accordait. Pour lui, cette charge s'inscrivait à l'opposé même de ses projets de carrière dans lesquels la part consacrée à la vie familiale devait rester primordiale. Elle l'éloignait aussi de cette liberté, un peu anarchisante, qu'il aimait à préserver, tout en sachant s'en protéger par un solide bon sens chez lui inaliénable.

Quand il a accepté d'entrer à Matignon, en 1962, succédant à Michel Debré, Georges Pompidou avait pesé tout cela. En réalité, il avait déjà prouvé ses qualités d'homme d'État. Mais, à l'époque, seul le Général en avait pris conscience, qui l'avait jugé comme tel lors des négociations secrètes avec le FLN dont il l'avait chargé. Le Général le regardait agir. Il l'observait. Il le « choisissait » lentement. Les propriétaires de *ganaderias* font de même, durant les journées de pacage, pour sélectionner les *toros bravos*. Mais ce n'était pas encore l'épreuve de l'arène. Pour Georges Pompidou, celle-ci est venue lors de la grève des mineurs, en 1963.

Cette grève l'a surpris peu après sa nomination à la tête du gouvernement. Deux ans plus tard, mieux préparé, l'expérience aidant, sans doute l'eût-elle moins ébranlé. Ce fut pour lui comme un rite de passage. Le début du sacrifice permanent qu'il s'est imposé pour accéder un jour à la magistrature suprême. Il en a payé le prix par les coups qu'il a reçus et dont quelques-uns l'ont profondément meurtri. Je pense aux décisions graves qu'il a été amené à prendre – l'exercice du droit de grâce étant de toutes la plus cruelle – et à certaines ingratitudes, contraires à son tempérament, dont il lui a fallu faire preuve dans l'intérêt de l'État. Ce prix, Georges Pompidou l'a aussi payé quand on s'est attaqué, de la façon la plus ignoble, à l'être qu'il aimait plus que tout autre. Et en voyant se dénaturer alors, au creuset des nécessités politiques, l'amitié, l'affection, la dévotion qu'il avait toujours manifestées à l'égard du général de Gaulle. À la fin du parcours commun, ni l'un ni l'autre n'étaient tout à fait les mêmes qu'à l'origine, et leurs rapports s'en sont ressentis. À un moment donné, le pouvoir exige de tout homme d'État qu'il sache, comme le disait Richelieu à Louis XIII, renoncer aux « sentiments des particuliers » et se mutiler, s'amputer d'une part de soi-même.

Georges Pompidou a compté pour moi, sur le plan personnel et celui de ma formation politique, plus que le Général parce que je l'ai mieux connu. L'homme était exceptionnellement cultivé, d'une intégrité morale et d'une exigence intellectuelle hors du commun. À mes yeux, il symbolisait la France aussi bien que de Gaulle, l'idée qu'ils s'en faisaient l'un et l'autre n'ayant d'ailleurs rien, selon moi, d'incompatible. Celle de Georges Pompidou était sans doute plus concrète, plus immédiate, plus charnelle, tout imprégnée de valeurs paysannes, à la fois profondément ancrée dans la tradition et foncièrement ouverte à la modernité sous toutes ses formes.

Fils de cette belle terre d'Auvergne, Georges Pompidou connaissait admirablement les Français. Avec leurs forces et leurs faiblesses. Leurs habitudes et leurs contradictions. Leur goût de la division et leurs élans sublimes. L'homme de lettres, familier des classiques, amoureux de poésie, qui connaît par cœur et récite pour lui-même des vers de Villon, de Baudelaire, d'Apollinaire, va faire de la transformation économique, industrielle, urbaine et sociale de la France son sujet, sa cause, sa grande aventure Mais cet être généreux, attentif aux siens comme aux autres, toujours enclin à partager ses curiosités, ses découvertes et ses émerveillements, aura aussi à cœur de réconcilier l'Art et la Cité. Il pressent, tout comme Malraux, que notre société, trop individualisée, société froide des techniques triomphantes, aura besoin tôt ou tard de retrouver cette connaissance des âmes que seuls peuvent offrir l'art et la culture. Il comprend que la recherche du seul bien-être matériel ne saurait tenir lieu de projet politique. Rappelons-nous ce qu'il écrit dans son livre, *Le Nœud gordien* : « Le confort de vie généralisé comporte en lui-même une sorte de désespérance, en tout cas d'insatisfaction. Là est, sans doute, la vraie partie que joue le monde moderne. » On ne saurait être plus visionnaire.

S'il est un aspect de la personnalité de Georges Pompidou et de ses qualités d'homme d'État qui me touche plus encore que tout autre, c'est précisément le regard d'humaniste qu'il portait sur le monde. Un regard soucieux d'appréhender la diversité des cultures, curieux de l'entrecroisement croissant, du métissage inévitable et salutaire des sociétés contemporaines. Ce Français de pure souche, natif de Montboudif, fils d'instituteurs de la IIIe République, aura su préparer notre pays aux défis de la mondialisation et à ceux de la difficile mais nécessaire construction européenne. À qui lui reprochait de trop se consacrer à l'action diplomatique, Georges Pompidou faisait remarquer, avec une assurance toujours empreinte de clairvoyance, que les difficultés intérieures trouvaient de plus en plus souvent leurs solutions à l'échelon international, que l'on ne pouvait plus imaginer de paix sans sécurité collective, ni de progrès économique et social en dehors de l'Europe, même si la France devait rester maîtresse de son destin et confiante dans la richesse et l'étendue de ses propres ressources.

L'homme passait pour secret, madré, un peu roublard – ce qu'il était en partie. Mais c'étaient d'abord son intelligence, sa culture, sa compétence qui lui conféraient une indiscutable autorité et imposaient le respect. Non sans émotion, je revois ses sourcils en bataille, son regard pénétrant et scrutateur, profondément bienveillant ; son sourire perspicace, plein d'humour et de malice ; sa voix au timbre grave, belle, rocailleuse et chaleureuse ; sa silhouette puissante et élégante à la fois, se détachant dans la lumière du soir, derrière sa table de travail, tandis qu'il consignait instructions et réflexions.

D'un naturel réservé, peu porté aux effusions, rebelle aux confidences et ennemi de tout effet ostentatoire, Georges Pompidou n'entretenait pas avec ses collaborateurs des liens de grande proximité. Quels que soient les sentiments d'affection ou d'admiration que je nourrissais à son égard, je me savais tenu à ne pas trop les exprimer. La pudeur était de règle. Jamais nos relations n'ont été véritablement intimes, car ce n'était pas son genre. J'écoutais, j'enregistrais ce qu'il me disait lors des séances de travail qui se tenaient dans son bureau ou à l'occasion des déplacements que nous effectuions ensemble en voiture, quand il me demandait de l'accompagner. Mais, d'une certaine façon, je me sentais plus libre avec le général de Gaulle. Je me souviens du Général m'interrogeant à l'Élysée, peu avant le référendum perdu d'avril 1969 : « Qu'est-ce qu'on dit dans votre circonscription ? – Vous savez, c'est une circonscription plutôt à gauche. Je crains, mon Général, que les résultats ne soient pas très bons. » Je n'aurais pas osé répondre en ces termes à Georges Pompidou.

C'est à mon ancien camarade de Sciences-Po, Gérard Belorgey, que je dois d'être entré à Matignon en décembre 1962, peu après la naissance de ma deuxième fille, Claude. Chargé, au secrétariat général du gouvernement, de superviser les textes dits de « défense des institutions républicaines », autrement dit anti-OAS, Belorgey a la responsabilité, en outre, de dresser les procès-verbaux des conseils interministériels. Comprenant que je me morfonds à la Cour des comptes depuis mon retour d'Algérie, il me propose de me confier cette dernière tâche.

Il s'en est fallu de peu, pourtant, que mon destin prenne une tout autre direction, sans doute définitive. La compagnie Total venait, de son côté, de m'offrir la direction de sa filiale canadienne. L'apprenant, ma mère avait aussitôt supplié Bernadette de faire en sorte que je renonce à quitter la France. Je serais sans doute parti si une autre opportunité ne s'était présentée dans le même temps…

J'accepte sans hésiter la proposition de Belorgey. Et c'est ainsi que, pendant trois ou quatre mois, j'assisterai, sans rien dire, aux réunions d'arbitrage entre collaborateurs du chef du gouvernement et ceux de ses ministres, dont je rédige le compte rendu. Ce dernier se doit d'être non seulement exact, mais le plus bref et le plus précis possible. Excellente préparation à l'exercice ultérieur du pouvoir politique.

Affecté, dans un premier temps, au secrétariat général du gouvernement, je suis reçu par le responsable des affaires économiques, Jacques-Henri Bujard, qui me déclare, plaisantant à moitié : « Chirac, ne vous imaginez pas que vous allez vous installer dans mon bureau et occuper ma place. » Il ne croit pas si bien dire. Six mois plus tard, les services de Matignon ayant été réorganisés, c'est dans ce même bureau que je me trouverai installé, devenu membre du cabinet du Premier ministre à l'instigation conjointe de deux de ses collaborateurs, Pierre Lelong et René Montjoie, futur commissaire au Plan. Ce dernier m'a signalé à l'attention de François-Xavier Ortoli, le directeur de cabinet de Georges Pompidou, lequel m'a offert d'intégrer son équipe au rang le plus modeste : chargé de mission. Je m'y occuperai des questions aéronautiques, de l'aménagement du territoire et de la construction.

François-Xavier Ortoli est l'archétype même du grand serviteur de l'État. Un homme d'une haute qualité morale et intellectuelle, apte à prendre les décisions qui s'imposent, tout en se gardant soigneusement de céder à des impulsions qu'il juge trop hardies ou déraisonnables. Un jour de décembre 1962, il me demande de venir à dix-huit heures pour être présenté au Premier ministre. J'entre avec lui dans le bureau de Georges Pompidou, en train de signer son courrier. La pièce est à peine éclairée. Plongé dans ses parapheurs, le Premier ministre ne réagit pas à notre arrivée. Il continue de travailler, silencieux, sans même nous concéder un regard. Embarrassé, un peu anxieux, je ne sais trop ce qu'il convient de dire ou de faire. Un moment, Georges Pompidou lève la tête, puis la rabaisse aussitôt. « Monsieur le Premier ministre, lui dit Ortoli, je voulais vous présenter Jacques Chirac, un nouveau membre de votre cabinet qui vient de la Cour des comptes. Il est très bon », ajoute-t-il. Et Georges Pompidou de répondre, sans me prêter plus d'attention : « J'espère bien. S'il n'était pas très bon, je pense que vous ne l'auriez pas pris. » Comprenant que ce premier contact n'ira pas plus loin, Ortoli me fait alors un signe et nous nous retirons.

À Matignon, prompt à me saisir des dossiers et à régler les problèmes sans craindre de bousculer une administration souvent empêtrée dans son formalisme, j'hérite vite d'une réputation de « bulldozer ». C'en est assez pour devenir suspect, du même coup, de ne jamais prendre le temps de réfléchir, d'ignorer le doute ou d'être étranger aux nuances. Bref, caricaturé sous les traits d'un fonceur un peu sommaire et superficiel. Mais seul m'importe d'être fidèle à l'idée que je me fais du service de l'État. Idée où l'esprit d'abnégation doit aller de pair, selon moi, avec l'exigence d'efficacité.

C'est au cours des cinq années passées à Matignon, dans l'ombre de Georges Pompidou, que j'ai accompli mon apprentissage du pouvoir. L'entourage du Premier ministre ne manque pas de personnages éminents, tous susceptibles de laisser une empreinte sur le simple chargé de mission que je resterai jusqu'à mon entrée directe en politique.

L'homme fort du cabinet est sans conteste Olivier Guichard, gaulliste historique en même temps que fervent pompidolien, fidélités qu'il ne juge pas inconciliables. Il fait partie, avec Michel Debré, Jacques Chaban-Delmas, Roger Frey, Pierre Lefranc et Jacques Foccart, de cette confrérie toute-puissante et exclusive qu'on appelle les « barons ». L'homme, sous ses apparences un peu nonchalantes, est d'une intelligence supérieure. Son jugement sur ses semblables peut être acéré, et sa vision des choses se révéler d'une grande acuité. Plus je l'ai connu, plus je l'ai estimé. Mais je ne serai jamais pour autant de ses intimes ni proche de sa sphère d'influence. Celle où je tends de plus en plus à me situer gravite autour d'un conseiller dont beaucoup sous-estiment alors le caractère comme l'aptitude à se faire entendre et s'imposer. Il s'appelle Pierre Juillet.

Par son allure, son style, sa façon d'être, ce grand solitaire, intuitif, secret et ombrageux, a tout de l'éminence grise. La mine un peu austère, le regard perçant, économe de ses mots comme de ses effets vestimentaires, il cultive des airs de père Joseph. Mais ce qui me frappe chez lui, par-delà son goût des stratégies occultes, c'est la haute idée, intransigeante et quasi mystique, qu'il se fait de la France. Pour Pierre Juillet, la France incarne quelque chose de sacré, dont seul de Gaulle a su prendre la mesure. Il voue à l'une et l'autre une dévotion absolue. Servir la France et le Général, telle est son unique ambition, presque sa raison de vivre. Il le fait à sa manière, non comme ministre, ce qu'il aurait pu être s'il l'avait souhaité, mais en tant qu'inspirateur. Nul doute qu'il aime à « tirer les ficelles », comme on dit, et qu'il y excelle. Un rôle dans lequel il deviendra vite indissociable de sa future adjointe, Marie-France Garaud. Mais ce n'est pas son art de la manœuvre qui m'impressionne, lorsque je fais sa connaissance, mais sa finesse de jugement, sa compétence, son sens inné de la politique. Son audience ne va cesser de croître auprès de Georges Pompidou, au point d'éclipser peu à peu celle d'Olivier Guichard. En janvier 1966, le remplacement de François-Xavier Ortoli, protégé de Guichard, par Michel Jobert, à la tête du cabinet du Premier ministre, achèvera de confirmer l'influence prédominante acquise par Pierre Juillet.

Son magistère s'exerce sur moi avec d'autant plus de facilité que j'ai encore tout à apprendre en matière politique. Pierre Juillet a tout de suite compris en me voyant que mon expérience était on ne peut plus modeste et qu'il lui fallait la renforcer. J'ai été formé par ses conseils et son exemple. Il ne m'a pas appris la politique comme on apprend une langue étrangère – il n'existe ni méthode ni mode d'emploi dans ce domaine –, mais en me faisant part au jour le jour de ses réflexions concernant aussi bien la vie du gouvernement que les problèmes de la France, son histoire et la façon de traiter les difficultés auxquelles elle était confrontée. Foncièrement conservateur et par certains côtés archaïque, il enseigne au jeune technocrate les valeurs essentielles à défendre et préserver : le culte de la grandeur nationale, en premier lieu. Je deviens pour lui une sorte de disciple qu'il entend façonner à son image et dont il entreprend d'organiser le destin politique. Lorsque je serai nommé secrétaire d'État à l'Emploi, en 1967, Georges Pompidou me confiera : « C'est le Général qui l'a souhaité. » Mais, si tel est le cas, probablement est-ce Pierre Juillet qui m'a signalé au Général en lui glissant : « Il y a un type, là, qui peut être éventuellement utile… »

Paradoxalement, la protection de Pierre Juillet ne me vaut, à Matignon, au sein du cabinet du Premier ministre, aucune promotion particulière, comme si je n'avais pas vocation pour lui à mener une carrière administrative. Je quitterai mes fonctions en 1967 à l'échelon qui était le mien à mon arrivée cinq ans auparavant : celui d'un simple chargé de mission, alors que tous les autres membres du cabinet ont réussi à se faire nommer, entre-temps, conseillers techniques. Accéder à ce grade a été l'idée fixe de la plupart d'entre eux. On finit toujours par promouvoir, dans toute hiérarchie de cet ordre, ceux qui crient le plus fort. Si je ne suis pas devenu conseiller technique, c'est tout simplement parce que je ne l'ai pas demandé et ne m'en suis jamais vraiment soucié.

Je me passionne davantage pour les dossiers qui me sont confiés, ceux surtout concernant l'aéronautique, et particulièrement la construction du *Concorde* dont je me ferai d'emblée le défenseur. Lorsque, en 1966, les travaillistes arrivés au pouvoir en Angleterre décident d'interrompre sur-le-champ les deux grands projets franco-britanniques lancés par leurs prédécesseurs, le *Concorde* et le tunnel sous la Manche, je fais partie de ceux, plutôt rares il faut bien le dire, qui plaident à Matignon pour que la France n'y renonce pas à son tour. Contre l'avis du ministère des Finances, alerté par le coût de ces deux opérations et partisan de les abandonner l'une et l'autre, je me bats à mon niveau pour qu'elles soient maintenues, convaincu de leur intérêt industriel et économique. Nous consacrons alors beaucoup d'énergie à persuader les agents de l'État et les acteurs de l'économie que la France peut produire des avions, des trains, des missiles, de l'électronique, des molécules, et les vendre, tant ils doutent que nous puissions rattraper notre retard en matière d'autoroute et de télécommunications.

En mars 1969, le général de Gaulle me demandera de représenter le gouvernement à Toulouse, lors du premier vol du *Concorde*, avec André Turcat aux commandes. À mon retour à Paris, le Général m'invitera à déjeuner pour recueillir mes impressions, aussi fier et enthousiaste que je l'étais à l'idée que la France ait su mener à bien, envers et contre tous, une réalisation de cette ampleur.

Sans appartenir au premier cercle des collaborateurs du Premier ministre, je ne manque pas d'occasions de le côtoyer, malgré la distance qu'il entend préserver vis-à-vis de son entourage. Si, comme je l'ai dit, Georges Pompidou évite toute familiarité dans les rapports qu'il entretient avec ses conseillers, c'est qu'il tient avant tout à responsabiliser chacun d'eux, à leur laisser une certaine liberté d'initiative pour mieux s'assurer de leur capacité, le moment venu, à répondre de leurs actes.

Cette volonté de déléguer n'empêche pas qu'il suive lui-même de près les affaires de l'État. Je m'en rends compte chaque fois que j'ai l'opportunité de l'accompagner lors de manifestations qui relèvent de mon champ de compétences, comme le Salon aéronautique du Bourget. Malgré le soin que je prends à m'informer dans le détail des caractéristiques de chaque nouvel avion exposé, je m'aperçois vite qu'il en sait autant que moi, si ce n'est plus, à leur sujet.

Nous n'avons jamais eu besoin, Georges Pompidou et moi, de longs échanges pour nous comprendre. L'entente qui s'est établie peu à peu entre nous, au fil des années, doit sans doute beaucoup à nos origines proches : lui, l'Auvergne, moi, la Corrèze. Nous sommes issus du même terroir, modelés par une même fibre rurale et provinciale. Tous deux formés à l'école laïque et attachés à ses valeurs. Et tous deux amateurs de bonne chère et férus de poésie.

Georges Pompidou évitait le plus possible de mêler ses collaborateurs aux cercles de ses amitiés parisiennes. Si bien que Bernadette et moi n'avons été invités qu'à cinq ou six reprises à l'un de ces dîners mondains, très prisés du Tout-Paris, qui se tenaient souvent à Matignon. On y croisait aussi bien Pierre Cardin, Pierre Boulez, Guy Béart, Françoise Sagan et Maria Callas que Guy et Marie-Hélène de Rothschild, Hélène Rochas ou Édouard et Jacqueline de Ribes. Ce fut aussi pour nous l'occasion de mieux connaître et d'apprécier cette femme d'exception qu'était Claude Pompidou. Grande, belle, distinguée, toujours d'une extrême élégance, passionnée de mode comme de toutes les formes de la création contemporaine, elle n'aimait à évoluer que dans un seul univers, celui des artistes, des peintres, des écrivains, des grands couturiers, qu'elle préférait de loin au monde de la politique.

Ce monde-là, qu'elle n'a jamais aimé, et où Georges Pompidou lui-même semblait parfois s'être aventuré à contrecœur, c'est à Matignon que j'ai commencé, pour ma part, de le découvrir et de le fréquenter. Mais il faudra, comme je l'ai dit, toute l'insistance du Premier ministre pour m'inciter à y entrer pleinement à mon tour, en 1967. Mes fonctions me conduisent tout naturellement à rencontrer la plupart des ministres qui comptent à cette époque. Celui que je côtoie le plus fréquemment est sans doute André Malraux.

J'ai été partie prenante d'une des grandes décisions de son ministère : la création, en janvier 1963, de l'Inventaire général des monuments et richesses artistiques de la France. En tant que jeune auditeur de la Cour des comptes, ma première mission a été, en effet, de préparer cette réforme, capitale pour rendre la culture accessible à tous et sauver les monuments menacés, au sein de la commission culturelle du IVe Plan présidée par le professeur André Chastel. J'en ai été le rapporteur et l'une des principales chevilles ouvrières. C'est ainsi que j'ai fait la connaissance d'André Malraux.

Nous déjeunions régulièrement en tête à tête chez Lasserre, son restaurant favori, où nos échanges sur l'art asiatique, qu'il affirmait bien connaître, se terminaient le plus souvent par des éclats de voix de part et d'autre. Je n'hésitais pas à lui reprocher les trafics d'œuvres d'art auxquels il s'était livré dans sa jeunesse, en Indochine, contestant par là même la compétence esthétique qu'il s'attribuait. Mes critiques l'exaspéraient, le plongeaient dans une colère à peine contenue, sans qu'il mît fin pour autant à nos discussions. Mais si je ne parvenais pas à prendre au sérieux son *Musée imaginaire*, je ne pouvais qu'être fasciné par ce personnage dont sans le vouloir j'imitais les tics les jours où je l'avais rencontré. Et admiratif de l'auteur de *La Condition humaine*, de son engagement politique contre le fascisme et le système colonial, comme de son sens de la justice et de la fraternité.

À travers les fulgurances de son génie, l'Histoire devenait mythe et l'action politique une épopée lyrique. La mèche sur l'œil, le front bombé, la main nerveuse, le débit saccadé, Malraux brassait les idées, les mots, les images à la manière d'un enchanteur, éblouissant de virtuosité sans être jamais tout à fait dupe de l'effet qu'il recherchait et manquait rarement de produire. C'est ainsi qu'il me brossait de la guerre d'Espagne un tableau à la fois apocalyptique et enivrant, fait de raccourcis percutants, de métaphores brusques et saisissantes, où le sublime le disputait sans cesse au paradoxe.

C'est à André Malraux que je dois un de mes tout premiers souvenirs de réunions politiques, inoubliable il va sans dire. Je travaillais encore à l'époque au cabinet de Georges Pompidou et Malraux m'avait entraîné, à l'occasion de je ne sais quelle élection, à Saint-Denis, où se tenait un meeting, qu'il présidait, de soutien au candidat de la majorité.

Quatre à cinq mille personnes se pressent dans la salle, dont une majorité de communistes débarqués par trains entiers, qui ont pris possession des lieux avant notre arrivée. Alertés par le préfet, nous nous demandons s'il ne vaut pas mieux rebrousser chemin. Malraux répond : « On y va ! » Nous débarquons sous les huées. Comme si de rien n'était, Malraux monte à la tribune, incapable de se faire entendre. Soudain se produit quelque chose d'insolite, assez fréquent, comme je le vérifierai plus tard, dans des manifestations de ce type : un instant de silence tout à fait fortuit et quasi miraculeux. Comédien de génie, Malraux s'empare aussitôt de ces fractions de seconde pour lancer dans le micro, d'une voix de tonnerre : « Je vous vois bien… J'étais sur le Guadalquivir, je vous ai attendus et je ne vous ai pas vus venir… » Stupeur des communistes qui, pris de court, se demandent, sans bien comprendre, pourquoi ils n'ont pas été, en effet, « sur le Guadalquivir ». Dans la foulée, Malraux a pu prononcer son discours, toujours chahuté, mais à un niveau moindre, par une salle encore déconcertée.

Ce jour-là, j'ai mieux compris, grâce à Malraux, tout ce qu'il peut y avoir aussi de romanesque dans l'aventure politique.

5

MISSION ACCOMPLIE

En janvier 1965, j'apprends par un coup de téléphone du sous-préfet de Brive-la-Gaillarde ma candidature aux élections municipales de Sainte-Féréole. « Vous n'êtes pas au courant ? s'étonne-t-il. Vous êtes présent sur la liste du Rassemblement républicain. Il n'y en a pas d'autres. Vous êtes sûr d'être élu. » J'appelle aussitôt le maire radical-socialiste de la commune, M. Uminski, d'origine polonaise, mais tout ce qu'il y a de plus corrézien. Manquant d'un conseiller municipal pour boucler sa liste, il assure m'avoir sollicité par écrit. « Tu ne m'as pas répondu, me dit-il. J'en ai conclu que tu étais d'accord. » En réalité, je n'ai jamais reçu sa lettre. Mais qu'importe, puisque l'affaire est lancée... Et c'est ainsi que j'ai fait mes tout débuts en politique : à mon insu ou presque.

Cette première élection n'aura pas de conséquence directe sur la carrière que j'entamerai, sur ordre, deux ans plus tard. La circonscription de Brive étant détenue, depuis 1962, par un gaulliste bon teint, Jean Charbonnel, je n'ai aucune raison de chercher à m'y implanter. Ma présence, à partir de novembre

1964, au sein de la Commission du développement économique et social du Limousin, la CODER, préfiguration des conseils régionaux, va se révéler plus utile pour l'avenir. Pierre Juillet est à l'origine de ma nomination. Ancien responsable du RPF pour le Limousin, sa terre natale, il échafaude alors toute une stratégie pour tenter de conquérir, lors des prochaines élections législatives, ce bastion de gauche réputé imprenable. La CODER lui sert à préparer l'entrée en lice de quelques « jeunes loups » pompidoliens, comme Bernard Pons, Pierre Mazeaud et moi-même. Voilà pourquoi, à la différence du Premier ministre, il m'encouragera d'emblée à me présenter en Corrèze, fût-ce dans la circonscription la plus improbable pour un candidat de la majorité. Celle d'Ussel, fief radical-socialiste dans un département à fort ancrage communiste.

À peine ai-je obtenu de Georges Pompidou son accord de principe – « Vous pouvez toujours essayer » –, je pars au combat. La politique n'est pas la guerre, mais elle lui ressemble. J'y prends goût, comme j'ai aimé ma trop brève expérience de soldat en Algérie. Je quitte Matignon chaque vendredi, en fin d'après-midi, roulant à vive allure une partie de la nuit, à bord d'une 403 hors d'âge. Après avoir dormi deux ou trois heures à mon arrivée à Ussel dans le petit appartement HLM que j'ai loué non loin de la gare, et qui me sert aussi de permanence électorale, je commence à recevoir tous ceux qui, souhaitant le plus souvent me demander un service, font déjà la queue dans l'escalier. Puis je retourne sur le terrain, souvent accompagné de Bernadette qui, de son côté, fait activement campagne auprès des Corréziens.

Mes chances de succès sont à première vue très fragiles. D'autant que je ne possède encore aucun véritable réseau politique, en dehors d'une petite escouade de militants gaullistes, eux-mêmes dubitatifs quant à mes possibilités de l'emporter.

Parmi le peu d'atouts dont je dispose dans cet arrondissement plutôt hostile au gouvernement, l'un des meilleurs, paradoxalement, est le fait d'appartenir au cabinet du Premier ministre. Il faut dire que la haute Corrèze demeure à cette date une des zones les plus sous-développées de France. Son retard économique est considérable. Tout ou presque reste à faire en matière d'aménagement rural et de désenclavement. La haute Corrèze manque de tout, de routes, d'écoles, de téléphones. Et nombre de jeunes cherchent à s'expatrier, faute d'y trouver un emploi. Dans une région aussi manifestement délaissée par l'État, j'apparais aux électeurs, même les moins favorables, mieux placé que quiconque pour mobiliser les pouvoirs publics, apporter aux maires les subventions qui font défaut à leur commune, secourir les agriculteurs, répondre aux attentes des familles. Un coup de fil immédiat au ministre concerné me permet parfois d'obtenir gain de cause dans les heures ou les jours qui suivent.

Je m'attache, dès le début de la campagne, à privilégier le contact direct, personnalisé, sur les considérations partisanes. J'entreprends de rencontrer, un à un, tous les électeurs sans distinction. Mon premier souci est de les connaître individuellement, de sonder leur état d'esprit, d'écouter leurs doléances, aussitôt enregistrées sur un petit dictaphone pour être prises en compte et si possible satisfaites dès mon retour à

Paris. Les communistes locaux se montrent souvent surpris que je ne manifeste aucun ostracisme à leur égard. Ils apprécient cette marque d'attention dont ils n'ont guère l'habitude de la part d'un candidat dit « de droite ». À unc ou deux exceptions près, je suis bien reçu partout. Je visite chaque ferme, arpente chaque foirail, fais halte dans chaque bistrot. Au bout de quelques mois, il est peu de maisons où je ne me sois rendu au moins une fois.

La fougue, l'enthousiasme, l'énergie que je déploie ainsi sans me forcer ne passent pas inaperçus dans cette circonscription dont les élus sortants, accoutumés à retrouver leur siège sans même faire campagne, se bornent à tenir quelques réunions publiques.

Je bénéficie, dans la presse locale, d'un appui déterminant : celui de Marcel Dassault. Mes fonctions à Matignon dans le domaine aéronautique m'ont permis de retrouver ce vieil ami de mon père, pour qui j'éprouve infiniment de respect et d'admiration. On se fait toujours une idée un peu simpliste et caricaturale de Marcel Dassault. Mais l'homme était bien plus complexe qu'on ne l'imagine. J'ai assisté à plusieurs scènes qui témoignent de la vigueur de son caractère.

Un jour, alors que je me trouvais dans son bureau, un de ses collaborateurs vient lui annoncer : « Monsieur X est arrivé. » C'était un des personnages politiques importants de l'époque, dont il avait l'habitude de financer les campagnes électorales. Et Dassault de répondre, sans se déranger : « L'enveloppe est dans le deuxième tiroir ! » Une autre fois, attendant d'être reçu, je le vois surgir en tenant vigoureusement par le bras une haute personnalité du monde juif, qu'il menace de jeter dans l'escalier. Puis, l'ayant vigoureusement congédié, il se tourne vers moi et m'explique, encore sous le coup de la colère: « Vous vous rendez compte, il a osé venir ici pour me dire que nous étions d'abord juifs et israéliens et ensuite français. » C'était tout Dassault. Il avait toujours sur lui un petit trèfle à quatre feuilles, qu'il avait gardé durant toute la guerre et dans les camps de concentration. Et de temps en temps, très rarement, il sortait de sa poche et dépliait un vieux papier, montrant son trèfle à quatre feuilles en disant : « C'est lui qui m'a sauvé », avant de le replier délicatement.

Marcel Dassault, qui entend faire de moi, une fois élu, un secrétaire d'État à l'Aviation civile, a résolu de tout mettre en œuvre pour y parvenir. Il me témoigne beaucoup de confiance et une affection quasi paternelle. Il met à ma disposition *L'Essor du Limousin*, qu'il vient de racheter, et envoie sur place, à Limoges, un de ses meilleurs journalistes, Philippe Alexandre, en tant que « conseiller technique ».

J'ai conscience de ne pouvoir gagner sans obtenir le soutien, au moins tacite, des figures politiques corréziennes les plus emblématiques. Celui d'Henri Queuille, en premier lieu. Longtemps député d'Ussel, il a été chef du gouvernement à trois reprises et ministre quasi inamovible sous la IVe République. Le « bon docteur Queuille », comme on l'appelle en Corrèze, n'a plus de responsabilités nationales, mais son influence dans la région reste considérable. Adversaire déclaré du Général à l'époque du RPF, on le dit allergique aux gaullistes. Il n'est pas sûr qu'il accepte seulement de me recevoir. Je fais alors appel à mon ancien camarade de la Cour des comptes, Jérôme Monod, devenu le directeur de la DATAR, la Délégation à l'aménagement du territoire et à l'action régionale. Son épouse, Françoise, est la petite-fille d'Henri Queuille. Elle intervient avec succès en ma faveur. Après le long entretien qu'il consent à m'accorder, Queuille confiera à Jérôme Monod, sur un ton plutôt bienveillant : « Voilà un jeune homme qui mériterait d'être radical ! C'est un caméléon. »

Si je suis bien accepté par les vieux caciques locaux, c'est parce qu'ils me sentent assez proche de leur famille d'esprit. Le renom de mon grand-père, Louis Chirac, n'y est pas étranger. C'est en souvenir de son vieux camarade de la « sociale » que Charles Spinasse m'adoube à son tour, comme si j'étais l'un des siens. Toujours maire d'Égletons à cette date, Charles Spinasse fut, comme on le sait, l'un des leaders de la SFIO dans les années trente, au côté de Léon Blum, et ministre de l'Économie du Front populaire. Bien qu'il ait voté les pleins pouvoirs au maréchal Pétain en juillet 1940, il a gardé toute son aura dans cette haute Corrèze très profondément marquée par la Résistance. Il se déclare publiquement en ma faveur, justifiant son choix en ces termes : « J'ai reçu un grand jeune homme aux manières simples, aisées, directes et dont la politesse soulignait sans affectation le respect qu'on a de soi et des autres… Je le faisais parler, il m'exposa ce qu'il était, ce qu'il voulait, ce qu'il ferait avec tant de netteté dans les idées… Aussi décidai-je sur-le-champ de faire ce qui serait en mon pouvoir pour le mettre au service de la Corrèze et de la France. »

Charles Spinasse me racontera l'une de ses premières campagnes électorales en Corrèze. Dans l'école d'un petit village reculé, il entame sa réunion publique. Il y a là soixante ou quatre-vingts personnes. Brutalement la porte du fond s'ouvre et un grand paysan entre, un sac lourd à la main. Spinasse l'observe. En ce genre de réunion, il faut avoir l'œil sur chacun. L'homme avance. L'assistance s'écarte pour le laisser passer, alors que, d'ordinaire, les rangs se resserrent devant un nouvel arrivant. Et le silence se fait. L'orateur, lui-même, se tait. Le grand paysan est devant lui. Il plonge la main dans le sac. On entend un hurlement épouvantable. Et l'homme, exposant à la salle entière, tenu par les oreilles, un petit cochon grognant, d'apostropher Charles Spinasse : « Pour celui-là, je te demande ce que tu as fait ! » Les cours du porc venaient de s'effondrer, entraînant la colère des éleveurs… Je compris, en écoutant le récit de Charles Spinasse, que, dans une réunion publique, il faut se tenir toujours prêt à répliquer à toutes sortes de provocations. Ce qui demande autant de patience et de sang-froid que de sens de la repartie.

L'autre soutien qu'il me faut décrocher est celui du maire d'Ussel, le docteur Henri Belcour. Élu à la tête d'une liste « apolitique », mais disciple de Queuille lui aussi, il appartient à la même mouvance radicale. Son père, André Belcour, a été chef des maquis de la région. Leur nom jouit d'un immense respect en haute Corrèze, où on sait apprécier la discrétion, le sens du devoir, la fidélité au pays. Henri Belcour m'écoute en silence quand je lui demande d'être mon suppléant. Je le revois dans son fauteuil à bascule, fumant longuement sans dire un mot. Encouragé par son épouse Marie-France, il finit par accepter. À une condition, toutefois : ne jamais être amené à devenir député. Je m'y engage, ignorant naturellement que je serai nommé membre du gouvernement trois semaines seulement après mon élection en Corrèze. On n'est jamais ministre du premier coup, avais-je expliqué à Henri Belcour pour le rassurer en toute bonne foi. Sur l'instant, il réagira très mal au fait de devoir me remplacer, contrairement à nos accords, à l'Assemblée nationale, mais restera mon suppléant jusqu'à sa mort.

Le député sortant ne se représentant pas, c'est le sénateur-maire de Meymac, Marcel Audy, qui doit porter les couleurs de la Fédération de la gauche démocrate et socialiste, la FGDS, constituée et patronnée par François Mitterrand. Grand résistant, Marcel Audy était chargé de recevoir les parachutages d'armes sur le plateau de Millevaches. Solidement implanté, intelligent, efficace, de belle allure, il paraît imbattable. Il est marié, de surcroît, à une femme ravissante. Contre lui, je n'ai pratiquement aucune chance. Je ne vois donc qu'une solution : le dissuader de se présenter. Ce qui ne sera sans doute pas tâche facile…

Pour y parvenir, je n'ai, en réalité, qu'un argument : lui démontrer qu'en étant le représentant du parti de François Mitterrand, il risque fort d'être contraint, s'il arrive, comme il est probable, en deuxième position derrière le candidat communiste, de se désister en sa faveur. Or Marcel Audy a toujours été farouchement anticommuniste. Mon argument ne le laisse pas insensible, puis fait son chemin.

Un soir, à l'issue d'une longue discussion, qui se poursuit tard dans la nuit, il m'annonce qu'il a pris la décision de se retirer.

Désormais, mon adversaire ne peut être qu'un parachuté. Ce sera Robert Mitterrand, le propre frère du leader de la FGDS. Un industriel peu prédisposé, il faut bien le dire, à se frotter aux réalités d'un monde rural difficile à apprivoiser. L'homme est sympathique et nos relations, par la suite, ne cesseront d'être cordiales, comme celles que j'entretiens aujourd'hui avec son fils Frédéric. Mais faire campagne chez les paysans de haute Corrèze répugne manifestement à ce bourgeois citadin qui n'a ni le temps ni le goût de se familiariser avec les coutumes locales. Lorsqu'il entre dans un bistrot, c'est pour commander une tasse de thé, au grand étonnement de l'assistance. Dans les réunions publiques, je prends plaisir à l'apostropher en patois. Les rieurs sont de mon côté. Les électeurs aussi, qui me placent en tête au premier tour, devant le candidat communiste, Robert Mitterrand arrivant en troisième position. C'est pour moi le cas de figure le plus favorable.

La partie n'est pas gagnée pour autant. Si le représentant du PC bénéficie d'un bon report des voix de gauche, ma défaite paraît inévitable. Mais tel ne sera pas le cas, Robert Mitterrand, blessé par son échec, s'étant retiré sans formuler la moindre consigne de vote. Le 12 mars 1967, je suis élu de justesse député d'Ussel par 18 522 voix contre 17 985 à mon adversaire communiste, Georges Émon.

Le lendemain, tout frétillant, je débarque à Paris et vais me présenter à Matignon : « Voilà! Mission accomplie. » Georges Pompidou, qui est venu m'apporter son soutien personnel durant la campagne, se montre satisfait. Il me conseille d'aller sans tarder m'inscrire à l'Assemblée nationale. La majorité sortante n'a triomphé que d'un siège. Le mien est un des rares, sinon le seul, qu'elle ait réussi à conquérir. C'est dire que je suis attendu de pied ferme par le président du groupe UNR.

Henri Rey me reçoit, entouré d'Alexandre Sanguinetti, René Tomasini et, me semble-t-il, Henri Duvillard. Il me tend un papier : « Tiens, petit, tu t'inscris au groupe ! » Je signe. Je comprends qu'il est soulagé et qu'il compte dans sa tête : un de plus !

« Dans quelle commission veux-tu être ? » me demande-t-il. Ignorant les usages et sincèrement désireux de me rendre utile, je réponds qu'étant conseiller à la Cour des comptes, je me verrais bien siéger à la commission des Finances. Tête de ces messieurs. Je comprends tout de suite que je suis tombé à côté. Sanguinetti, que je ne connais pas encore, fronce les sourcils, l'air furibond : « Pour qui te prends-tu ? s'exclame-t-il. La commission des Finances, on n'y accède en général qu'au bout de six ans. » Je n'insiste pas : « Bon, écoutez, si vous ne voulez pas me donner la commission des Finances, vous n'avez qu'à m'inscrire dans celle que vous aurez choisie vous-mêmes. »

Et sur ces entrefaites, furieux d'avoir été si mal accueilli, je me retire et retourne à Matignon où, comme au bon vieux temps, je vais prendre un verre chez Anne-Marie Dupuis, chef de cabinet du Premier ministre, en compagnie de Pierre Juillet et de trois ou quatre amis. Décidément les nouvelles vont vite. Que n'ai-je pas entendu là aussi : « On dit partout que tu as exigé la commission des Finances ! Que c'est Pompidou qui veut t'y imposer ! Qu'à peine élu, tu t'arroges des places de choix ! Que tu as décidément les dents longues… »

Ulcéré, je n'ai plus qu'une hâte : monter dans ma voiture et repartir en Corrèze. De passage à Clermont-Ferrand, je vais rendre visite à Francisque Fabre, le successeur d'Alexandre Varenne à la direction de *La Montagne*. C'est un vieux socialiste, plein de malice, qui m'a beaucoup soutenu durant la campagne. Nous bavardons. Auprès de lui, je me sens représentant du peuple et, en le quittant, j'ai faim, ce qui chez moi est toujours bon signe.

Je traverse la place de Jaude, l'œil attendri en retrouvant certains souvenirs d'enfance. Puis, j'avise une grande brasserie portant l'inscription « Choucroute à toute heure ». Tout en déjeunant, je me plonge dans un journal où il est longuement question de ma victoire. Je n'entends pas la voix qui lance dans une sorte de haut-parleur : « On demande M. Chirac au téléphone ! » Il faut un deuxième appel et l'insistance du garçon, visiblement impressionné – « C'est pour vous. Dépêchez-vous. C'est le général de Gaulle… ! » – pour que je réagisse. Tous les regards sont fixés sur moi lorsque je traverse la salle pour rejoindre la cabine téléphonique. Si l'agitation des patrons de la brasserie n'avait pas été si forte, j'aurais pu croire à un canular.

Je décroche. Au bout du fil, le colonel de Bonneval, aide de camp du Général : « Le Général vous attend demain à onze heures », m'annonce-t-il. Je reviens à ma place, et, pour ne pas me donner plus longtemps en spectacle, demande l'addition et quitte le restaurant.

Ce matin de mars 1967, à onze heures, au lendemain de mon élection en Corrèze, lorsque je pénètre dans le bureau du général de Gaulle, c'est bien le chef de l'État que je rencontre pour la première fois en tête à tête.

Depuis cinq ans, au cabinet de Georges Pompidou, mes activités m'ont permis d'être mêlé, jour après jour, aux événements politiques. En quelque sorte, j'apercevais le général de Gaulle à chaque occasion importante. Est-ce la raison pour laquelle je ne me suis pas senti particulièrement intimidé, ou même impressionné, en me trouvant seul face à lui ? Certes, toute forme de familiarité paraissait impensable avec cet homme dont on ne pouvait ignorer la place immense qu'il occupait déjà dans l'Histoire. Le respect, l'admiration s'imposaient de façon naturelle à l'égard d'un personnage aussi monumental, qui semblait incarner la France depuis toujours. Mais ce qui me frappe surtout chez lui, ce jour-là, c'est son extrême courtoisie, son air bienveillant, son côté étonnamment accessible. Je me suis dit que seuls les grands hommes parviennent à ce degré de simplicité.

Le Général s'est manifestement bien renseigné à mon sujet – une fiche posée sur son bureau en témoigne – et il semble ne rien ignorer du parcours professionnel qui a été le mien jusque-là, de mes origines, de ma famille, de mes études. C'est au jeune député de Corrèze qu'il s'intéresse avant tout, dont il a suivi l'élection avec la même attention qu'il prête aux résultats de chaque circonscription, à leur évolution d'un scrutin à l'autre. La haute idée que le Général se fait de la France, la vision universelle qu'il a de son destin et de sa place dans le monde, s'enracinent en quelque sorte dans une connaissance intime, minutieuse de ses particularités locales, de ses us et coutumes tant politiques que géographiques et même culinaires. Au cours de la demi-heure d'entretien qu'il m'accorde, il n'est question que de la situation politique et économique en Corrèze, sur laquelle il m'interroge en détail, point par point, curieux de tout, comme si l'avenir du pays était étroitement lié à ce qui se passe dans chacun de ces départements de France qu'il a pris soin de visiter, commune après commune, depuis son retour au pouvoir.

Un soir d'avril 1967, je croise Georges Pompidou dans l'escalier de Matignon. Il revient de l'Élysée où il est allé proposer au Général les membres de son nouveau gouvernement. Il me prend par le bras : « Jacques, vous ne direz rien, mais je vous ai réservé un strapontin. » Après avoir ménagé un petit silence, il me regarde et ses yeux sourient. Lâchant mon bras, il ajoute : « Souvenez-vous toujours de ne jamais vous prendre pour un ministre. »

C'est ainsi que je suis devenu secrétaire d'État à l'Emploi. Lorsque mon beau-père apprend la nouvelle, il dit à sa fille : « Vraiment, Bernadette, votre mari ne sait pas ce qu'il veut… Il vient à peine d'être élu député et voilà qu'il démissionne pour faire autre chose… »

De fait, je n'ai eu le temps de mettre les pieds qu'à peine deux fois à l'Assemblée nationale en tant que parlementaire. Tout est allé plus vite que je ne pouvais l'imaginer.

6

DANS LES TURBULENCES DE MAI

Qui peut vraiment affirmer qu'il a pressenti la crise de mai 1968 ? Il est toujours tentant de réécrire l'Histoire après coup. La vérité est que nous avons tous été pris par surprise. Personne, et pas même le Général, n'a vu venir l'ampleur du mouvement contestataire qui s'est emparé d'une jeunesse plus préoccupée de libération des mœurs que de véritable révolution politique.

Je me souviens de la visite que me rendit François Ceyrac peu avant le début de l'insurrection. Alors responsable de la commission sociale au CNPF, dont il deviendra le président, François Ceyrac était corrézien, et nous étions proches. Son père, Paul Ceyrac, notaire à Meyssac, avait établi le contrat de mariage de mes parents. Il vient m'annoncer que, souffrant d'un problème à une jambe, il a pris la décision de se faire opérer : « Ça prendra trois ou quatre jours, me dit-il. Autant le faire maintenant puisqu'il ne peut rien se passer avant la rentrée de septembre… – Tu as raison, lui répondis-je. Il ne peut rien se passer ! » Tel était notre état d'esprit à la veille de mai 1968.

Un certain malaise social n'en est pas moins perceptible, lié surtout à la question du chômage qui commence à se poser de manière inquiétante. C'est à l'initiative de Georges Pompidou que vient d'être créé un secrétariat d'État à l'Emploi. Il est un des seuls, alors, à en mesurer toute l'importance. « Sachez, me déclare-t-il en m'en confiant la responsabilité, que l'emploi deviendra un problème majeur dans notre pays. Parce que les Français n'accepteront jamais qu'on franchisse la barre des 300 000 chômeurs… » Il s'agit, à défaut de parvenir à conjurer le mal, de se préparer du moins à l'affronter. Ma mission consiste à organiser la prise en charge des chômeurs, en les aidant d'une part à retrouver du travail, et de l'autre en leur assurant une protection.

Officiellement, le secrétariat d'État est rattaché au ministère des Affaires sociales. Mais je dépends moins, en réalité, de mon ministre de tutelle, Jean-Marcel Jeanneney, que de Georges Pompidou directement. Installés, non au 127, rue de Grenelle comme le voulait l'usage, mais dans un hôtel particulier de la rue de Tilsit, à proximité des Champs-Élysées, mon équipe et moi-même n'entretenons de contact permanent qu'avec Matignon.

Je fais appel, pour diriger mon cabinet, à mon ancien camarade de Sciences-Po, Gérard Belorgey, auquel s'ajoutent Olivier Stirn, Claude Erignac et Jean-Paul Parayre, futur directeur général de Peugeot, tous chargés à mes côtés de mettre en place ce qu'on appellera plus tard le « traitement social du chômage ». Une action d'une ampleur sans équivalent à cette date, conçue, organisée en liaison constante avec les principaux responsables syndicaux, André Bergeron pour FO, et Henri Krasucki, le numéro trois de la CGT, dont je fais la connaissance à ce moment-là. Et tout ceci au prix d'une partie de bras-de-fer incessante avec le ministère des Finances qui ne voulait pas entendre parler, comme toujours, de dépenses supplémentaires…

C'est dans ces conditions que furent négociées et mises en place les premières mesures sociales en faveur de l'indemnisation des chômeurs. La garantie de ressources pour l'ensemble des travailleurs sans emploi est instituée, ainsi que la généralisation du régime des aides complémentaires. J'obtiens de l'UNEDIC le relèvement du taux des allocations de 35 à 40 % du salaire de référence au cours des trois premiers mois de chômage. L'Agence nationale pour l'emploi (ANPE) voit le jour, tandis qu'est fixé un taux minimum pour l'indemnité de licenciement.

Ces réformes permettront de doter notre pays d'un des meilleurs systèmes de protection sociale au monde, l'un des plus justes et des plus nécessaires – fût-il depuis lors critiqué, épisodiquement, par les tenants d'un libéralisme sans limites ni contrôle, dont les ravages et les abus se font aujourd'hui si dramatiquement sentir… C'est le mérite de Georges Pompidou d'avoir pris conscience, très tôt, du plan d'action qui s'imposait et d'en avoir posé les jalons essentiels, sous l'autorité du général de Gaulle.

La grande leçon que je retiens du Général présidant les premiers Conseils des ministres auxquels il m'est donné d'assister – un secrétaire d'État y est alors convié et autorisé à prendre la parole –, c'est le souci, l'exigence, l'intransigeance même qu'il met à décider la politique gouvernementale en fonction, non de questions catégorielles ou partisanes, mais de ce qu'il estime être l'intérêt supérieur de la France.

On le sent à cet égard intraitable, ce qui confère à la fonction présidentielle, telle qu'il l'incarne, une dignité et une hauteur exceptionnelles.

Sous son autorité, l'État paraît indestructible. Il suffira pourtant d'un mouvement étudiant surgi entre Nanterre et la Sorbonne pour ébranler le pouvoir qu'il détient souverainement depuis une décennie.

En mai 1968, j'ai vu se décomposer, se dissoudre des hommes politiques tenus pour éminents dans l'univers gaulliste. Certains d'entre eux ne mettent plus les pieds chez le Premier ministre. D'autres, pris de panique, ont des contacts plus ou moins discrets avec les leaders de l'opposition et d'autres encore, parmi les membres des cabinets ministériels, vont et viennent, en proie à un désordre manifeste, se succédant de demi-heure en demi-heure, créant une agitation vaine avant de tomber, un moment plus tard, dans un abattement de paralytique. Les plus épouvantés témoignent de leur fermeté en réclamant, pour le bien du gaullisme, la démission immédiate du Général. Souvent je pense à lui, à cet homme de tempête et de solitude, qui conseille de prendre les chemins de crête parce qu'on est sûr de n'y rencontrer personne. Cette formule n'a jamais été autant d'actualité.

Parmi les rares qui conservent leur calme, Raymond Marcellin, alors ministre chargé du Plan, est sans doute le plus constant. Régulièrement, il vient dire à Georges Pompidou : « Monsieur le Premier ministre, laissez donc ces gens s'affoler. Tout ceci n'a aucune importance. C'est une poussée de fièvre. Moi qui ai assisté aux grandes grèves de 1947, comme secrétaire d'État à l'Intérieur auprès de Jules Moch, je puis vous dire que les événements d'aujourd'hui n'ont avec ceux-là aucune commune mesure. Nous étions obligés alors de faire tourner sans arrêt les CRS, que nous venions de créer, pour donner l'illusion aux états-majors syndicaux qu'ils étaient nombreux... Non, croyez-moi, il ne s'agit que d'une simple poussée de fièvre. »

Georges Pompidou, au pire de la crise de mai, est demeuré absolument égal à lui-même. Je le vois encore, dans son bureau empli de gens qui s'agitaient, tout occupé, comme d'habitude, à rédiger ses ordres et indifférent au tumulte. Sans doute était-ce la khâgne qui l'avait ainsi préparé à travailler presque mieux dans la turbulence que dans la sérénité.

Durant cette période où nous étions sur la brèche sans discontinuer, j'étais frappé par le calme avec lequel Georges Pompidou et Pierre Juillet continuaient à s'entretenir dans le petit boudoir de Matignon, qu'on appelait le salon bleu. Ils se réfugiaient là, de temps à autre, comme obéissant à une étroite connivence. Échangeaient-ils des secrets d'État, comme on pouvait le penser ? Il n'en était rien. Georges Pompidou et Pierre Juillet, tandis que Pierre Somveille, dans le bureau voisin, suivait les événements minute par minute, discutaient tout bonnement de cigares. Davidoff venait de publier un ouvrage sur le sujet et le Premier ministre et son conseiller, tous deux grands amateurs de cigares, discutaient de l'art de les conserver et de les déguster...

S'ils différaient sur un problème, ils ne se séparaient jamais sans l'avoir réglé. Somveille surgissait : « Fait-on charger ? Détruit-on les barricades ? »

Georges Pompidou passait – avec une stupéfiante disponibilité – d'une conversation à l'autre. Il se faisait brièvement exposer la situation et donnait ses directives. La conversation sur les cigares n'avait pas d'autre raison d'être que d'assurer la distance nécessaire à une réflexion mesurée.

La débandade de mai n'épargna pas ma propre équipe. Certains, que je ne nommerai pas, se sont effondrés d'un coup, comme sous l'effet d'un cyclone. D'autres ont disparu. L'un des plus dignes m'a remis sa lettre de démission. Un seul a été parfait : Jean-Paul Parayre. Il s'est contenté d'être là, de le montrer, de ne pas déserter son bureau.

Je passerai sous silence le cas du « fidèle compagnon », au cœur torturé, qui s'est rendu chez François Mitterrand, dès neuf heures du matin, pour l'assurer de sa fidélité la plus complète. Il n'était pas seul à avoir eu cette idée originale, si bien qu'il dut faire la queue. Longtemps. Au point qu'il fut prié, le soir même, de rentrer se coucher sans avoir été reçu. Il n'en fut pas pour autant découragé. Par l'entremise d'une amie journaliste, il tenta de faire savoir à François Mitterrand qu'il se tenait à sa disposition ! Ce très proche collaborateur et ami « fidèle » a ensuite servi d'autres chefs de l'État avec la même « fidélité » proclamée.

À la vérité, seul le feu est révélateur, à la guerre comme en politique, du véritable caractère des hommes. Tant que cette épreuve n'est pas là, toutes les hypothèses restent possibles. On s'imagine avoir choisi des hommes pour leur vertu, parfaitement visible dans le traitement des difficultés ordinaires. Mais on ne les connaît vraiment que face au péril, à cet instant précis, imparable, où les certitudes vacillent.

Je ne me sens nullement hostile à la rébellion étudiante en tant que telle, ni particulièrement choqué par les revendications d'une jeunesse qui aspire à une plus grande liberté de mœurs. Le désir de changement est naturel chez les jeunes, comme je m'efforce de le faire comprendre à mes collègues du gouvernement. Sans doute, au même âge, eussé-je rejoint les étudiants de 68. Comme eux, je n'ai témoigné à mes maîtres ni soumission aveugle ni reconnaissance éperdue. Comme eux, j'ai mal vécu mon époque et ressenti l'incompréhension des adultes. Mais le fait est qu'aujourd'hui je me situe, si j'ose dire, de l'autre côté de la barricade, dans le camp de l'État où j'œuvre avant tout, à la demande de Georges Pompidou, pour tenter d'éviter une explosion sociale bien plus grave et incontrôlable.

« Il ne faudrait pas que les syndicats s'y mettent maintenant, m'a dit Georges Pompidou au lendemain de la grande manifestation unitaire du 13 mai qui a saisi de frayeur les milieux gouvernementaux. Je compte sur vous pour maintenir le contact avec eux. » C'est ainsi que je me suis trouvé en première ligne dans les négociations plus ou moins secrètes engagées avec les responsables des principales centrales syndicales.

Tout commence le 20 mai de manière assez rocambolesque. Ce jour-là, après avoir plaidé auprès du général de Gaulle en faveur d'un dialogue avec les syndicats – « ils ne demandent qu'à s'entendre avec nous, assurai-je au chef de l'État, ils sont les premiers à s'inquiéter de ce mouvement de grève qu'ils ne parviennent pas à contrôler » – et obtenu son accord ainsi que celui de Georges Pompidou, je rencontre en secret un de mes interlocuteurs traditionnels de la CGT, Henri Krasucki.

D'expérience, je sais qu'il est possible de trouver un terrain d'entente avec cet homme déterminé, astucieux, intelligent, qui a le sens de l'intérêt général. Les discussions entre gouvernement et syndicats sont le plus souvent rudimentaires. Chacun campe sur ses positions et ne « lâche », en définitive, que pour des raisons tactiques. Avec Henri Krasucki, j'avais déjà observé qu'on pouvait avoir un véritable échange, s'affranchir du cadre un peu sommaire des pourparlers traditionnels. Mais compte tenu des circonstances il ne peut être question entre nous que d'échanges officieux et même clandestins. Désormais nous nous téléphonons même sous des noms de code, le mien étant « Monsieur Walter ».

Henri Krasucki me fixe rendez-vous sur un banc du square d'Anvers, près de la place Pigalle. Il n'y viendra pas lui-même, mais enverra un de ses hommes de confiance. Je m'y rends seul, à bord de la Peugeot 403 banalisée dont je me sers pour mes allers et retours en Corrèze. À mon arrivée, je cherche en vain le lieu où nous sommes censés nous retrouver et qui semble avoir été remplacé par un parking en construction. S'agit-il d'un piège ? Un homme s'approche de moi. Il fume la pipe et me glisse le mot de passe dont nous étions convenus. Il s'excuse du quiproquo, ignorant que l'endroit avait quelque peu changé d'aspect. Je lui communique la proposition du gouvernement : l'ouverture d'une grande négociation sur les revenus, le salaire minimum et la Sécurité sociale. L'homme me dit qu'il transmettra et s'éloigne aussitôt. Le lendemain, je reçois de Georges Pompidou la consigne de ne plus lâcher la CGT.

Trois jours plus tard, nouveau rendez-vous, avec Henri Krasucki directement cette fois, rue Chaptal, dans le même quartier populaire. Sur recommandation de Georges Pompidou, inquiet d'un possible enlèvement – « si on kidnappe un secrétaire d'État, me prévient-il, ça nous mettra dans une situation politique épouvantable, alors méfiez-vous... » –, je me munis d'un revolver, dissimulé dans une des poches de mon veston. Deux officiers de sécurité me suivront à distance, avec mission d'intervenir si je ne suis pas revenu au bout de trois quarts d'heure. Tant de précautions peuvent paraître aujourd'hui ridicules ou démesurées. Mais elles n'ont rien d'étonnant dans le climat de l'époque. Deux hommes de la CGT me conduisent dans une petite chambre en désordre, au troisième étage d'un immeuble assez banal, où m'attend Henri Krasucki. C'est là que vont s'engager, clandestinement, avant leur ouverture officielle, le 25 mai, les négociations qui conduiront aux accords de Grenelle.

Convaincu, comme je le suis, que seule une certaine entente avec la centrale de Georges Séguy, et à travers elle un Parti communiste foncièrement réfractaire aux débordements gauchistes, peut nous permettre de sortir de la crise, Georges Pompidou s'applique à jouer cette carte avec d'autant plus d'intérêt qu'il y voit, de surcroît, le moyen le plus sûr de rompre l'unité syndicale. Prenant à part Henri Krasucki le 25 mai, peu avant le début de la réunion qui se tient au ministère des Affaires sociales, j'insiste auprès de lui sur le danger qu'un échec représenterait tant pour la CGT que pour le gouvernement, tous deux risquant d'être emportés, en définitive, par la même vague contestataire. Il ne paraît pas insensible à ce message, sachant l'influence acquise par la CFDT depuis le déclenchement de la crise.

Il faudra deux interminables et difficiles journées de négociations avant de trouver une issue durant la nuit du 27 mai. Régulièrement, je quitte la salle pour aller m'entretenir, dans les couloirs du ministère, avec Georges Séguy et Henri Krasucki. C'est là, en réalité, que se déroule l'essentiel de nos tractations. Le problème central est la revalorisation du SMIG, sur le montant duquel nous divergeons radicalement. Soucieux d'aboutir, je prends l'initiative, avec l'approbation naturellement de Georges Pompidou, de proposer aux leaders de la CGT, vers quatre heures du matin, le 27 mai, l'augmentation du SMIG de 35 % et une hausse moyenne des salaires de 10 %. Accord conclu. Puis chacun de nous retourne discrètement dans la salle, eux de leur côté, moi du mien. Les autres parties, FO en tête, se rallient à cette proposition que le chef de file du patronat, Paul Huvelin, impatient de voir le pays se remettre au travail, approuve avec un empressement plus inattendu. Seule la CFDT, pour des raisons d'ordre strictement politique, s'efforce en vain de prolonger les débats comme pour gagner du temps avant une hypothétique prise de pouvoir par la gauche socialiste qui tient meeting, le soir même, stade Charléty.

Avancée décisive, les accords de Grenelle n'auront pas pour autant, dans l'immédiat, l'effet d'apaisement escompté. Mal accueillis par les salariés de

Renault lorsque les dirigeants de la CGT viennent les leur annoncer sous les huées, ils ne sont guère mieux reçus au ministère des Finances où Michel Debré, gardien de l'orthodoxie en matière budgétaire, nous reproche vivement des concessions qu'il juge trop coûteuses. Si bien que lors du Conseil des ministres suivant, le général de Gaulle, partisan depuis le début de la manière forte et constatant que la crise n'a pas été désamorcée malgré la bonne volonté du gouvernement, s'abstiendra de saluer les efforts pourtant méritoires déployés par Georges Pompidou et son équipe.

C'est dans les jours suivants que les revirements, les lâchages, pour ne pas dire les lâchetés, que j'ai évoqués se font le plus sentir, tant au sein de l'Administration que du gouvernement lui-même – et jusque chez mes propres collaborateurs. Nous sommes de moins en moins nombreux à entourer Georges Pompidou. Hormis Pierre Juillet, Michel Jobert, Édouard Balladur et moi-même, Matignon est devenu un lieu aussi déserté que si le pouvoir s'apprêtait à changer de main. Voilà pourquoi Georges Pompidou a si mal ressenti le brusque départ du Général pour Baden-Baden et, surtout, d'avoir été mis, comme tout le monde, devant le fait accompli. J'ai su, plus tard, par son épouse, à quel point il en avait été meurtri...

Cet épisode ne fera qu'envenimer la guerre des entourages entre l'Élysée et Matignon et, par voie de conséquence, entre le chef de l'État et son Premier ministre. Guerre à laquelle je ne me suis pas associé, persuadé, au risque de paraître naïf, qu'on peut rester gaulliste sans cesser d'être pompidolien.

*

Le 31 mai 1968, Georges Pompidou remanie son gouvernement. Il me confie le secrétariat d'État au Budget. Je quitte à contrecœur celui de l'Emploi, qui m'a permis de nouer des relations durables avec le milieu syndical. « Vous vous en ferez d'autres », m'assure en riant le Premier ministre pour me consoler. En juillet, au lendemain des élections législatives remportées triomphalement par la majorité, Georges Pompidou est contraint de s'effacer au profit de Maurice Couve de Murville. Résolu, dans ces conditions, à donner ma démission, j'accours dans le petit bureau du boulevard de la Tour-Maubourg, où Georges Pompidou vient de s'installer, et fais part à ce dernier de ma décision de quitter le gouvernement pour siéger à ses côtés à l'Assemblée nationale.

Il m'en dissuade, me presse au contraire de rester en fonctions. « Mais au secrétariat d'État au Budget, insiste-t-il. Ne transigez surtout pas à ce sujet. C'est un poste où vous pouvez vous former. Et voir ce qui se passe au sein du gouvernement, me tenir au courant des mouvements de l'économie française... » Je suis convoqué peu après par Maurice Couve de Murville qui me déclare ne pas vouloir constituer son équipe « sans un minimum d'accord avec Georges Pompidou » et me demande d'être son intermédiaire auprès de lui : « Je vous confierai ce que je pense, me dit-il, vous en parlerez à Pompidou, me rapporterez ses réactions et nous en tirerons ensemble les conclusions. »

Couve de Murville m'associe de près à la formation de son gouvernement, me consultant – et à travers moi Pompidou, qu'il cherche, semble-t-il, à ménager – sur le choix de la plupart de ses ministres. La seule discussion un peu sérieuse porte sur celui d'Edgar Faure qu'il envisage, faute de mieux, de nommer à l'Éducation nationale. « Ce serait une bonne idée, me glisse Couve, qui ne l'apprécie guère, parce que s'il réussit, ce sera grâce au gouvernement, et s'il échoue, ce sera de sa faute. » J'en parle à Georges Pompidou, lequel est de l'avis inverse, comme je le rapporte immédiatement à Couve : « Il pense que si Edgar échoue, ce sera de notre faute, et s'il réussit, ce sera grâce à lui. » Edgar Faure n'en sera pas moins nommé à l'Éducation nationale.

Quant à moi, après avoir décliné toute autre proposition, j'obtiens de demeurer au Budget, d'autant que, sur les conseils de Georges Pompidou, un autre de ses proches, François-Xavier Ortoli, s'est vu confier le ministère des Finances.

Je suis naturellement triste de l'éloignement forcé de Georges Pompidou dont le limogeage – quel autre mot employer ? – me paraît, comme à tous ses amis, résulter de beaucoup d'ingratitude. Mais je me souviens très bien d'avoir dit à Pierre Juillet à ce moment-là : « Ce qui pouvait lui arriver de mieux, c'est d'être obligé de partir. Il lui sera ainsi plus facile de se préparer à la succession. » Ce à quoi Pierre Juillet m'avait répondu : « Vous avez probablement raison. » La suite des événements ne m'a pas démenti.

*

Je ressentis d'autant plus mal l'éviction de Georges Pompidou que celle-ci coïncida pour moi avec un événement personnel douloureux : la disparition de mon père, foudroyé par une crise cardiaque le 30 juin 1968, au soir du second tour des élections législatives.

Mes parents étaient rentrés tard ce soir-là à Sainte-Féréole après être allés dîner chez des amis. Le lendemain, étonnée de ne pas voir mon père se lever tôt comme il en avait l'habitude, ma mère l'avait découvert mort sur son lit, revêtu de ses habits de la veille.

Bernadette et moi étions encore en train de dormir à notre domicile parisien, après avoir passé une partie de la nuit à fêter les résultats électoraux en compagnie de Georges et Claude Pompidou, quand ma mère essaya en vain de nous joindre au téléphone pour nous prévenir. Ce sont finalement les parents de Bernadette qui, alertés par elle, vinrent nous apprendre la nouvelle.

Je partis aussitôt en voiture pour la Corrèze, où Bernadette me rejoignit peu après par le train, avec Laurence et Claude. Ma mère m'attendait dans notre maison de Sainte-Féréole, d'autant plus éprouvée que rien ne lui avait laissé présager une issue aussi précipitée. Mon père était mort soudainement à soixante-dix ans, en pleine santé, et je ne pouvais pas m'empêcher de penser, du fond de mon chagrin, qu'il n'y avait peut-être pas de fin plus enviable.

Il fut inhumé au cimetière du village, dans notre caveau de famille où ma mère et lui reposent aujourd'hui côte à côte.

7

LA SUCCESSION DU GÉNÉRAL

Je n'ai jamais douté que Georges Pompidou fût le successeur naturel du général de Gaulle. À mes yeux, sa légitimité se fondait sur la relation de confiance établie de longue date avec le chef de l'État. Quelles qu'aient été leurs divergences d'appréciations à propos de Mai 68, et les blessures, les malentendus qui en ont résulté, il n'en demeurait pas moins que le Général et Georges Pompidou s'étaient entendus pendant six ans sur les choix essentiels, les principes et les orientations ayant apporté au pays des institutions solides et stables, renforcé l'autorité de l'État, restitué à la France sa place et son rang dans le monde.

Lorsqu'on l'interrogeait sur sa conception du gaullisme, Georges Pompidou répondait invariablement : c'est « un comportement face à l'adversité ». Telle était pour lui la véritable différence entre gaullistes et centristes. Le gaulliste, par tempérament et par conviction, refuse de s'accommoder de l'échec, du malheur, de la fatalité. Il est animé par une conscience historique de l'événement. Il est l'homme d'une exigence et d'une fidélité.

Dans le même temps, Georges Pompidou se faisait du gaullisme une idée qui n'avait rien de dogmatique, au risque de heurter les tenants les plus irréductibles de l'orthodoxie gaullienne. Il voyait dans l'action du Général un modèle de pragmatisme éclairé bien plus qu'une doctrine pour l'avenir, passant du même coup pour un gestionnaire prudent de l'héritage de l'homme du 18 Juin. On le disait conservateur, mais ce qui me frappait chez lui, tout au contraire, c'était son sens et son goût de la modernité. On ne peut être totalement conservateur quand on est intime avec tout ce qui compte dans le domaine de la création contemporaine.

Resté à sa demande membre du gouvernement, je continue d'entretenir avec Georges Pompidou, depuis son départ de Matignon, les relations les plus étroites. Je le retrouve chaque fin d'après-midi à son QG du boulevard de la Tour-Maubourg, en compagnie de ses plus proches conseillers : Pierre Juillet, Édouard Balladur, Michel Jobert et Marie-France Garaud. Dans cette période de disgrâce, où beaucoup ont pris leurs distances vis-à-vis de l'ancien Premier ministre, je ne fais pas mystère de ma fidélité à son égard, ni de mon souci de le tenir informé de tout ce qui relève de mes attributions.

La situation de l'économie française, au lendemain de Mai 68, est alarmante. Les accords de Grenelle, dont j'ai été l'un des principaux négociateurs, pèsent lourd sur le budget national dont j'ai désormais la charge. Les réserves du pays sont exsangues, le commerce extérieur est en mauvaise posture et le franc sur le point de s'écrouler. Il ne suffit plus, dans ces conditions, de colmater les brèches et de limiter la dépense – rôle traditionnel d'un secrétaire d'État au Budget – pour faire face au déficit inquiétant de nos finances publiques. Des mesures plus radicales me paraissent s'imposer…

Un accroissement de la pression fiscale semble, à première vue, inévitable. Lorsqu'il me reçoit pour que je lui raconte « le budget de la France », selon sa formule, le général de Gaulle exclut toute décision de cet ordre. M'interrogeant sur le niveau actuel de la pression fiscale – 34,7 % du produit intérieur brut – il me demande de le ramener à 33 %, soit une réduction importante de la fiscalité. Pour parvenir à un budget équilibré, il n'y a donc pas d'autres solutions que de restreindre les dépenses, celles-ci ayant augmenté, dans l'intervalle, deux fois plus vite que les recettes. Je soulève un tollé dans la majorité en tentant de faire voter un projet d'augmentation des droits de succession – projet initié par le Premier ministre, Maurice Couve de Murville, mais que je serai seul, en définitive, à défendre. Ces droits étant alors relativement modestes, je n'ai pas jugé choquant que l'État puisse en prendre une part plus équitable. Non seulement le projet est repoussé, mais certains députés gaullistes me tiendront longtemps rigueur de ce qu'ils ont considéré comme une provocation, susceptible de leur aliéner le vote des petits épargnants.

En novembre 1968, je me trouve de nouveau isolé en prenant ouvertement parti pour une dévaluation du franc, seul moyen à mes yeux de redonner de la compétitivité à nos entreprises et de relancer la croissance. La dévaluation est un remède qu'il faut utiliser avec parcimonie, mais qui peut, à un moment donné, se justifier. Bien qu'il en reconnaisse toute la nécessité sur le plan économique et financier, le général de Gaulle renâcle devant une mesure qui lui apparaît, moralement et politiquement, comme une atteinte à notre prestige national. La plupart de ses ministres y seront finalement hostiles, à l'exception d'Albin Chalandon et de moi-même, trop minoritaires pour obtenir gain de cause lorsque le chef de l'État nous consulte un à un en Conseil des ministres.

Le tour de table commence par le ministre des Finances, François-Xavier Ortoli, qui se borne à donner un avis purement technique. Puis les ministres qui suivent, sentant que le Général ne souhaite pas dévaluer, se dégonflent les uns après les autres, y compris ceux qui y paraissaient les plus favorables. Edgar Faure se lance dans un réquisitoire enflammé contre la dévaluation, alors qu'il plaidait en sens inverse quelques heures plus tôt. Même revirement chez la plupart de mes collègues. Arrive mon tour. J'exprime fermement ma conviction qu'une dévaluation s'impose. « Voilà une opinion divergente », constate le Général sans en paraître contrarié. Albin Chalandon embraye dans le même sens. « Deuxième opinion divergente », observe encore le Général, avec ce flegme amusé qu'il affectionne. C'est alors que je glisse un mot à Ortoli : « J'espère que tu vas défendre ton point de vue. » Après avoir pris connaissance du message, Ortoli me le renvoie, flanqué d'un « non » écrit dans la marge…

C'est sur les conseils du vice-président de la Commission économique européenne, Raymond Barre, déjà auréolé d'une grande réputation dans son domaine, que le chef de l'État finira par renoncer, in extremis, à une dévaluation que nous étions quelques-uns à estimer salutaire pour le pays.

Contrairement à ce qui a été écrit par la suite, ce n'est pas à l'instigation de Georges Pompidou, ni même avec son approbation, que je me suis engagé dans ce combat, mais de mon propre chef. Intuitivement, il ne me semblait pas que Georges Pompidou y fût défavorable. Néanmoins, on le sentait toujours réservé quand il s'agissait de dévaluation. Et il ne m'eût pas autorisé, quoi qu'il en soit, à m'exprimer en son nom.

Il est beaucoup question, à cette époque, de l'ancien Premier ministre dans les salles de rédaction et les dîners en ville. Mais à propos d'une autre affaire, montée de toutes pièces, en vue de le discréditer : l'affaire Markovic, du nom d'un garde du corps d'Alain Delon, retrouvé assassiné en octobre 1968 dans une décharge des Yvelines. Très vite, des rumeurs sordides commencent à circuler, bientôt alimentées de photographies grossièrement truquées, selon lesquelles Georges Pompidou et sa femme seraient impliqués dans un scandale de mœurs que le meurtre de Stefan Markovic eût permis d'étouffer.

J'en suis informé par Pierre Juillet un soir, à mon arrivée boulevard de la Tour-Maubourg. La mine défaite, il me parle d'une « histoire épouvantable concernant le Premier ministre. Il faut le prévenir », me dit-il. Je lui conseille de le faire au plus vite mais il hésite, craignant manifestement la réaction de Georges Pompidou. J'insiste en vain pour qu'il effectue lui-même cette démarche. C'est finalement un autre membre du cabinet, Jean-Luc Javal, qui, à la demande de Pierre Juillet, se charge de la besogne. Apprenant les bruits qui courent au sujet de sa femme et de lui-même, Georges Pompidou le prend très mal, au point de ne jamais pardonner au porteur de la mauvaise nouvelle, qui se verra définitivement écarté de son entourage. Le sort réservé au malheureux Jean-Luc Javal n'est pas à mettre au crédit de Georges Pompidou. Nous aurons beaucoup de mal, Juillet et moi, à lui retrouver une situation.

Georges Pompidou en voudra tout autant à ceux qui se sont gardés de le prévenir. À commencer par le général de Gaulle, qui ne lui a rien dit de l'affaire, bien qu'il ait été au courant de tout. Dans son livre, *Pour rétablir une vérité*, Georges Pompidou s'étonnera que le chef de l'État ne se soit pas empressé de le défendre, ni qu'aucun de ses ministres n'ait eu le courage de dénoncer les attaques scandaleuses dont son couple était victime. « Celui qui fut le plus fidèle, le plus ardent, qui m'aida vraiment, écrit-il, c'est Jacques Chirac. »

De fait, je suis indigné et m'en prends sans ménagement à tous ceux – députés, journalistes et jusqu'à mes collègues de gouvernement – que je soupçonne, à tort ou à raison, de ne pas être étrangers au complot, si ce n'est de s'en réjouir. Face à la campagne infâme orchestrée contre Georges Pompidou sur les ondes de la radio nationale, je ne peux m'empêcher d'exiger des explications du secrétaire d'État à l'Information, Joël Le Theule, l'interpellant vivement à ce sujet dans un bistro parisien. L'affaire, il est vrai, est à tous égards monstrueuse. Quant à ses véritables instigateurs…

Georges Pompidou tenait son successeur, Maurice Couve de Murville, ainsi que le garde des Sceaux,

René Capitant, pour les principaux responsables de cette machination. Ma conviction personnelle, aujourd'hui encore, est que le Premier ministre de l'époque, par animosité et jalousie envers son prédécesseur, n'a pu manquer d'y jouer un certain rôle. Quoi qu'il en soit, le traumatisme restera si profond chez Georges et Claude Pompidou que nous éviterons toujours par la suite, Bernadette et moi, en dépit des liens qui nous ont unis jusqu'au bout, d'évoquer ce sujet devant eux, ni d'y faire seulement allusion.

Depuis sa déclaration de Rome, le 17 janvier 1969, nul ne peut plus ignorer que Georges Pompidou sera candidat, le moment venu, à la succession du général de Gaulle. Je ne vois dans cette annonce rien de choquant ni qui soit susceptible d'être mal interprété. Qui peut sérieusement douter que Georges Pompidou aura, un jour ou l'autre, un destin national ? C'est la décision inattendue, prise par le général de Gaulle, du référendum sur la régionalisation et la réforme du Sénat qui finira par faire apparaître Georges Pompidou comme un possible recours en cas d'échec.

Je m'engage dans la campagne du « oui » moins par conviction que par loyauté à l'égard du Général. Le projet de régionalisation m'inspire alors quelques réserves, dans la mesure où il risque, selon moi, d'alimenter les ferments de division existant naturellement et spontanément dans l'esprit français. Quant à la réforme du Sénat, sans y être défavorable, je n'en perçois pas toute l'utilité, encore moins le caractère d'urgence qu'on est en train de lui donner. Il faut dire qu'à une époque où le Général interdit toujours à ses ministres de se rendre devant cette assemblée qui lui a été hostile lors du changement de Constitution, j'ai été souvent le seul, modeste secrétaire d'État, à y représenter le gouvernement. Ainsi ai-je fini par entretenir de bonnes relations avec les sénateurs…

Un soir de mars 1969, le Général me prend à part lors d'un dîner officiel donné en l'honneur d'un chef d'État africain : « Alors, Chirac, me demande-t-il, comment sentez-vous ce référendum ? » Je lui réponds que, revenant de Corrèze où je viens de faire campagne, je ne suis pas très optimiste quant à l'issue du scrutin. Il me regarde, l'air soucieux mais pas vraiment surpris. Et comme je lui dis que tout ira sans doute mieux après sa prochaine intervention télévisée, il me confie : « Non, Chirac, tout n'ira pas mieux. Ce référendum, il est évident que je vais le perdre. »

Je garde un souvenir de grande tristesse de ce mois d'avril 1969 où, désavoué par le peuple, Charles de Gaulle se retire aussitôt du pouvoir comme il s'y était engagé, laissant place au président du Sénat, Alain Poher, qui fut l'un des principaux artisans de sa défaite, après avoir pris la tête de la campagne du « non » au référendum. Si elle ne manque pas de grandeur, cette fin de règne revêt quelque chose de poignant qui nous bouleverse tous.

Dans les jours suivants, Georges Pompidou annonce sa candidature à la présidence de la République. La partie est loin d'être gagnée face à son principal challenger, Alain Poher, président par intérim depuis le départ du Général. La bonhomie de celui-ci plaît aux Français qui semblent aspirer à plus de banalité au terme de la grande épopée gaullienne. Mais c'est presque à contrecœur, et sans y être le moins du monde préparé, qu'Alain Poher se met à faire campagne, privé du soutien, qu'il escomptait, d'Antoine Pinay et de Valéry Giscard d'Estaing.

Nous ne sommes pas davantage prêts, en réalité. Le principal problème est le financement de notre propre campagne. Celle-ci s'est déclenchée avant que nous ayons eu le temps de le régler. En tant que trésorier, je suis particulièrement chargé de rassembler des fonds, tandis que Marie-France Garaud, Pierre Juillet et Michel Jobert auront à superviser la dépense. La recette fait rarement défaut quand un candidat paraît bien placé pour l'emporter. Tel n'est pas le cas, d'entrée de jeu, pour Georges Pompidou. Au vu des sondages d'opinion, qui le placent à dix points derrière Alain Poher, les donateurs se font prier. Du coup, chacun d'entre nous doit apporter sa contribution et, pour trouver un peu d'argent, Pierre Juillet ira même jusqu'à hypothéquer sa maison. En outre, Georges Pompidou nous interdit d'accepter certains subsides, qu'il juge douteux, et exclut de recevoir tout argent venant de l'étranger.

C'est donc avec des moyens limités que nous faisons campagne, et dans un contexte politique qui, d'entrée de jeu, n'est guère à notre avantage. Georges Pompidou mettra plusieurs semaines avant de remonter dans les sondages. Un soir, Pierre Juillet me confie, à mon arrivée boulevard de la Tour-Maubourg : « Le Premier ministre n'est pas en forme – Qu'est-ce qu'on peut faire ? lui dis-je – Il faut qu'on le sorte, qu'on l'emmène dîner quelque part... » Je décommande le dîner officiel auquel j'étais convié, et nous voilà partis vers le restaurant d'en face. Il est quasiment vide et, plutôt que d'occuper comme d'habitude la petite table du fond qui nous est réservée, Georges Pompidou décide de s'installer en terrasse, en nous disant : « Le moment est venu de se faire connaîtrc. »

En réalité, cet homme fin, subtil, aussi bon connaisseur de la France que des Français, possède toutes les qualités requises pour apparaître peu à peu comme le vainqueur probable et finir par s'imposer. Le 15 juin 1969, au terme d'une campagne exemplaire, Georges Pompidou est élu président de la République, au second tour, avec 58,21% des voix. Un score sans appel.

8

L'HOMME DE POMPIDOU

Un matin de juin 1969, peu avant la formation du gouvernement, je reçois un coup de téléphone, à mon domicile parisien, du futur ministre des Finances, Valéry Giscard d'Estaing : « Je viens de voir le Président, me dit-il. Vous resterez au Budget. C'est lui qui l'a voulu. » Sous-entendu : « Ce n'est pas moi qui l'ai demandé. » Je lui précise aussitôt qu'ayant acquis une certaine autonomie sous son prédécesseur, François-Xavier Ortoli, j'entends bien la conserver. Il fait mine d'acquiescer : « On devrait pouvoir s'arranger. » Mais le message est clair : mon maintien au secrétariat d'État au Budget ayant été décidé contre son gré, Giscard est bien résolu à limiter mes prérogatives.

J'ai fait la connaissance de Valéry Giscard d'Estaing au début des années soixante. Alors tout jeune ministre des Finances du général de Gaulle, il était déjà assez impressionnant et faisait d'ailleurs tout ce qu'il fallait pour appuyer cette image. L'homme m'était apparu d'une intelligence et d'une stature exceptionnelles. Mais avec une propension manifeste à considérer que les autres comptent peu, bien qu'il eût le souci d'en être aimé autant qu'il estimait devoir l'être. Sans doute a-t-il mis beaucoup de temps avant de s'apercevoir de ma propre existence. Il ne s'en rendra vraiment compte qu'à l'heure où, considéré comme « l'homme de Pompidou », je ne peux que lui apparaître dérangeant. D'autant que le chef de l'État, en me confirmant dès sa prise de pouvoir dans mes attributions ministérielles, signifie par là même à Giscard qu'il souhaite disposer de quelqu'un de sûr auprès de lui.

Le secrétariat d'État au Budget jouissant, depuis que j'en ai la charge, d'une relative indépendance, il est inévitable que son titulaire finisse par être considéré avec méfiance par le ministre des Finances et ses principaux collaborateurs. De fait, irrité par ma liberté d'action, son entourage ne tarde pas à me présenter à Valéry Giscard d'Estaing comme un danger public. Le plus virulent est le directeur adjoint de son cabinet, Jacques Calvet, homme par ailleurs brillant et estimable, qui ne cesse de stigmatiser mes initiatives, les jugeant tout aussi hasardeuses qu'intempestives.

Il est vrai que je me soucie peu de ménager les susceptibilités dès qu'une décision me semble devoir être prise dans l'intérêt du pays. Tel est le cas à cette époque dans l'affaire du *Falcon*, un nouveau prototype de biréacteur civil conçu par le directeur général de Dassault, Béno Vallières, industriel de renom et grande figure de la Résistance. Les créateurs du *Falcon* souhaitent que l'État s'engage financièrement à leurs côtés afin d'assurer au mieux le développement de ce petit avion prometteur. Marcel Dassault et Béno Vallières s'adressent à moi pour obtenir cette aide. J'y suis spontanément favorable, convaincu par l'importance de l'enjeu tant sur le plan aéronautique qu'économique. La réponse du ministère des Finances se fait toujours attendre quand les constructeurs du *Falcon* voient s'ouvrir devant eux un marché colossal. Une société américaine se déclare prête à acheter une centaine d'appareils. Mais pour Dassault l'accord ne peut être conclu que si les pouvoirs publics acceptent de prendre en charge une partie des investissements.

C'est alors que Béno Vallières me téléphone depuis le restaurant parisien où il est en train de négocier avec les futurs acquéreurs. « Ils sont prêts à signer, insiste-t-il. J'ai besoin de l'autorisation de l'État. » Je cherche aussitôt à entrer en contact avec Valéry Giscard d'Estaing. En vain : le ministre, me répond-on, est injoignable. Il chasse officiellement le gros gibier quelque part en Afrique. Impossible de lui parler. Ses collaborateurs eux-mêmes ignorent tout de l'endroit où il se trouve. Que faire dans ce cas sinon m'adresser directement au président de la République ? J'appelle Georges Pompidou, lequel, comme je le sais, déteste qu'on le dérange pour prendre une décision que ses collaborateurs et plus encore ses ministres sont censés assumer. « C'est vous qui vous occupez du budget, me répond-il. Faites au mieux... »

Dès lors, je m'estime fondé à rappeler Béno Vallières pour lui annoncer : « C'est d'accord. Signez ! » Fou de rage en apprenant la nouvelle à son retour d'Afrique, Giscard refusera de m'adresser la parole et même de me serrer la main pendant un certain temps. Il n'empêche que le fantastique succès du *Falcon* m'a donné amplement raison. Non seulement l'État, en contribuant de la sorte au lancement d'un projet novateur et ambitieux, n'a fait, selon moi, que son devoir, mais cet investissement se révélera pour lui, en fin de compte, largement rentable.

Je serai confronté, quelques années plus tard, à une situation similaire en tant que ministre de l'Agriculture. Il s'agit, cette fois, d'un problème relatif à la fixation, par un décret du ministère des Finances, des prix des fruits et légumes, dont les détaillants réclament à grands cris l'abrogation. Leurs revendications se faisant chaque jour plus pressantes, il devient urgent que le gouvernement prenne position.

Pour sortir de l'impasse, alors que les commerçants menacent de fermer boutique, je cherche à m'entretenir avec le ministre concerné. De nouveau, on me répond que celui-ci est injoignable : il a quitté Paris pour plusieurs jours à destination, cette fois, de la Malaisie où il serait allé chasser le tigre. « Pas question de faire quoi que ce soit en attendant », m'explique son directeur de cabinet. Compte tenu de la situation, je me vois contraint, pour la deuxième fois, de m'en remettre à l'arbitrage du chef de l'État. Georges Pompidou se montre tout aussi agacé que précédemment : « C'est de votre ressort, me dit-il. Réglez le problème… » Pour y parvenir, je n'ai pas d'autre solution que d'annoncer aux intéressés, non la suppression du décret, mais que celui-ci sera appliqué « avec la plus grande souplesse »… Je laisse imaginer la réaction de Valéry Giscard d'Estaing à son retour à Paris.

C'est peu de dire que Giscard ne supporte pas la moindre intrusion sur son territoire, surtout venant de quelqu'un qui passe pour un des protégés de l'Élysée. Homme d'étiquette et de préséances, il s'emploie d'emblée à me signifier sa primauté hiérarchique, celle-ci allant de pair avec la haute idée qu'il se fait de sa supériorité intellectuelle. J'ai très vite compris que, dans son échelle des valeurs, il y avait lui-même, tout en haut, puis plus rien, et enfin moi très en dessous. Aujourd'hui, chaque fois que nous avons l'occasion de nous rencontrer, je lui dis « Bonjour, monsieur le Président » et il me répond de même. Nous sommes désormais à égalité.

Dès le début de notre relation, Valéry Giscard d'Estaing prend soin de me rappeler tout ce qui distingue, selon lui, un ministre des Finances d'un secrétaire d'État au Budget. Me recevant un jour dans son bureau, il me prie d'entrer, non par la grande porte comme j'en avais l'habitude du temps de son prédécesseur, François-Xavier Ortoli, mais par celle de son directeur de cabinet, passage obligé des visiteurs occasionnels. Un autre jour, lors d'un entretien de travail, il fait appeler l'huissier en demandant qu'on lui apporte une tasse de thé, sans se soucier de savoir si je souhaite boire quelque chose. La scène est à ce point cocasse que je ne peux m'empêcher de lui dire, amusé : « Merci, monsieur le ministre, je ne bois jamais de thé. » Attitude naturelle ou calculée, toujours est-il qu'à ce moment-là Giscard ne fait rien pour m'être agréable, comme s'il pressentait déjà en moi un rival potentiel dans sa conquête du pouvoir.

En répondant par un « oui, mais » pour le moins ambigu au référendum d'avril 1969, Valéry Giscard d'Estaing a été l'un des principaux acteurs de la chute du général de Gaulle, celle-ci permettant à ses yeux de hâter une succession dont il entend tirer profit dans les meilleurs délais. En novembre 1970, je l'entendrai me commenter par téléphone la mort du Général en ces termes assez révélateurs : « C'est une page qui se tourne. » On ne peut pas dire qu'il s'agissait là d'une parole historique. Mais c'était du Giscard.

Aucun désaccord de fond ne nous oppose toutefois quant à la politique économique, si bien que nous en arrivons, en Conseil des ministres ou à l'Assemblée nationale, à passer pour plus complices que nous ne le sommes vraiment et même soudés, affirme-t-on, par une hostilité commune au chef de gouvernement, Jacques Chaban-Delmas. Or, mes relations avec le Premier ministre ont été, jusqu'à son départ de Matignon en juillet 1972, bien meilleures qu'on ne l'a prétendu.

Quoique ce dernier ne me paraisse pas avoir toutes les qualités requises pour être à même, un jour, de diriger le pays, je dois à la vérité de dire que je ne me suis nullement senti en désaccord avec son discours réformiste sur la « nouvelle société », imprégné des idéaux d'un « travaillisme à la française » que je défendrai moi-même sept ans plus tard. Si ce discours a été mal perçu à l'Élysée, c'est moins en raison de son contenu que de l'interprétation politique qu'en ont faite aussitôt Pierre Juillet et Marie-France Garaud. Les plus proches conseillers de Georges Pompidou y ont vu, de la part du Premier ministre, un véritable défi lancé au chef de l'État. Je me souviens de leur réaction scandalisée quand ils m'entendirent tous deux faire l'éloge du texte de Chaban. Je n'eus plus qu'à ravaler mes appréciations jugées trop favorables.

Bien qu'ils se soient institués en protecteurs et seuls garants des intérêts de Georges Pompidou, je ne suis pas sûr que Pierre Juillet et Marie-France Garaud aient toujours exprimé la pensée profonde du Président. En réalité, l'un et l'autre sont foncièrement plus conservateurs que celui dont ils affirment refléter les convictions. Georges Pompidou n'est pas homme à se laisser influencer, même s'il sait tirer parti des arguments de ses conseillers. La préoccupation commune de Pierre Juillet et Marie-France Garaud est moins la défense du chef de l'État que celle d'une vision de la France dont ils l'estiment porteur. C'est dans le même esprit qu'ils voudront voir en moi un interprète fidèle et assidu de leurs propres conceptions politiques et façonner mon avenir en conséquence.

Le tandem, il faut le reconnaître, peut se révéler d'une efficacité redoutable dans les jeux d'influence auxquels il s'adonne sans relâche, aussi implacable dans l'art de défaire une carrière qu'habile à imposer l'ascension de l'un de ses protégés. Ennemis résolus de Jacques Chaban-Delmas, Pierre Juillet et Marie-France Garaud n'auront de cesse que de guerroyer contre un Premier ministre dont ils exècrent tant les idées que le style. Me considérant comme membre à part entière de leur clan, ils s'emploieront dans le même temps à assurer ma promotion au sein de l'équipe gouvernementale, jusqu'à me faire apparaître peu à peu comme une sorte de dauphin du Président.

Sans subir son ascendant autant qu'elle a voulu le laisser croire, j'apprécie la femme de grand caractère qu'est Marie-France Garaud. Sa fougue, sa détermination, son assurance intellectuelle, l'intransigeance et l'autorité avec lesquelles elle affirme ses opinions politiques et assène ses jugements, rarement indulgents, sur les hommes, font impression sur moi comme sur la plupart de ceux qui l'ont côtoyée. Elle partage avec Pierre Juillet une passion de la France absolue, irréductible, au point de ne souffrir aucun compromis en matière de souveraineté nationale. Volontiers cassante, impérieuse et dominatrice, Marie-France Garaud a fait des coulisses du pouvoir son domaine de prédilection, où elle peut déployer tous ses talents de tacticienne et de manœuvrière en faveur des quelques hommes qu'elle a choisi de servir, comme au détriment de ceux, plus nombreux, qu'elle a résolu de combattre. Et qui cesse de se reconnaître son disciple ou son allié a vite fait de devenir l'objet de tous ses griefs, comme j'en ferai moi-même l'expérience à mes dépens au cours des années suivantes.

En janvier 1971, ma nomination au ministère chargé des Relations avec le Parlement, où je succède à un des barons du gaullisme, Roger Frey, procède d'une stratégie visant, dans l'esprit de Georges Pompidou comme dans celui de ses conseillers, à la reprise en main de l'UDR dont la direction est confiée à un antichabaniste déclaré, René Tomasini. Les observateurs ne s'y trompent pas, qui voient dans cette opération simultanée une entreprise de déstabilisation dirigée contre le Premier ministre. Dans *L'Express*, Georges Suffert me désigne comme « l'homme chargé de surveiller le Parlement et l'UDR », auquel Georges Pompidou « vient de confier le sort des municipales et celui des législatives. S'il gagne, ajoute-t-il, M. Chirac deviendra réellement le fils spirituel du président de la République. Il va s'y employer parce qu'il a du goût pour le succès ».

Sous un titre éloquent, « Chirac l'escaladeur », Georges Suffert brosse dans son article le portrait d'un ambitieux « sans finesse », ayant beaucoup « travaillé, voyagé, flatté » pour parvenir à ses fins. « M. Chirac, écrit-il, est fascinant non par ce qu'il a de compliqué, mais par ce qu'il a de simple. Il est ambitieux. C'est tout. Sa vie, son travail, ses jeux, son argent et ses rêves, tout s'ordonne autour de cet objectif unique : réussir. Et comme il a de la méthode, qu'il est raisonnablement intelligent et qu'il a le goût du travail, il va son chemin, d'un pas élastique [...]. C'est l'époque qui veut ça. Les jeunes gens, décidément, lorsqu'ils n'ont pas le goût de la révolution, ont celui de l'efficacité à tout prix. » Vision sans doute un peu sommaire d'une « ascension politique » moins préméditée qu'on ne le croit, d'un personnage peut-être plus complexe qu'on ne l'imagine... Suis-je cet homme ici décrit, ou bien un autre ? La question n'est déjà plus là, tant un responsable politique propulsé sur le devant de la scène ne peut que se résigner aux stéréotypes et aux malentendus qui ne manqueront pas d'être aussitôt véhiculés à son sujet. C'est la loi du genre et je m'y suis habitué d'autant mieux que j'ai très vite cessé de m'intéresser à ce que les journalistes peuvent écrire de bien ou de mal me concernant.

Quelques mois plus tard, c'est à un autre exercice obligé, la télévision, que je suis confronté lors d'un face-à-face avec le secrétaire général du Parti communiste, Georges Marchais, pour l'émission

« À armes égales » où je dois défendre la politique du gouvernement contre un de ses détracteurs les plus acharnés. Je ne me sentirai jamais très à mon aise à la télévision, et cette première expérience ne se soldera pas par un succès mémorable. Non seulement parce que Georges Marchais est un débatteur habile à se jouer de ses adversaires, quand ils se risquent, comme ce fut mon cas, à l'attaquer de front. Mais en raison même du caractère artificiel de ce style de débat, où les nécessités du spectacle l'emportent toujours, par la force des choses, sur le sérieux de la démonstration. Autant j'aime le contact direct, concret, avec une salle, autant tout me paraît un peu faussé, abstrait, impersonnel, dans un studio de télévision. Cette impression m'a rarement quitté en quarante années de vie publique.

Chargé pour la première fois d'un ministère politique, j'assume mes nouvelles fonctions sans m'intéresser autant que je le devrais aux conciliabules parlementaires, à l'écoute des doléances dans les couloirs de l'Assemblée nationale ou du Sénat, et au suivi des bonnes relations entre le gouvernement et sa majorité. Pour tout dire, je me morfonds très vite dans ce rôle de confesseur ou de confident, d'intermédiaire ou de pacificateur. On me reproche de ne pas prêter assez d'attention aux requêtes des uns, aux états d'âme des autres. D'avoir l'air souvent pressé, débordé, quand il s'agirait de se montrer toujours patient et disponible... À la vérité, l'éphémère député que j'ai été n'est pas assez familier des lieux pour en maîtriser tous les rouages ni en éprouver toutes les subtilités.

Bref, c'est sans regret que je quitterai ce ministère au début de l'été 1972 lors du changement de gouvernement consécutif au départ de Jacques Chaban-Delmas, remplacé à Matignon par Pierre Messmer. J'apprends alors par Pierre Juillet que Georges Pompidou envisage de me confier l'Éducation nationale. Mais je ne me sens pas davantage fait pour ce poste. Avec l'appui de Pierre Juillet et de Marie-France Garaud, je m'efforce d'obtenir une autre affectation. On me propose un « grand ministère technique » comme celui de l'Industrie. Mais je sais que ce ministère sans administration ne dispose pratiquement d'aucune marge de manœuvre vis-à-vis de celui des Finances. Mieux vaudrait, dans ce cas, l'Agriculture… J'obtiens satisfaction in extremis. Et c'est ainsi que je me suis trouvé à la tête de ce ministère dans lequel je passerai quelques-unes des meilleures années de ma vie.

9

EUROPÉEN DE RAISON

En préambule de ce chapitre où il sera beaucoup question de l'Europe, je souhaite rappeler l'œuvre essentielle accomplie dans ce domaine par le général de Gaulle et son successeur, Georges Pompidou, depuis le début de la Ve République.

Comme chacun sait, le traité de Rome instituant la Communauté économique européenne (CEE) a été signé en 1957. Son but était d'instaurer un « Marché commun » entre les six pays signataires (l'Allemagne fédérale, les Pays-Bas, le Luxembourg, l'Italie, la Belgique et la France), c'est-à-dire la libre circulation des biens et des personnes à l'intérieur du groupement, et l'établissement d'un tarif douanier unique à l'égard de l'extérieur. Il prévoyait également une politique économique commune en matière agricole et une coopération économique et financière générale. La principale autorité prévue pour son application était le Conseil, formé par les représentants des gouvernements, mais assisté d'une Assemblée de membres désignés et d'une Commission chargée des tâches exécutives, outre une Cour de justice.

Tel était, dans ses grandes lignes, ce « Marché commun », selon la dénomination familière de la

Communauté économique européenne. Le traité de Rome, très complet en ses 248 articles, sans compter les annexes, était assez bien étudié. L'initiative en était hardie, mais dans l'ensemble heureuse et raisonnable. Le mérite en revenait aux gouvernements de la IVe République. Cependant leurs dirigeants se révélaient tout à fait incapables de faire entrer le traité en application, en raison de l'état de délabrement politique, économique, financier dans lequel se trouvait le régime.

Sans le redressement opéré, à partir de 1958, par la Ve République, la France n'aurait pas été en mesure de faire face aux engagements souscrits, et en particulier d'ouvrir ses frontières à la concurrence. Sans la volonté du général de Gaulle, ce traité serait sans doute resté lettre morte, comme tant d'autres. Sans cette volonté, en tout cas, la politique agricole commune n'aurait jamais vu le jour. Nos partenaires n'en voulaient pas et le Général seul a pu obtenir qu'ils y consentent ou s'y résignent. La France y avait un grand intérêt, sans aucun doute. Mais ce fut en même temps la première et pendant longtemps la seule politique commune qui ait été mise en œuvre.

Sans le général de Gaulle et le combat qu'il a mené en décembre 1958, le Marché commun échouait, à quelques semaines de l'entrée en vigueur du traité, devant une offensive anglaise visant à lui substituer une simple zone de libre-échange. Peu de temps après, faute d'avoir pu le saborder, la Grande-Bretagne allait tenter de le détruire par l'intérieur. Sans le refus du général de Gaulle, elle serait devenue membre de la Communauté dès 1962. Elle y serait entrée au prix de dérogations telles que l'organisation communautaire eût volé en éclats. Les zélateurs enfiévrés de l'Europe à tout prix reprochèrent alors au général de Gaulle son intransigeance, mais personne ne peut contester aujourd'hui que ses craintes aient été amplement fondées.

La politique agricole commune a été, aussitôt après l'union douanière, la seconde réalisation du traité. Elle exigeait plus qu'un marché commun des produits agricoles. Elle aurait dû s'attaquer à bien des tâches : harmoniser les conditions de production, moderniser les structures, planifier les actions par région, assurer une protection sociale homogène aux exploitants... En fait, elle s'est surtout contentée d'assurer l'unité du marché, la protection des productions européennes par un système de préférence communautaire et la solidarité financière des pays membres pour fournir aux producteurs certaines garanties de prix. C'était déjà beaucoup.

Par la mise en œuvre progressive d'une organisation très complexe, la Communauté est parvenue à des résultats incontestables. L'agriculture française, en particulier, en a tiré une augmentation de ses revenus et une incitation à accroître sa productivité. En ce domaine, grâce à l'effort de la France, la construction européenne a été une réalité et une réussite.

Cette réussite a été altérée, cependant, par plusieurs facteurs. Le dérèglement monétaire a rendu de plus en plus aléatoire l'uniformité des prix. La parité de chaque monnaie nationale par rapport à l'unité de compte européenne variant constamment, des « montants compensatoires » ont été institués, qui ont grevé lourdement le budget de la Communauté et favorisé les pays à monnaie forte, au risque de pénaliser nos agriculteurs. La préférence communautaire a été discrètement écartée par quelques pays membres, victime d'interventions extérieures, notamment celle des États-Unis, qui ont fait admettre que certains de leurs produits seraient soustraits aux droits de protection de la Communauté. Enfin, les mêmes partenaires, qui n'avaient admis qu'à contrecœur la politique commune, n'ont jamais renoncé à l'intention de la remettre en cause.

Pour le reste, l'histoire de l'Europe n'est encore à cette époque qu'une longue suite d'échecs et de déceptions. Aucun résultat en matière de politique énergétique commune, en dépit des intentions affirmées par les chefs d'État et de gouvernement en 1972. Beaucoup de désillusions en matière d'union monétaire, malgré de nombreuses tentatives pour réduire les fluctuations engendrées par le désordre monétaire international et par les taux d'inflation variables en chacun des pays membres. Aucune politique industrielle commune digne de ce nom. Divisés, les Européens ont laissé les États-Unis écraser, chaque fois que ceux-ci l'ont pu, les industries de pointe dans les États de la Communauté.

L'industrie aéronautique, en est, hélas ! le meilleur exemple. Lorsqu'un certain nombre d'États européens ont eu à choisir, pour la modernisation de leurs forces aériennes, entre un avion français et un avion américain, on sait qui emporta ce « marché du siècle » et sous quelles pressions. On sait l'accueil fait par les États-Unis au *Concorde*, les hésitations des compagnies européennes devant l'*Airbus*. Bref, il y eut une volonté à peine déguisée des Américains de réduire au rôle de sous-traitant la seule industrie

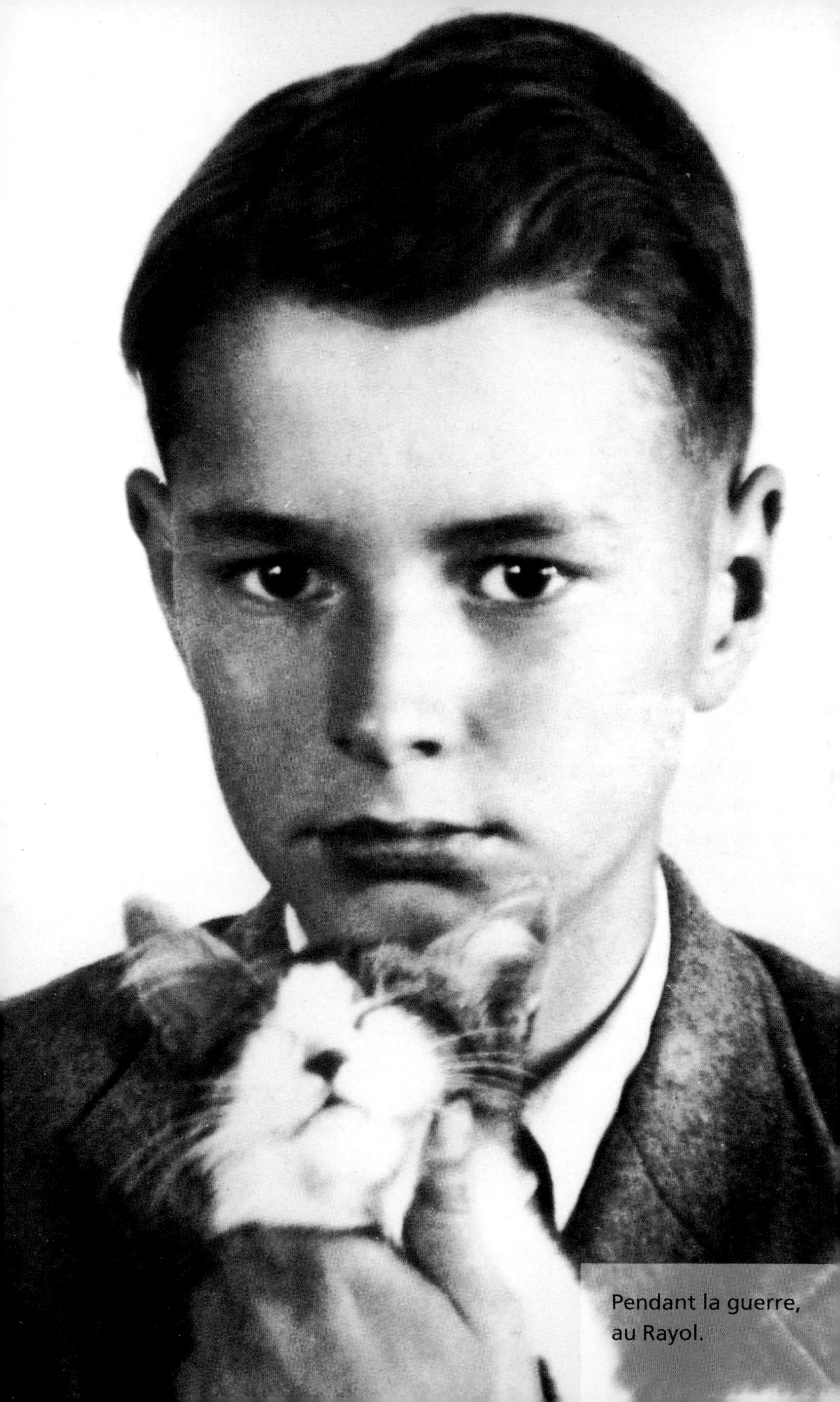

Pendant la guerre,
au Rayol.

Mon grand-père (le dernier à droite au deuxième rang), Louis Chirac, a toujours défendu les valeurs de respect et de tolérance. Grand républicain, attaché à la laïcité, il restera pour moi un modèle.

Le jour de ma communion solennelle avec mes parents, François et Marie-Louise Chirac.

En vacances
en Corrèze
avec mon père,
qui a su
m'inculquer
un profond
respect
du travail.

Chez les scouts
(je suis le
troisième en
partant de la
droite),
on m'appelait
« Bison
égocentrique ».

Voyage aux États-Unis, en compagnie de mes amis de Sciences-Po : Françoise Ferré et Philippe Dondoux. À la découverte du Nouveau Monde.

En route pour le Grand Nord.

Retour à Sainte-Féréole, en Corrèze, devant la maison d'Eugénie Couly, amie de ma famille.

Mon mariage avec Bernadette, le 16 mars 1956 à Paris, en l'église Sainte-Clotilde.

Chez mes beaux-parents, au début des années soixante, avec Bernadette et nos deux filles : Laurence et Claude.

Au domicile de mes parents à Paris, en compagnie de ma mère, de Laurence et de Bernadette.

En Algérie, à la tête du 3e peloton du 6e RCA.

En Algérie, à côté de mon supérieur, le capitaine Péchereau.

En 1959, à l'ENA: la promotion Vauban.

Photos non créditées: collection Jacques Chirac

25 mai 1967 : j'ai l'honneur d'appartenir au nouveau gouvernement de Georges Pompidou et de servir le général de Gaulle.

Avec Georges Pompidou et Édouard Balladur, au moment des accords de Grenelle, en mai 1968.

© STF / Image forum / AFP

Le 27 mai 68, nous travaillons avec les organisations syndicales à la conclusion des accords de Grenelle.

© Keystone/Eyedea

La 403 avec laquelle j'ai fait ma première campagne électorale en Corrèze.

aéronautique capable de rivaliser avec la leur. Mais il y eut aussi indifférence ou complicité de quelques États européens devant cette entreprise de destruction.

Sans cultiver des sentiments anti-américains qui seraient injustes, ni souhaiter que l'Europe cherche à s'affirmer en s'opposant systématiquement aux États-Unis, on peut aspirer néanmoins à une coopération équilibrée entre véritables partenaires. Que signifierait l'Europe et quel prestige aurait-elle si ses industries ne devaient plus travailler que dans la dépendance des grandes sociétés américaines ?

Les aspirations nationales de la France, et même sa volonté européenne, sont rarement comprises de nos partenaires, qui se résignent sans trop de peine à un protectorat américain à peine déguisé, ou qui le souhaitent. L'expérience a démontré amplement que seule la volonté européenne de la France peut contrecarrer cette tendance. Il suffit de se souvenir que jamais la Communauté n'aurait seulement pris le départ si la France, au temps du général de Gaulle, avait été paralysée par des décisions majoritaires. Seule la volonté de la France a pu l'amener à secouer son inertie et sa bureaucratie, d'une part pour défendre ses intérêts communs, de l'autre pour mener à bien les nombreuses tâches qui s'imposent à elle dans tous les domaines.

Sans abuser de citations du général de Gaulle, je voudrais rappeler celle-ci, qui date d'avril 1942. Le chef des Français libres y disait : « La France a depuis mille cinq cents ans l'habitude d'être une grande puissance… La France ne doit pas se faire plus grande qu'elle est… » Mais, « en raison de l'opinion que l'on a d'elle historiquement et qui lui ouvre une sorte de crédit latent quand il s'agit d'universel », elle est « par excellence le champion de la coopération internationale pourvu qu'elle apparaisse comme une nation aux mains libres dont aucune pression du dehors ne détermine la politique »...

Si je tiens à souligner ici la contribution décisive que les gaullistes ont apportée à la construction européenne, c'est pour réfuter une thèse, complaisamment entretenue par leurs adversaires, selon laquelle ils n'auraient pris part à cette entreprise que contraints et forcés par les événements et pour s'appliquer, en définitive, à en retarder le processus. Fallait-il laisser l'Europe s'accomplir à n'importe quelle condition, au nom d'un idéalisme qui n'eût pas de freins ? Ou considérer tout au contraire que le meilleur service à lui rendre était de faire en sorte qu'elle s'élabore de part et d'autre avec lucidité, prudence et réalisme ? C'est à cette dernière approche, la plus pragmatique, et la seule viable, que les gaullistes se sont toujours identifiés. Pour eux, l'Europe est une nécessité sans être un dogme, une conquête exigeante et non une solution magique à tous les problèmes du moment.

C'est à tort qu'on a parfois mis en doute mes propres convictions dans ce domaine et caricaturé mes prises de position en me présentant comme une sorte de converti malgré lui, rallié par la force des choses à une cause à laquelle il ne croyait pas. La vérité est que j'ai été dès l'origine un européen, non de passion, mais de raison, préoccupé, dès que j'en ai eu la charge, de défendre les intérêts français à l'intérieur de l'Union tout en m'évertuant à faire progresser celle-ci vers un fonctionnement plus responsable et cohérent. Deux objectifs souvent difficiles à concilier et qu'on ne peut atteindre sans évolution ni adaptation permanentes. Mais par-delà les réserves et les mises en garde qu'il m'est arrivé d'exprimer, l'enjeu m'a toujours paru d'une telle importance pour l'essor de notre pays comme pour la stabilité du continent, à l'heure des grands ensembles internationaux, que je n'ai jamais économisé mes efforts pour permettre à la Communauté européenne de s'affirmer autant qu'elle le pouvait.

En avril 1972, je me suis engagé en faveur de l'élargissement de l'Europe des Six à la Grande-Bretagne, à l'Irlande et au Danemark, lors du référendum, voulu par Georges Pompidou, pour ratifier leur traité d'adhésion. En dépit des complications qu'elle risquait d'entraîner, je voyais plus d'avantages que d'inconvénients à l'entrée de ces trois nouveaux membres, notamment celle de l'Angleterre. Certes, on pouvait s'attendre à ce que cette dernière garde toujours une marge de manœuvre vis-à-vis de la Communauté. Mais à tout prendre, j'estimais qu'il valait mieux désormais qu'elle fût à l'intérieur plutôt qu'à l'extérieur de l'Europe. Comment imaginer une Europe dont elle eût été durablement exclue, alors même que la Grande-Bretagne est, qu'on le veuille ou non, une nation européenne, qu'elle dispose d'alliés traditionnels au sein du continent, et que ses courants d'échanges s'opèrent avec l'ensemble des pays de l'Union ? Pour autant, il était aisé de prévoir que cette intégration n'irait pas sans embûches ni complications de tous ordres.

Alignée sur les États-Unis, dans ce domaine comme dans d'autres, l'Angleterre était foncièrement hostile à toute Europe agricole, laquelle lui paraissait menacer directement ses propres intérêts. Il n'empêche qu'après avoir dû, malgré tout, en accepter le principe, elle a fini par s'en accommoder peu à peu et selon son rythme, au prix d'âpres négociations et d'affrontements quasi constants, en particulier avec la délégation française.

Une anecdote illustre bien le climat de grande défiance qui prévaut alors entre nos deux pays. Les tensions sont si fortes qu'aucun accord ne peut être adopté entre les Neuf sans qu'une solution franco-britannique ait été trouvée au préalable. Et il faut toujours, pour y parvenir, de longs tête-à-tête avec nos homologues d'outre-Manche. Je me souviens d'un ministre anglais de l'Agriculture avec qui j'entretenais des relations extrêmement difficiles. Nous allions sans cesse d'algarades en altercations. Naturellement, ce ministre refusait de s'exprimer dans une autre langue que la sienne, affectant de tout ignorer du français jusqu'au jour où, son gouvernement ayant perdu les élections, il fut contraint de quitter Bruxelles.

Un déjeuner fut organisé en son honneur par les autres ministres de l'Agriculture européens, comme il était de tradition quand l'un d'entre nous allait être remplacé. Ces repas étaient présidés par chaque ministre à tour de rôle. Le hasard voulut que la charge en incombe, cette fois-là, au représentant de la France. À la fin du déjeuner, je me lève donc pour porter un toast, au nom de tous, à notre collègue britannique sur le départ. Et c'est alors qu'à ma grande surprise j'entends celui-ci me répondre dans un français impeccable. Il parlait notre langue à la perfection et avait pris soin de me le cacher pour mieux profiter à mon insu de ce que je disais à mes collaborateurs lors de nos négociations…

L'Angleterre n'est pas le seul de nos partenaires auquel nous opposaient des relations parfois conflictuelles. Le ministre allemand de l'Agriculture, Josef Hertl, pouvait se montrer encore plus rude et vindicatif que son homologue britannique. Nous avons eu des affrontements spectaculaires à propos de la fixation des prix agricoles. Un jour, Hertl ira même jusqu'à faire une déclaration à la presse allemande et française en proférant : « Chirac est un fou » et en me conseillant de me faire psychanalyser, déclaration qui fit naturellement la une des journaux des deux pays. Cela dit, nous étions aussi attachés l'un que l'autre à la poursuite du rapprochement franco-allemand engagé par de Gaulle et Adenauer, et, à ce titre, liés par une connivence particulière… Je me souviens de ma consternation lorsque Josef Hertl, pris d'un malaise au cours d'une réunion, fut transporté d'urgence à l'hôpital. On sut peu après qu'il n'avait rien de grave. Mais son état de santé m'avait inquiété comme s'il s'était agi de celui d'un frère…

Si vives fussent-elles, nos querelles restaient celles d'hommes conscients de la nécessité d'aboutir, tôt ou tard, à un accord. Il arrivait que certains « marathons agricoles » durent deux, voire trois jours, quasiment sans interruption. La durée de ces négociations s'expliquait par le fait que chacun de nous, pour des raisons politiques, partait toujours très loin du point d'arrivée, avant de s'en rapprocher peu à peu, par échanges, concessions et dosages progressifs, selon une alchimie qui réclamait autant de patience que de ténacité.

La première fois que je suis arrivé à Bruxelles, mon directeur de cabinet, François Heilbronner, m'avait précisé sur une simple fiche les deux produits spécifiques dont je devais défendre les prix en réunion restreinte des ministres de l'Agriculture. Étant novice, je me suis montré intraitable, ce qui me valut d'obtenir gain de cause. Mais je compris très vite que, si le but était bien de garantir à nos agriculteurs les prix les plus rémunérateurs, la bonne méthode pour y parvenir ne pourrait être durablement celle de l'intransigeance.

Mon intérêt pour les questions agricoles ne datait pas du jour de ma nomination à la tête du ministère concerné. Très jeune, j'ai été émerveillé par la richesse et la beauté des campagnes françaises telles que je les découvrais lors de mes vacances d'été en Corrèze. La vue d'une terre bien entretenue, d'un bel animal dans une cour de ferme, fruit de la symbiose la plus parfaite entre l'œuvre de la nature et le travail de l'homme, me captivait. J'y trouvais d'inépuisables leçons de vie. Mes premiers contacts avec le monde paysan remontent à cette époque-là. Un monde auquel je me suis toujours senti rattaché, depuis lors, par des liens amicaux et chaleureux, dont témoigne, encore aujourd'hui, chacune de mes visites au Salon de l'Agriculture.

Loin de chercher, lors de mon entrée en fonctions, à tracer une doctrine nouvelle et originale en matière agricole, j'insiste sur le fait que l'agriculture est plus que jamais un atout pour notre économie. J'affirme qu'il s'agit tout à la fois de lutter contre l'exode rural et de renforcer les exploitations de type familial. Alors que la Commission de Bruxelles envisage de réduire le développement de certains produits et, soucieuse d'en finir avec les excédents, prône la mise en jachère de millions d'hectares cultivables, je suis de ceux, peu nombreux parmi les dirigeants français et plus encore européens à cette époque, qui plaident tout au contraire pour un accroissement continu de la production agricole.

Mon raisonnement se fonde sur l'idée, à ce moment-là contestée, mais amplement vérifiée depuis lors, que la population mondiale étant appelée à augmenter, une politique agricole restrictive conduirait inéluctablement à une crise alimentaire. Au lieu de créer les conditions d'une pénurie ultérieure, mieux valait, selon moi, s'organiser pour gérer dans les meilleures conditions des situations d'excédents, mais aussi permettre de dégager des surplus importants susceptibles d'être exportés.

Dans une « Note sur la situation du marché commun agricole », je mets en garde dès 1973 sur le danger de créer au sein de la Communauté comme dans le reste du monde « une situation de dépendance alimentaire qui, dans certaines circonstances, peut se révéler dramatique ». Je m'élève contre l'idée qu'on puisse demander à un pays comme la France de renoncer à l'existence d'une paysannerie familiale alors que « sa situation évolue au fur et à mesure que la production s'oriente vers des productions de qualité non industrialisées ». J'ajoute qu' « une exploitation de ce type peut être utile à l'environnement, à la préservation du sol et des paysages, et à l'équilibre social et régional ».

En conclusion, je souhaite l'organisation d' « une sorte d'OPEP alimentaire » des pays producteurs de richesses agricoles pour imposer leurs prix aux grands pays consommateurs, l'URSS, la Chine et le Japon, et satisfaire du même coup aux besoins des pays sous-développés en leur permettant de bénéficier de l'écoulement des excédents éventuels. Ceci supposant « purement et simplement, selon moi, que l'on modifie la conception générale du marché alimentaire et qu'au lieu de raisonner comme au XIXe siècle ou de livrer le marché à quelques entreprises concurrentes, on découvre tout à coup ce phénomène entièrement nouveau qu'est la croissance de la population du globe ». Cette population étant appelée à doubler d'ici l'an 2000, l'objectif devait être, d'après moi, de quadrupler la production agricole en moins de trente ans. Et, pour la France, de développer sa propre production jusqu'à en faire un secteur de pointe de ses exportations.

Parallèlement au combat incessant, et vite remarqué, que je mène à Bruxelles pour faire prévaloir ces vues à long terme, contraires aux idées dominantes et à la politique des « quotas » que la Commission tente d'imposer, je m'efforce d'assurer aux agriculteurs français de meilleures conditions de vie et de travail.

Pour atteindre cet objectif, je m'appuie sur une concertation permanente avec les responsables professionnels, notamment le président de la Fédération nationale des syndicats d'exploitants agricoles, Michel Debatisse, et le « patron » des éleveurs, Marcel Bruel, l'un et l'autre devenus des amis personnels. Considérant que l'État ne doit pas gérer l'agriculture à coup de décrets, je crois plus utile de miser sur une collaboration étroite entre les pouvoirs publics et les dirigeants syndicaux dans le cadre des « conférences annuelles » que j'anime comme ministre en 1972 et 1973 et présiderai en tant que Premier ministre de 1974 à 1976. Mais cette concertation est aussi à l'origine de nombreuses réunions moins formalistes, tels les « mardis mensuels » que je tiens avec l'ensemble des professionnels. Dans le même temps, le soutien apporté par l'État à la constitution d'organisations interprofessionnelles comme l'interprofession laitière exprime notre souci de décentralisation systématique.

Outre les efforts budgétaires constamment accrus en faveur de l'investissement, cette politique de développement de l'agriculture se traduit par un grand nombre de décisions concrètes, prises souvent à l'issue des conférences annuelles. Je tiens ici à en rappeler les principales :

— Création de l'Office national de la viande (1972).

— Création des prêts spéciaux à l'élevage (1973).

— Intensification de la lutte contre la brucellose et augmentation considérable des crédits affectés à cette action (1972-73).

— Dotations d'installation pour les jeunes.

— Fonds d'assurance formation (1973).

— Service de remplacement (1973).

— Amélioration des retraites.

— Réforme et relance de l'« Indemnité viagère de départ », l'IVD.

— Création de l'indemnité spéciale montagne (1973).

— Création de l'aide au ramassage du lait en zone de montagne (1973).

Jamais sans doute, depuis longtemps, un gouvernement n'a autant fait, et en si peu de temps, en faveur de notre agriculture, désormais dotée de structures de soutien durables et efficaces. Quant aux prévisions que je formulais voici plus de trente-cinq ans, concernant la nécessité vitale de préserver une économie susceptible de répondre aux besoins croissants de la population mondiale, elles se révèlent aujourd'hui, à l'heure où j'écris ce livre, fondées et confirmées au-delà même de ce que je pouvais alors pressentir.

Comme je l'ai dit dans une tribune publiée dans *Le Monde* en 2008, la planète est confrontée au spectre des grandes famines alors même qu'elle traverse une crise financière dangereuse. La cohésion, si délicate, de la communauté internationale est doublement menacée et cette conjonction des périls fait courir au monde un risque sans précédent. Sans mesures d'urgence et de fond, nous assisterons à des émeutes de plus en plus violentes, à des mouvements migratoires de plus en plus incontrôlables, à des conflits de plus en plus meurtriers, à une instabilité politique croissante. Les ingrédients d'une crise majeure sont réunis et la situation peut très vite se dégrader.

Face à ce danger, la communauté internationale doit assumer ses responsabilités, toutes ses responsabilités, dans une totale coopération du Nord et du Sud. Elle doit se mobiliser autour d'objectifs précis pour résoudre, d'abord, la question de l'urgence. L'Europe et les États-Unis ont enfin annoncé le déblocage d'une aide d'urgence au profit du Programme alimentaire mondial. Je ne doute pas que les autres grandes puissances, membres du G8, pays émergents et pays de l'OPEP qui tirent des rentes exceptionnelles de l'augmentation du prix du pétrole, auront à cœur de prendre toute leur part de cet effort immédiat de solidarité. Mais il s'agit ensuite de résoudre les problèmes structurels : je plaide depuis longtemps pour qu'on aille au-delà des seules mesures d'urgence conjoncturelles. C'est une véritable révolution des modes de pensée et d'action en matière de développement, notamment dans le domaine agricole, qui s'impose.

L'offre de produits alimentaires au niveau mondial est insuffisante. Je n'ai jamais cessé de me battre contre le gel de la production en Europe et de promouvoir le développement agricole des pays pauvres. Il nous faudra demain nourrir 9 milliards d'hommes. Tout le monde se rend compte, enfin, que l'humanité a besoin de la production de toutes ses terres agricoles. L'autosuffisance alimentaire est le premier des défis à relever pour les pays en développement. Des outils existent. Nous savons tous ce qu'il faut faire : infrastructures rurales, stockage, irrigation, transport, financement des récoltes, organisation des marchés, microcrédit, etc.

L'agriculture vivrière doit être réhabilitée. Elle doit être encouragée. Elle doit être protégée, n'ayons pas peur des mots, contre une concurrence débridée des produits d'importation qui déstabilisent l'économie de ces pays et découragent les producteurs locaux.

Pour relever ce défi, il est nécessaire d'investir à la fois dans la recherche, afin de développer des productions et des variétés adaptées aux nouvelles donnes du changement climatique et de la raréfaction des ressources en eau, et dans la formation et la diffusion des techniques agricoles. Il faut miser sur les hommes, sur les producteurs locaux, qui doivent percevoir la juste rémunération de leurs efforts. Les échanges doivent obéir à des règles équitables, respectant à la fois le consommateur et le producteur. La libre circulation des produits ne peut pas se faire au détriment des producteurs les plus fragiles.

Les besoins d'investissements sont massifs et pour longtemps. Il est vital de maintenir l'effort d'aide publique au développement et de respecter l'objectif de 0,7 % du PIB.

Il est aussi vital de dégager des ressources additionnelles par des financements innovants. Que n'ai-je entendu quand j'ai milité, avec mon ami, le président Lula du Brésil, pour l'idée, pourtant évidente, que le financement du développement requiert des ressources pérennes! La taxe sur les billets d'avion a permis en 2007 de dégager plusieurs centaines de millions d'euros en faveur de l'accès aux médicaments. C'est un succès. D'autres efforts du même ordre devraient permettre de dégager rapidement les ressources nécessaires pour faire face à la crise alimentaire.

Il s'agit par exemple, comme le suggère le président de la Banque mondiale, Robert Zoellick, dans le cadre de conversations avec les fonds souverains, de voir comment orienter une partie de leurs moyens vers des investissements productifs en Afrique. Il s'agit surtout, face au caractère inédit de la crise que nous vivons, de prendre conscience que la communauté internationale n'a d'autre choix que celui de l'imagination et de la solidarité.

10

LA MORT D'UN PÈRE

Longtemps j'ai refusé de me rendre à l'évidence. Par respect et par affection pour Georges Pompidou, je ne pouvais ni ne voulais croire, ou seulement imaginer, qu'il fût atteint d'un mal dont il ne se relèverait pas. Certes, je remarquais, comme tout le monde, son état de fatigue persistant, sa démarche incertaine, ses grippes à répétition qui le contraignaient à « garder la chambre durant quelques jours », selon la formule immuable des bulletins de santé officiels. Mais pas au point de me résoudre à envisager le pire...

Depuis sa rencontre, en juin 1973, avec le président Nixon à Reykjavik, en Islande, où il est apparu le visage boursouflé, le pas hésitant, les rumeurs d'un traitement à la cortisone, pour un possible cancer, se sont propagées à grande vitesse, et celles d'une prochaine disparition multipliées d'autant. Comme beaucoup, j'assiste aux préparatifs indécents auxquels se livrent dans la coulisse, et parfois ouvertement, les prétendants de tous bords.

Deux clans s'opposent alors au sein de la majorité. Non sur une conception de l'avenir, mais sur un diagnostic médical. Le clan de Jacques Chaban-Delmas, lequel mise déjà sur une issue imminente. Et celui de Valéry Giscard d'Estaing, qui pense que le Président tiendra malgré tout jusqu'à la fin de son mandat, en 1976, et qu'on dispose de ce laps de temps pour s'organiser... Face à ces deux clans, un homme digne, irréprochable : le Premier ministre, Pierre Messmer, seul véritable garant d'une continuité qu'il lui reviendra peut-être d'assumer à part entière en cas de disparition prématurée de Georges Pompidou.

Si j'ignore tout de la maladie exacte dont souffre le Président, sujet que ni lui ni son épouse n'ont jamais évoqué devant moi – m'encourageant du même coup à en minimiser la gravité –, je suis assez bien informé, en revanche, de ce qui se trame autour de lui. Comme toujours, Pierre Juillet et Marie-France Garaud, sans doute mieux renseignés que quiconque sur l'état de santé de Georges Pompidou, sont à la manœuvre, préparant le terrain pour Pierre Messmer dans l'éventualité d'élections anticipées. En février 1974, les rumeurs d'un changement de Premier ministre vont s'accélérant. « Messmer doit partir », titre *Le Point*, tandis que *L'Express* annonce l'arrivée, dans les semaines suivantes, de Valéry Giscard d'Estaing à Matignon, hypothèse que personne, ni à l'UDR ni parmi les proches conseillers de Georges Pompidou, n'est prêt à accepter. Pour moi, comme pour la plupart des membres de l'entourage du Président, il ne fait aucun doute que le Premier ministre idéal reste Pierre Messmer, mais à la tête d'un gouvernement réaménagé.

C'est dans ce cadre, le chef de l'État ayant renouvelé sa confiance à Pierre Messmer, que je suis amené, le 1er mars 1974, à quitter le ministère de l'Agriculture pour prendre en charge celui de l'Intérieur. Certains voient dans cette nomination le signe que Georges Pompidou nourrit pour moi de grandes ambitions. « Ainsi, vous aurez achevé un parcours suffisant pour connaître tout le gouvernement », me confie-t-il avec son sens habituel des formules lapidaires. Plus que jamais, le Président a besoin auprès de lui d'hommes dont le dévouement, la loyauté, la fidélité même, lui soient acquis sans réserve. Et il sait d'expérience que ces hommes-là, dans les temps de grandes incertitudes, sont rarement très nombreux…

Dans l'immédiat, mon prédécesseur, Raymond Marcellin, ayant eu la fâcheuse idée de faire poser des micros dans les locaux du *Canard enchaîné*, la première chose que le chef de l'État me demande est de supprimer, sur-le-champ, les écoutes téléphoniques. Georges Pompidou juge indigne qu'un homme d'État veuille écouter aux portes. Ainsi a-t-il, un jour, congédié sans ménagement un visiteur venu lui rapporter « de sources sûres » des renseignements compromettants sur François Mitterrand. Et depuis l'affaire Markovic, rien ne lui répugne davantage que les méthodes de basse police.

Dès mon arrivée Place Beauvau, je fais venir mon directeur de cabinet, François Heilbronner, et, sans plus tarder, nous nous mettons au travail. Tout branchement d'une bretelle exige la constitution d'une fiche signée, personnellement, par le ministre. Nous les annulons une à une. Puis, je consacre une partie de la nuit à resigner celles justifiées par la nécessité de protéger la sécurité du territoire, des personnes ou des biens, c'est-à-dire qui relèvent des surveillances de droit commun ou des services du contre-espionnage et excluent donc toute curiosité d'ordre politique ou privé. Au cours de la campagne présidentielle, Valéry Giscard d'Estaing inscrira dans son programme la suppression des écoutes téléphoniques. Il se situera ainsi dans la tradition de Georges Pompidou, qui en avait déjà pris l'initiative et obtenu qu'elles soient proscrites. Tous les hauts fonctionnaires associés à cette procédure peuvent en témoigner.

Déterminé à réorganiser, par la même occasion, les services de renseignements, je fais publier dans la presse la « fiche » me concernant que j'ai découverte à mon arrivée au ministère. Celle-ci révèle que j'ai été moi-même mis sur table d'écoute après un voyage effectué en Union soviétique, en 1965, pour négocier le survol de la Sibérie par la compagnie Air France. Lors d'un voyage en train entre Moscou et Leningrad, je me serais trouvé, selon les services français, dans le même compartiment qu'une femme travaillant pour le KGB. Il n'en a pas fallu davantage pour que je constitue d'après eux une « visée opérationnelle des services spéciaux soviétiques » qui, compte tenu de ma position à Matignon, cherchaient certainement le moyen de m'approcher. On en veut pour preuve des documents retrouvés chez un espion russe récemment expulsé, dans lesquels mon nom serait évoqué. Beaucoup de supputations pour rien… Depuis lors, je me suis toujours méfié de tout ce qui émane des services secrets.

Le 21 mars, un communiqué de l'Élysée annonce que le chef de l'État a dû renoncer, pour raisons médicales, à présider le traditionnel dîner du corps diplomatique. Cette fois, chacun prend définitivement conscience de la gravité de la situation. Reçu par Georges Pompidou quelques jours plus tard pour évoquer mes projets de réforme du ministère de l'Intérieur, je m'efforce pourtant de le trouver semblable à lui-même. Comment admettre qu'un homme que je tiens pour un père depuis mes débuts en politique soit véritablement en train de mourir? Je ne veux rien entendre, rien voir à ce sujet. Voilà pourquoi je réagirai si mal, le lendemain de sa disparition, en entendant, sur Europe 1, le récit fait par Jean Mauriac du dernier Conseil des ministres de Georges Pompidou.

Indigné sur l'instant par ce tableau d'un Président prostré, épuisé, aux limites de ses forces physiques et intellectuelles, j'exige aussitôt, par téléphone, de pouvoir intervenir sur les ondes pour rétablir la vérité. J'oppose ma propre version à celles d'autres ministres recueillies par le journaliste de l'AFP, soulignant, contrairement à eux, « l'excellente forme physique » dans laquelle Georges Pompidou m'était apparu ce jour-là, « probablement meilleure, ajoutai-je, qu'elle ne l'avait été dans les jours passés. Il a fumé, comme il en avait l'habitude, beaucoup, il a interrogé tout le monde, il a tenu à ce que chacun fasse son commentaire. Il y avait eu quelques questions qui ne méritaient pas de commentaires très longs et qu'il aurait pu abréger s'il avait voulu abréger le temps du Conseil. Au contraire, il a tenu, ce qui était l'esprit même de ce qu'il avait voulu, avec un Conseil plus étroit, à ce que chacun donne, et donne parfois longuement, son sentiment sur les choses ».

J'évoque un exposé de politique étrangère digne des « meilleurs moments du général de Gaulle » auxquels j'avais assisté en Conseil des ministres... Je juge « scandaleux » qu'on veuille « faire peser une sorte de suspicion sur la façon dont le Président conduisait les affaires ». Bien qu'il ait reconnu avoir « traversé une période difficile » et « moralement et physiquement souffert », il « estimait que sa santé devait s'améliorer » et « comptait bien être en mesure de faire face à toutes les charges extérieures, et notamment les voyages qui devaient être réalisés pour la poursuite de notre politique étrangère ». Je conclus cette mise au point en assurant que Georges Pompidou n'avait jamais manifesté « autant de force de caractère, autant de lucidité et de ténacité – peut-être, précisément, parce que physiquement il avait à supporter des douleurs »...

Si cette version n'était sans doute pas des plus exactes, du moins était-elle conforme à l'image ultime que je souhaitais garder de Georges Pompidou : celle d'un homme que j'avais toujours connu impassible, inébranlable, face aux épreuves.

Lorsque j'apprends sa mort, le soir du 2 avril, le chagrin qui me submerge est tel que je ne cherche nullement à dissimuler ma peine, en privé comme en public. Bien que nous n'ayons jamais été intimes, je ressens la disparition de Georges Pompidou aussi cruellement que celle d'un proche. Pour nous, ses collaborateurs et ses amis, qui lui portions admiration et affection, c'est un maître que nous perdons. Un maître en esprit. Un maître en sagesse, en courage. Un maître dans l'action, dont nous aurons désormais le devoir de poursuivre l'œuvre inachevée.

Georges Pompidou était un bâtisseur. Parce qu'il avait le goût de l'aventure et de la découverte, celui des chemins de traverse et de l'inédit. Parce qu'en homme libre, il avait en horreur le conformisme des préjugés et l'uniformité de la pensée. Dans un entretien consacré à l'art, il dévoile un peu de son secret : « Si l'art contemporain me touche, disait-il, c'est à cause de cette recherche crispée et fascinante du nouveau et de l'inconnu... » Georges Pompidou avait, je l'ai dit, l'obsession de la modernité. Elle était pour lui une exigence, un défi, une manière de faire confiance au présent et à l'avenir. Et il était naturel que ce soit dans le domaine de la culture, dans cette relation privilégiée qui l'unissait à l'art de son temps, que son intuition d'un monde en devenir se manifeste dans tout son éclat.

Mais au-delà des choix emblématiques de l'homme de culture épris de poésie, Georges Pompidou était d'abord un homme d'État. Pour lui, le progrès humain était un ensemble. Le rêve inséparable de l'action. Parce qu'il avait cette passion de la modernité, il a dessiné une France nouvelle, fidèle à ses traditions les meilleures et fière de son histoire, mais entreprenante et inventive, industrieuse et dynamique. Rarement notre pays aura tant changé que pendant les douze années où il fut Premier ministre du général de Gaulle, puis président de la République.

Esprit profondément curieux, toujours en alerte, d'une lucidité et d'une sensibilité extrêmes, modèle de bon sens, d'exigence et de pragmatisme, Georges Pompidou avait pressenti, mieux que tout autre, les nécessaires évolutions de notre société. Pour lui, les années soixante ont marqué la fin d'une époque et le commencement d'une autre. Vieux pays rural, la

France s'érige alors en puissance industrielle. Il est temps de repenser la ville sans négliger d'aménager le territoire et de le préserver.

Pour former aux nouveaux métiers, pour préparer l'emploi, l'éducation devient sa priorité. L'université se transforme. La France est en retard pour le téléphone ou l'automobile? Sa détermination lui fera regagner le terrain perdu. Aéronautique, informatique, télécommunications, nucléaire, recherche pétrolière, recherche scientifique et technique, médias, tous ces domaines où la science se mêle à l'industrie ont connu pendant le gouvernement de Georges Pompidou un formidable essor. Ils constituent aujourd'hui encore le socle de la puissance de notre pays en Europe et dans le monde.

À la suite du général de Gaulle, qui a replacé notre pays dans le concert des puissances politiques, Georges Pompidou fut l'artisan le plus passionné d'une France disposant de tous les atouts qui font une grande nation : l'économie, l'industrie, le développement commercial, la recherche, l'innovation, le rayonnement culturel. À sa disparition, alors que s'achèvent les Trente Glorieuses, Georges Pompidou laisse une France puissante, solide et forte dans le monde.

Il voulait une France en paix, rassemblée et réconciliée avec elle-même. Une France qui travaille et construit son avenir. Il voulait le progrès social et que la croissance profite à tous. C'est l'époque du plein emploi. L'époque de nouvelles conquêtes sociales : la formation continue, la mensualisation des salaires qu'il demandera aux partenaires sociaux de mettre en œuvre dans le cadre d'un dialogue social qui gagne alors ses lettres de noblesse. L'époque aussi des grands équipements, des grands programmes d'infrastructures, qui vont redessiner le visage de la France.

Soucieux de « rendre à l'individu le goût de l'idéal », Georges Pompidou souhaitait que notre société retrouve le sens de la solidarité et s'est attaché, dans son action, à en donner l'exemple. Solidarité à l'égard des générations les plus âgées, chaque année plus nombreuses. Solidarité aussi avec les laissés-pour-compte de la modernité, ces « exclus » dont Georges Pompidou a pressenti l'apparition. Solidarité des pays riches avec les peuples déshérités, « exigence fondamentale de l'avenir humain, où l'intérêt rejoint l'idéal ». Solidarité européenne, avec l'entrée du Royaume-Uni dans le Marché commun. Solidarité des francophones, dont l'ambition, affirmait-il, doit être de « résister à l'assimilation et à l'uniformité ». Là encore visionnaire, l'ami de Léopold Sédar Senghor devinait les grands enjeux des temps à venir.

Toutes ces années, ces années qu'on appelle aujourd'hui les « années Pompidou », ont laissé dans la mémoire collective des Français une empreinte profonde. Oubliant les controverses de Mai 1968, ils gardent le souvenir d'une période où la prospérité et le plein emploi ont coïncidé avec le rayonnement de la France. Le souvenir, en fin de compte, d'années heureuses, avant le grand choc pétrolier et les bouleversements de la mondialisation.

Georges Pompidou avait le génie de l'amitié. Pour lui, la vie trouvait son sens dans le regard des autres, dans l'attention qu'on leur porte, dans la main qu'on leur tend. Il nous donnait envie d'être meilleurs.

C'est dire l'affection que nous lui portions. Et notre peine quand il nous a quittés.

*

La mort de Georges Pompidou, plus rapide que prévu, est intervenue avant que la majorité ait eu le temps de s'entendre sur la question de sa succession. Pris de court, désarmés, nous sommes confrontés à une situation difficile, face au leader de la gauche, François Mitterrand, adversaire d'autant plus redoutable qu'outre le savoir-faire acquis au fil du temps, l'âge lui confère un air plus apaisé et rassurant. Les candidatures rivales de Jacques Chaban-Delmas et de Valéry Giscard d'Estaing ne faisant guère de doute, la division est dans notre camp. Le premier n'a pas même attendu la fin de la période de deuil pour se déclarer, choquant bon nombre d'entre nous par sa maladresse, bien qu'il fût un homme de cœur, comme j'aurai l'occasion, par la suite, de le vérifier. Le second est tout aussi résolu à se présenter, mais sans brusquer les choses. Dans ces conditions, la meilleure solution pour éviter, non seulement la désunion, mais la probable victoire du dirigeant socialiste, me paraît être de se regrouper autour du Premier ministre sortant, Pierre Messmer.

C'est en vain que je milite aussitôt pour que ce dernier soit accepté comme le candidat unique de la majorité. D'abord auprès de l'intéressé, qui n'y croit pas vraiment et a toujours eu du mal, quoi qu'il en soit, à prendre une décision d'ordre politique. Ensuite, auprès de Chaban, qui refuse tout net de se retirer, puis de Giscard qui consent plus habilement à s'effacer à condition que son challenger fasse de même. La suite est connue : l'obstination de Chaban achèvera de dissuader Pierre Messmer de se lancer dans une bataille pour laquelle il ne se sent pas prêt, confortant du même coup son rival dans ses propres ambitions. Dès lors, je suis amené à prendre une position qui me vaudra d'être décrié et de passer pour « traître », alors qu'elle résulte d'une conviction qui ne va pas tarder à se révéler juste.

Cette conviction est simple : je ne crois pas que Chaban, qui fait figure d'homme du passé en dépit de son projet de « nouvelle société », ait la moindre chance de l'emporter face à Valéry Giscard d'Estaing et François Mitterrand qui, chacun à leur manière, incarnent le changement auquel aspirent les Français. J'ai le sentiment, de surcroît, pour ne pas dire la certitude, que Georges Pompidou n'eût pas soutenu sa candidature, préférant à tout prendre celle de Giscard, dont il estimait davantage les qualités intellectuelles. Il n'y a là, chez moi, ni inimitié personnelle à l'égard de Chaban, ni aucun de ces calculs de carrière qu'on m'attribue aussitôt. Ce n'est pas la victoire de Chaban que je crains, mais sa défaite, laquelle me paraît inéluctable face au candidat socialiste.

Le 12 avril, les sondages commencent à me donner raison : Chaban se retrouve déjà en troisième position dans les intentions de vote. Je confirme au maire de Bordeaux, en me rendant à son domicile parisien, que je ne le soutiendrai pas. Le lendemain, Valéry Giscard d'Estaing me reçoit rue de Rivoli, dans son bureau du ministère des Finances. Il me demande si j'ai l'intention de l'appuyer. Je réponds que oui, mais sous couvert d'un appel à l'unité de candidature signé de plusieurs députés gaullistes, qui sera interprété, de fait, comme un manifeste antichabaniste. C'est alors que Giscard me déclare : « Vous savez... si nous gagnons... je vous demanderai d'être mon Premier ministre. » Ma réponse est immédiate, et aussi nette que sincère : « J'ai servi le Général, j'ai servi le président Pompidou. Je n'ai pas l'intention de poursuivre mon action politique. Je vous prie donc de ne plus me reparler de cette affaire. » Nous nous séparons en ces termes. La campagne se déroulera sans que, jamais, nous n'abordions à nouveau le sujet. Valéry Giscard d'Estaing fera part, à mots couverts, de ses intentions au cours d'un discours sur l'agriculture, prononcé en Normandie si j'ai bon souvenir. En des phrases très élogieuses à mon égard, il laisse entendre qu'en cas de victoire je serais, sans doute, appelé à tenir à ses côtés un rôle de premier plan.

Le 13 avril, en fin d'après-midi, le manifeste des 43, rassemblant quatre membres du gouvernement et trente-neuf députés UDR, est rendu public. Trois jours plus tard, je vais tenter de m'expliquer, salle Colbert, devant les élus et les cadres du mouvement gaulliste réunis au grand complet. Les partisans de Chaban, largement majoritaires, ont fait ce qu'il fallait pour chauffer la salle contre moi. Non content d'y convoquer le groupe parlementaire UDR au grand complet, on y a ajouté, pour faire bon poids, les conseillers de Paris, les sénateurs et même les anciens députés gaullistes. La salle est pleine à craquer. Serrés les uns contre les autres, les élus et cadres du mouvement me sifflent, m'injurient dans un vacarme indescriptible. Comment faire comprendre à des gens, qui sont pourtant des amis, que l'on peut conduire une action dans un sens apparemment différent du leur, et pour le bien de tous, sans renoncer le moins du monde à notre idéal commun ? Debout au milieu de la salle, je m'efforce d'expliquer mon choix tout en me disant, à défaut d'être entendu : « Ce que tu fais, c'est dans l'intérêt de la France, c'est ce que Pompidou aurait voulu. »

Après avoir largement distancé Jacques Chaban-Delmas au premier tour, Valéry Giscard d'Estaing l'emporte sur François Mitterrand, le 19 mai 1974, avec 50,8 % des voix. Un score nettement plus restreint que celui obtenu par Georges Pompidou cinq ans plus tôt, et qui ne fait que confirmer mes craintes d'une élection à haut risque pour la majorité en place.

Deux jours après, le nouveau Président m'invite à le rencontrer à Neuilly, dans l'hôtel particulier de son ami Michel Poniatowski, où tous les deux se sont réfugiés pour concocter le futur gouvernement. Giscard me demande sans ambages d'être son Premier ministre. À sa grande surprise, j'accueille cette proposition sans enthousiasme, m'estimant le moins bien placé pour gouverner avec une majorité aussi divisée. Je lui demande un délai de réflexion.

Dans les heures qui suivent, je m'entretiens longuement avec Pierre Juillet sur la question de savoir si je dois ou non accepter une telle responsabilité dans ces conditions, et s'il ne vaut pas mieux laisser cette charge à un proche du chef de l'État comme Michel Poniatowski. Pierre Juillet, ainsi que Jacques Friedmann et d'autres amis, me font valoir que l'UDR, à travers moi, serait au moins présente à Matignon, après que les gaullistes, pour la première fois depuis 1958, ont perdu l'Élysée. « Sinon, ajoute

Pierre Juillet, je crains qu'il n'y ait plus de mouvement gaulliste du tout. Nous serons laminés. » C'est l'argument décisif. Le seul qui puisse définitivement me convaincre d'accepter la proposition de Valéry Giscard d'Estaing.

Peu après ma nomination à Matignon, Claude Pompidou me téléphone pour nous inviter à dîner, Bernadette et moi, le soir même, à son domicile du quai de Béthune. « J'ai besoin de vous voir, j'ai besoin de votre affection », me dit-elle, inconsolable de la mort de son mari, comme nous l'étions tous. Peut-être a-t-elle voulu me faire comprendre ce soir-là que j'étais devenu à ses yeux l'héritier politique de Georges Pompidou.

11

UN GOUVERNEMENT QUI N'EST PAS LE MIEN

Ce fut une illusion de courte durée. En acceptant de devenir son Premier ministre, j'avais le sentiment qu'une autre relation avec Giscard allait être possible : le « début d'une ère nouvelle », en quelque sorte. Du moins l'ai-je sincèrement espéré à ce moment-là, fort du rapprochement qui venait de s'opérer entre lui et moi, et du soutien que j'avais apporté à sa candidature dès le premier tour de l'élection présidentielle. Mais la vérité, comme je n'ai pas tardé à m'en apercevoir, était que, ne m'ayant jamais apprécié, il ne m'apprécierait pas davantage à l'avenir. L'exercice du pouvoir, comme le jeu des entourages, n'était pas fait, de surcroît, pour améliorer nos relations.

D'entrée de jeu, l'élément perturbateur est son homme-lige, Michel Poniatowski, expert en « petites phrases » assassines et ennemi déclaré des gaullistes qu'il n'a en tête que d'éliminer du paysage politique. Après avoir plaidé en vain auprès de Giscard pour une dissolution immédiate de l'Assemblée nationale, qui eût permis, selon lui, d'en finir avec les fidèles du Général et de Georges Pompidou, au profit d'une majorité centriste et libérale, tout acquise au nouveau Président, Poniatowski n'a pas davantage réussi à éviter ma nomination à Matignon, s'y résignant bien malgré lui. Jaloux à l'extrême de l'ascendant qu'il croit exercer sur Giscard, et de la complicité qui les lie de longue date, il lui est intolérable de voir quiconque s'immiscer dans une relation dont il se veut seul bénéficiaire, et lui disputer, si peu que ce soit, une influence qu'il souhaite exclusive. C'est dire l'animosité qu'il voue, d'instinct, à un Premier ministre, non seulement contraire à ses vœux, mais qui plus est susceptible d'acquérir la confiance du chef de l'État. Dès lors, Michel Poniatowski fera ce qu'il faudra pour miner tout espoir d'entente durable entre Giscard et moi, s'y employant avec d'autant plus de succès que cet espoir est par avance limité...

La formation du gouvernement allait être, à cet égard, un test déterminant. L'usage, comme l'esprit de la Constitution, veut que la responsabilité en incombe au Premier ministre. Mais c'est à peine si je suis consulté sur le choix des ministres et même des secrétaires d'État qui composeront mon équipe : le chef de l'État se borne à m'indiquer ceux qu'il souhaite y voir figurer. Mis devant le fait accompli, il me reste, pour éviter une crise politique immédiate, soit à m'incliner sans un mot, soit à exiger le minimum de ce que je peux obtenir. Faute de mieux, c'est cette dernière option que je choisis, bataillant ferme pour empêcher certaines nominations que je juge inacceptables, et imposer celles surtout qui me paraissent nécessaires.

Compte tenu du résultat de l'élection présidentielle, et bien que la majorité parlementaire demeure inchangée, il n'y a rien d'étonnant ni même d'anormal à ce que les principaux portefeuilles ministériels soient occupés par des proches du chef de l'État. Hormis le sénateur Jacques Soufflet, en charge de la Défense, les gaullistes sont écartés des postes clés au profit des responsables centristes et giscardiens : Michel Poniatowski, promu ministre d'État et numéro deux du gouvernement, prend l'Intérieur, Jean-Pierre Fourcade, les Finances, Jean Sauvagnargues, les Affaires étrangères, Jean Lecanuet, la Justice, Christian Bonnet, l'Agriculture, Michel d'Ornano, l'Industrie... Plus contestable à mes yeux est la volonté du Président de faire entrer au gouvernement trois personnalités issues du mouvement réformateur : l'incontrôlable Jean-Jacques Servan-Schreiber, patron de *L'Express*, ainsi que deux de ses fidèles, la directrice du journal, Françoise Giroud, et la députée de Moselle Anne-Marie Fritsch.

Si je veux bien paraître souscrire à la promotion de JJSS, à la tête d'un ministère inédit, celui des Réformes, plus symbolique qu'opérationnel – « J'ai promis le changement ! » me rappelle Giscard – je m'insurge contre celles de Françoise Giroud, pressentie pour un secrétariat d'État à la Condition féminine, et plus encore de Mme Fritsch, prévue comme ministre de la Santé. Ces trois nominations risquant d'être considérées par les députés gaullistes comme autant de provocations, je fais savoir au chef de l'État que je m'y oppose catégoriquement. Sous peine de ne pouvoir cautionner ce gouvernement, je lui demande que le ministère de la Santé soit confié à une femme qui me paraît digne, sur tous les plans, d'occuper cette fonction. Il s'agit de Simone

Veil, alors secrétaire générale du Conseil supérieur de la magistrature et engagée de longue date dans le combat pour les droits des femmes. Je tiens Simone Veil pour une personnalité d'exception, d'une parfaite intégrité morale et intellectuelle, et la sais dotée d'un grand courage et d'un caractère à toute épreuve.

Giscard, qui n'a pas beaucoup de sympathie pour elle et la soupçonne d'avoir voté, lors de l'élection présidentielle, en faveur de François Mitterrand après avoir choisi Chaban au premier tour, est plus que réticent à cette idée. Il y est même franchement défavorable. Mais devant mon insistance, il finit par céder. Cette victoire n'ira pas sans me créer des difficultés avec Marie-France Garaud, qui eût aimé, elle aussi, entrer au gouvernement, sans que j'aie pensé à le lui proposer. Je ne m'apercevrai qu'ultérieurement de l'amertume qu'elle en a éprouvée. Mais j'avais tellement l'habitude de travailler avec elle en marge du pouvoir qu'il ne m'était même pas venu à l'idée de lui confier des responsabilités plus officielles.

Si je n'aurai qu'à me féliciter de la nomination de Simone Veil, plus décevante, en revanche, bien que je n'en sois pas surpris, se révélera celle de Jean-Jacques Servan-Schreiber. Le 9 juin 1974, deux semaines à peine après son entrée en fonctions, le fondateur de *L'Express* condamne publiquement, lors d'une conférence de presse, la reprise des essais nucléaires dans le Pacifique décidée, à ma demande, par le chef de l'État qui les avait, dans un premier temps, ajournés. JJSS a-t-il agi de sa propre initiative ou s'est-il senti assuré du soutien présidentiel ? Toujours est-il qu'en s'en prenant ouvertement à l'UDR et à l'autorité militaire, accusées l'une et l'autre d'avoir fait pression sur l'Élysée pour obtenir le maintien de la politique nucléaire, l'éphémère ministre des Réformes a commis à mes yeux un faux pas inexcusable. J'exige aussitôt son renvoi, que Giscard m'accorde malgré lui.

À la même époque, c'est au prix d'une nouvelle menace de démission que je parviens à sauvegarder une future réalisation qui me tient à cœur entre toutes : celle du Centre national d'art contemporain prévu à Beaubourg. Georges Pompidou voulait faire de ce grand vaisseau moderne ancré au cœur de la capitale, non une œuvre architecturale, mais une sorte d'aimant susceptible d'attirer vers la France, comme dans les années vingt, des créateurs venus du monde entier. À sa mort, ce musée, envisagé et conçu sous son impulsion personnelle, n'était pas encore sorti de terre. Seules les fondations existaient.

Un jour, Giscard me convoque en présence du secrétaire d'État à la Culture, Michel Guy, pour me faire part de ses grands projets. « Je vais arrêter cette monstruosité qu'est le Centre Beaubourg », me déclare-t-il tout net. Mon sang ne fait qu'un tour : « Monsieur le Président, cette décision implique que vous changiez aussi de Premier ministre. Car je n'accepterai pas qu'on puisse remettre en cause ce qui a été la dernière œuvre de M. Pompidou. »

J'espérais le soutien de Michel Guy, ami personnel des Pompidou auxquels il devait sa carrière ministérielle et qui avait, naguère, milité en faveur du projet. Mais voici que, pour ne pas déplaire au nouveau Président, l'intéressé prend son parti sans craindre de se renier : « Vous avez raison, lui assure-t-il devant moi. D'ailleurs, j'ai toujours pensé que ce n'était pas une bonne idée… » Indigné par tant de lâcheté, je ne me prive pas de dire à Michel Guy ce que je pense de lui. Je n'accepterai plus de le revoir. Grâce à mon intervention, le Centre Georges-Pompidou pourra voir le jour et se développer jusqu'à devenir cette belle réussite reconnue comme telle en France et dans le monde entier.

En dépit de ces premières anicroches, je garde de cette période initiale de beaux souvenirs. Nous étions à l'aube de la république giscardienne et j'étais convaincu, un peu naïvement, que le président de la République ayant confiance en moi, il apprécierait le travail que nous réaliserions ensemble. On ne parlait que d'innovations et de réformes. Un vent nouveau semblait vouloir se lever et, comme les autres, plus que les autres même, là où j'étais placé, j'en ai ressenti le souffle. Puis assez vite, d'autres temps sont venus.

Pour comprendre les événements qui ont suivi, il convient ici de rappeler ce qu'a été, après l'élection de Valéry Giscard d'Estaing, l'évolution des rapports entre le président de la République et son Premier ministre.

Du temps du général de Gaulle puis de Georges Pompidou, la majorité avait un inspirateur unique : le chef de l'État. Chacun avait conscience d'une primauté institutionnelle qui s'imposait à tous. À la veille des élections législatives, le Président demandait aux Français de « voter pour les siens ». De grandes affiches portaient comme seul slogan : « Avec le général de Gaulle », « Pour soutenir l'action du général de Gaulle » et, plus tard : « Pour soutenir l'action du président Pompidou »… Sous son autorité, il fallait un homme capable de mener cette majorité au combat. C'était, tout naturellement, et par délégation, le Premier ministre, lequel, on le sait, tenait sa légitimité du Président. Personne, dès lors, ne discutait longtemps ses arbitrages électoraux. Cahin-caha, en dépit des appétits personnels et des ambitions inavouées, la machine majoritaire fonctionnait.

À partir de 1974, entrés dans un système différent que Valéry Giscard d'Estaing a dénommé le pluralisme, nous avons dû apprendre à raisonner et, donc, à réagir différemment. Dans le cas de ses deux prédécesseurs, l'option était claire. Le Président exprimait au pays le choix qui lui paraissait le meilleur. Il s'y impliquait totalement, au point, comme l'a fait le général de Gaulle au lendemain du référendum de 1969, de lier sa fonction au verdict populaire. Certains ont regretté ce départ que, constitutionnellement, rien ne justifiait. Pour ma part, je me souviens, à l'époque, de m'être longuement interrogé. Le Général avait-il tort de réagir ainsi, tout de suite, sur le coup et dans l'émotion du moment ? Pour lui, être mis en minorité après avoir indiqué, sans équivoque, ce qu'il attendait des Français, ne pouvait être qu'un désaveu. Quelles que soient les règles constitutionnelles ou juridiques, le Général, chaque fois que l'événement l'imposait, a fait passer sa légitimité avant toute autre considération. Par voie de conséquence, à l'heure où cette légitimité est contestée par le peuple qu'on a consulté, celui qui en est encore légalement détenteur estime ne plus disposer de l'autorité nécessaire pour l'exercer. Il s'en va, afin que le destin s'accomplisse.

Valéry Giscard d'Estaing sera le premier à officialiser une autre interprétation possible de la Constitution, d'après laquelle le président de la République, cessant de lier son sort à la majorité qui le soutient, se place en position d'arbitre et devient essentiellement le garant des institutions dont le suffrage universel lui a confié la charge. Interprétation qui ne vaut pas seulement en cas d'une victoire de l'opposition, mais vaudra tout autant dans ses relations immédiates avec la majorité en place, dominée par une famille politique qui n'est pas la sienne, mais celle de son Premier ministre. De cette situation inédite naîtront la plupart des antagonismes et des malentendus qui crisperont nos relations et conduiront à ma démission en août 1976.

Dans les mois qui suivent l'élection de Valéry Giscard d'Estaing, je n'ai pourtant de cesse que de reprendre en main un mouvement gaulliste affaibli et désemparé afin, non seulement de le sauver de la dislocation et lui restituer toute sa place dans la vie politique, mais aussi de m'assurer du soutien qu'il apporterait à l'action du président de la République et de son gouvernement. Cette tâche est d'autant moins aisée qu'en dehors même des griefs et des rancœurs qui se manifestent contre moi au sein de l'UDR, les gaullistes ne sont pas enclins à accorder leur confiance à un chef d'État qui, de son côté, ne fait rien pour les séduire ou les ménager.

C'est en vain que je tente de convaincre Giscard, au début de son septennat, de faire un geste à l'égard des élus UDR de l'Assemblée et du Sénat. Après en avoir accepté le principe, il décide, un jour, de les inviter tous à déjeuner à l'Élysée. Je m'en réjouis et me permets, dès qu'il m'en fait part, de lui donner quelques conseils pour les amadouer : « C'est très simple. Il faut savoir leur parler au cœur. À la fin du déjeuner, vous vous levez et vous leur dites trois mots du genre : "Nous sommes ensemble pour gagner, je compte sur vous !" C'est tout. Les gaullistes sont toujours sensibles à ce qu'on leur dise qu'on compte sur eux. » Arrive le jour dit. Giscard fait exactement le contraire de ce que je lui ai recommandé. Au lieu des quelques mots que je lui conseillais de prononcer, le voici qui se lance, à la fin du repas, dans un cours de droit constitutionnel long de trois quarts d'heure. Un véritable désastre : alors que ses invités n'aspiraient qu'à se sentir aimés, Giscard n'avait pu résister au plaisir de leur faire comprendre qu'il était plus intelligent qu'eux ! Les gaullistes repartirent furieux. Dès lors, l'incompréhension entre eux et lui ne pouvait qu'empirer...

La conquête de l'UDR s'annonce pour moi difficile. La plupart des « barons » me sont hostiles et bien résolus à me barrer la route. Peu après ma prise de fonctions à Matignon, le secrétaire général de l'UDR, Alexandre Sanguinetti, m'a indiqué que je ne serai plus, comme mes prédécesseurs, membre de droit du bureau exécutif. Mais c'est pourtant grâce à lui, et avec l'appui déjà déterminant du délégué à l'organisation, Charles Pasqua, encouragé et piloté dans l'ombre par Marie-France Garaud, que je parviendrai, fin 1974, à m'imposer à la tête du mouvement gaulliste.

Le 27 septembre, lors des journées parlementaires qui se tiennent à Cagnes-sur-Mer, j'assure que je ne serai pas « le Premier ministre qui aura constaté avec indifférence et sans réaction la disparition du gaullisme ». J'ajoute qu'il ne s'agit plus de « nous abriter derrière un chef d'État qui pensait pour nous » et que nous devons apprendre « à penser par nous-mêmes ». Message aussitôt reçu comme un appel à l'autonomie vis-à-vis de Giscard. Mais, dans mon esprit, il signifie avant tout que l'UDR, pour peu qu'elle fasse cause commune avec un Premier ministre issu de ses rangs, continuera de jouer un rôle majeur au sein de la majorité. Encore faut-il éviter que le mouvement gaulliste ne se marginalise et s'en remette aux figures du passé...

Le 12 décembre, en l'absence du chef de l'État parti pour les Antilles, je décide de « prendre une initiative », comme il me l'a lui-même suggéré avant son départ. À la veille du Conseil national de l'UDR qui doit se tenir durant le week-end et procéder, semble-t-il, à l'éviction d'Alexandre Sanguinetti au profit d'Olivier Guichard ou d'une direction collégiale, je décide de m'inviter à la table des « barons », qui ont prévu, comme souvent, de se retrouver entre eux, pour dîner, au Conseil constitutionnel. Autour de Roger Frey, qui les reçoit, sont présents, outre Jacques Chaban-Delmas, Michel Debré, Olivier Guichard et Jacques Foccart, trois hommes qui ne font pas directement partie de leur clan : Pierre Messmer, Alain Peyrefitte et Maurice Couve de Murville.

Là, il me faut battre des records de vitesse et mon empressement ne sera guère apprécié. Dans un premier temps, je fais savoir aux autres convives que je m'oppose à l'accession d'Olivier Guichard à la tête de l'UDR, laquelle provoquerait selon moi une dualité inacceptable avec Matignon. Un certain flottement s'ensuit parmi les « barons », décontenancés par mon intervention au point de ne plus s'entendre sur rien. Le recours à une direction collégiale étant finalement évoqué, je déclare, un peu provocateur, que « le plus simple serait que j'assure moi-même la direction du mouvement ». Enfin d'accord sur quelque chose, les barons éclatent de rire. Ils ne croient pas une seconde que je serais capable de faire ce que j'ai dit. Je repars sans qu'aucune décision n'ait été prise. C'est pour moi un crève-cœur de voir ce mouvement essentiel à la vie nationale, héritier d'une si grande histoire, manquer à ce point de foi et de cohérence, et se laisser aller à une telle fuite en avant.

Au même moment, Pierre Juillet et Marie-France Garaud réussissent, avec le concours officieux de Charles Pasqua, à convaincre Alexandre Sanguinetti de se retirer du secrétariat général de l'UDR. Homme des coups durs et des décisions promptes et qui sait, mieux que tout autre, sacrifier son intérêt immédiat à celui de sa famille politique, Sanguinetti accepte de se rallier à ma démarche.

Le lendemain, je dois affronter un Comité central plutôt houleux. À l'annonce de ma candidature, j'essuie huées, sifflets et injures. On m'accuse sur tous les tons de faire le jeu de Giscard, de vouloir confisquer le parti à mon profit. On me dénonce comme l'éternel diviseur... Outre la détermination de ceux qui me soutiennent – Pasqua en tête, qui connaît à la perfection les milieux gaullistes –, ma chance tient au fait que, sauf pour m'accabler, aucun des membres du Comité central ne partage tout à fait les arguments de son voisin. C'est ainsi que je finis par l'emporter avec 60 % des voix contre mon seul adversaire, le député du Nord, Jacques Legendre.

À son retour des Antilles, je précise à Valéry Giscard d'Estaing, qui n'en espérait pas tant, le sens, la portée et la limite de l'opération que je viens de mener avec succès : « Monsieur le Président, je vous apporte l'UDR sur un plateau. Naturellement, ce n'est pas pour que vous lui coupiez la tête. Je vous l'apporte pour que l'UDR occupe toute sa place, avec ses droits et ses devoirs, au sein de votre majorité. » Giscard paraît comblé au point de me décorer, en fin d'année, de l'ordre national du Mérite. Tout le destine, désormais, à devenir le chef de cette majorité qui ne lui était pas acquise jusqu'alors dans son entier.

C'est une chance inespérée. Reste à savoir l'usage qu'il en fera.

12

DANS L'ACTION

« Trop souvent ceux qui parlent de crise y voient, pour s'en épouvanter ou s'en réjouir, une sorte de cataclysme qui détruirait à jamais l'ordre économique mondial et précipiterait les sociétés occidentales dans les convulsions. C'est absurde. La crise n'est pas un effondrement. Elle est un réajustement. Elle peut aboutir à une redistribution nouvelle des ressources, sur le plan mondial, et donc à de nouvelles relations entre les divers pays des divers continents. Elle n'est pas la fin de notre monde. Mais l'origine d'un système international nouveau. »

Ces lignes sont extraites d'un article que j'ai publié en janvier 1976, voici plus d'une trentaine d'années. Elles expriment la vision volontariste que j'ai toujours eue de l'économie, comme de la vie en général. La conviction que l'homme n'a rien à craindre des évolutions du monde, dès lors qu'il se donne les moyens de les comprendre et de les dominer.

En 1974, je suis le premier chef de gouvernement réellement confronté aux effets du choc pétrolier survenu l'année précédente. Je prends très vite conscience que nous nous trouvons face à un nouvel âge de notre économie, au seuil d'une révolution industrielle et technique, qui transformera le visage de la planète encore plus profondément que les précédentes. Une révolution durant laquelle nous nous classerons parmi les vainqueurs ou les victimes, les grandes puissances ou les petites, selon ce qui sera fait. Ce qui est en question n'est rien d'autre que notre place dans le monde de demain. Elle n'est pas acquise d'avance. Personne ne nous l'assurera. Il faut la concevoir et la vouloir. C'est l'évidence même.

La crise pétrolière n'aura fait que déclencher ou révéler les transformations qui étaient en passe de s'accomplir. Il est clair désormais que nous ne retrouverons pas le pétrole et les matières premières dont nous dépendons offerts en surabondance à des prix très bas, un marché intérieur qui avait besoin de tout, des exportations faciles à destination de pays qui n'étaient pas encore industrialisés. En revanche, l'énergie atomique et sans doute d'autres énergies nouvelles, l'électronique, l'informatique, des inventions que nous ne pressentons peut-être pas encore, vont faire émerger quelques nations à un niveau supérieur de développement. Celles-là seront les plus, sinon les seules, capables de maintenir une véritable indépendance politique et d'élever le niveau de vie de leurs ressortissants.

Une telle révolution ne saurait se passer d'une volonté collective, orientant de haut l'ensemble de l'économie, ni d'une certaine intervention de l'État pour la mettre en œuvre. Croire le contraire est entièrement irréaliste. Si l'on refuse de la prendre en considération, l'intervention de l'État se produit quand même, par la force des choses, mais elle n'est pas démocratiquement délibérée, ni la plupart du temps délibérée du tout. Elle se fait alors au gré des pressions immédiates ou obéit aux seules vues des administrations. L'État peut être paralysant, à coup sûr, il en a fourni d'innombrables preuves. Néanmoins il n'est pas forcément synonyme de bureaucratie aveugle. Son rôle peut être d'impulsion, autant ou plus que de prohibition, et correspondre à la tâche de premier exécutant au service de la volonté collective.

Dans le domaine de l'énergie, qui vient en première ligne de nos préoccupations, personne ne peut penser sérieusement que l'État ne détienne pas les responsabilités initiales et principales. Elles lui reviennent même dans un pays aussi libéral que les États-Unis. Au surplus, le rôle qu'est appelée à jouer l'énergie nucléaire ne se conçoit pas en dehors de l'État. Il en va de même en matière de restructuration industrielle.

C'est dans cet esprit, qui ne fait pas de moi un libéral des plus orthodoxes, que je me prépare à affronter, en tant que chef du gouvernement, la première récession économique dont notre pays ait eu à souffrir depuis 1945. Le PIB se rétracte de 1,6 % au premier semestre 1974, puis de 1,5 % l'année suivante. L'inflation croît de 13,8 %, soit la plus forte hausse depuis 1958. Quant au nombre des demandeurs d'emploi, il connaîtra en deux ans un bond spectaculaire, passant de 200 000 à près d'un million de personnes entre 1974 et 1976.

Pour tenter de remédier à cette situation, est élaboré, dans un premier temps, un plan d'austérité, dit de « refroidissement », dont la paternité revient au ministre des Finances, Jean-Pierre Fourcade. Ce plan, avant tout destiné à lutter contre l'inflation née de la hausse des prix du baril de pétrole, se traduit notamment par un encadrement très strict du crédit, la majoration de l'impôt sur les sociétés, ainsi que l'instauration de prélèvements exceptionnels. Autant de mesures à vocation déflationniste qui auront pour effet d'atténuer la hausse des prix et de réduire le déficit commercial, mais au détriment du taux d'investissement, dont la chute fragilisera d'autant la production industrielle.

En dehors de circonstances exceptionnelles – et celles-ci l'étaient, d'une certaine manière –, je ne crois pas que la rigueur soit une bonne réponse aux situations de crise. Je suis a priori plus sensible aux arguments de ceux qui veulent organiser la relance que de ceux qui préfèrent s'interdire toute initiative. Ma conviction naturelle est qu'il vaut mieux tout faire pour privilégier l'emploi et le pouvoir d'achat, parce qu'il s'agit là du moteur même de l'économie.

Bref, si je dois assumer l'ensemble des mesures voulues essentiellement par le chef de l'État et le ministre des Finances, il n'en est pas moins vrai que celles-ci ne correspondent pas à ce que j'estime utile et nécessaire pour le pays.

En juillet 1975, préoccupé par les risques d'explosion sociale liés à la montée du chômage, j'interviens en Conseil des ministres pour demander l'arrêt d'un plan d'austérité qui, selon moi, n'a pas donné les résultats attendus. « Les entreprises ont besoin d'une relance, dis-je, même si certains technocrates ne songent qu'à freiner leurs investissements. » Contre toute attente, quelques ministres giscardiens parmi les plus éminents, Michel Poniatowski en tête, abondent dans mon sens. Pris de court et visiblement étonné, le chef de l'État lâche du lest, avant d'annoncer quelques jours plus tard « un programme important de soutien de l'activité économique » dont il ne perdra aucune occasion, désormais, de s'attribuer le mérite.

Ce plan, de plus de 30 milliards de francs, définitivement mis en place en septembre 1975, se traduit, entre autres, par l'allègement des restrictions du crédit et l'adoption d'un report d'impôt sur les bénéfices pour les entreprises, qui permettront à la production industrielle de repartir à la hausse.

Mon souci personnel, dans le même temps, est de protéger l'emploi et la consommation par une augmentation des retraites, des allocations familiales et du salaire minimum, un renforcement du système d'indemnisation du chômage partiel, la mise en place par l'UNEDIC d'une allocation supplémentaire d'attente, permettant aux licenciés économiques de percevoir pendant un an 90 % de leur salaire brut antérieur, enfin la généralisation de la Sécurité sociale à l'ensemble des activités professionnelles. Cet effort de solidarité, en faveur de ceux qui sont frappés le plus durement par la crise économique, correspond à l'idée que je me fais des missions essentielles de l'État, comme des exigences d'une société humaniste.

Il en va de même pour deux catégories de population encore très délaissées à cette époque, les personnes âgées et les handicapés, au sort desquels mon gouvernement sera l'un des premiers à véritablement s'intéresser.

Quel dénuement plus terrible que celui dû à la faiblesse, à l'isolement, à la vulnérabilité du grand âge ? J'ai toujours été sensible à l'angoisse des personnes âgées et infiniment touché par les marques de reconnaissance qui émanent de ces hommes et de ces femmes envers qui la société a le plus de devoirs et qui ont si peu l'habitude qu'on pense encore à eux. Les aider à se rencontrer, se distraire, à préserver une vie sociale à travers la création de structures appropriées et un allègement de leurs contraintes matérielles, sera l'un des « grands chantiers » des deux années que je passerai à Matignon.

J'ai découvert le drame des handicapés mentaux lors de ma première campagne électorale en Corrèze. Il m'arrivait de les croiser dans une cour de ferme, le visage hagard, l'air totalement démuni, et même de voir certains d'entre eux, dans les zones de montagne les plus reculées, enchaînés à une cuisinière. Leurs conditions de vie étaient épouvantables. Il y avait l'immense détresse des parents aimants mais désarmés, leur inépuisable bonne volonté, mais aussi leur sentiment d'impuissance mêlé de culpabilité, leur révolte face aux handicaps les plus lourds, quand l'inacceptable n'était plus supporté. Il y avait leur solitude extrême, encore accrue par l'absence d'hommes, de femmes et de structures réellement capables de partager avec eux la responsabilité dont le destin les avait chargés. Ces sentiments, beaucoup de parents les éprouvent encore de nos jours. Du moins notre société a-t-elle évolué, changé, manifestant une aptitude plus grande à accepter petit à petit le handicap, à l'accueillir, à l'accompagner, et à accepter les enfants et adultes handicapés en même temps que leurs parents. Il y a trente ans, s'ajoutait au handicap et à ses contraintes la souffrance, alors sans remède, de celui qui était conscient de ne pas être comme les autres et ne pouvait trouver de place au milieu des hommes. J'ai été le témoin de ces drames où l'horreur le disputait au scandale.

Au début des années soixante-dix, sous mon impulsion et celle du maire socialiste de la commune, Ernest Coutaud, un premier centre d'accueil voit le jour à Peyrelevade. Six autres ouvriront leurs portes dans les années suivantes, dont celui de Sornac pour les jeunes polyhandicapés de 12 à 21 ans et celui d'Eygurande pour les enfants en difficulté d'adaptation sociale et scolaire, soutenus par l'Association des centres éducatifs de haute Corrèze, créée en octobre 1971 et qui regroupe, sous ma présidence, les maires des communes concernées.

Chaque visite effectuée dans ces centres me prouve à quel point les pensionnaires qui s'y trouvent sont des êtres extrêmement attachants. Ces enfants, dont la vue est souvent difficile à supporter pour qui n'en a pas pris l'habitude, ont parfois des instants d'émotion, de sensibilité, bouleversants. Un regard, le contact d'une main suffisent à exprimer toute l'intensité de leurs sentiments et de la vie qu'ils portent en eux. Les jeunes femmes qui les suivent témoignent de facultés de patience et de tendresse extraordinaires. Une relation réelle finit par se nouer entre elles et les malades. Elles guettent leurs progrès, fussent-ils infinitésimaux, et sont émerveillées par chaque signe d'amélioration, quasi miraculeux, qu'elles réussissent à obtenir. Le contact avec l'autre est toujours difficile à établir dans le cas des handicaps les plus profonds. Parfois même l'échange paraît impossible, jusqu'au jour où peut survenir un signe, un geste qu'on n'espérait plus. Il suffit alors qu'un enfant se redresse dans son lit, au lieu d'y demeurer allongé, pour que ce soit une fête.

Cette expérience corrézienne est à l'origine, en grande partie, du projet de loi adopté par le Parlement en juin 1975, qui fait, selon ses termes, de « l'éducation et de la formation de l'adulte et du mineur handicapés physiques, sensoriels ou mentaux, une obligation nationale ». Si beaucoup reste à accomplir dans ce domaine, les mesures prises, dès ce moment-là, en faveur des établissements spécialisés et de la réinsertion des malades dans la vie active, offrent un cadre solide pour assurer durablement la poursuite des efforts engagés.

Parmi les réformes entreprises au début du septennat de Valéry Giscard d'Estaing, la loi sur l'avortement est une de celles sur lesquelles je me suis le plus engagé. J'y ai été favorable dès le départ, à la différence, je dois le dire, de bon nombre de mes amis politiques et de la majorité de notre électorat. Il s'agissait moins, à mes yeux, d'une affaire de convictions que d'une nécessité. L'hypocrisie qui entourait alors cette question était devenue intolérable. Les avortements clandestins se réalisaient dans des conditions insupportables et souvent dangereuses pour la santé des femmes qui les subissaient. Une légalisation de l'interruption de grossesse soulevait, certes, des questions d'éthique. Mais elle avait au moins le mérite d'en finir avec une situation qui ne pouvait plus durer.

Face à une majorité souvent injurieuse et vociférante à son égard, Simone Veil défend son projet de loi avec un courage admirable. Lorsque, désemparée, au bord des larmes, elle m'appelle à l'aide dans la nuit du 29 au 30 novembre 1974, après avoir réclamé une suspension de séance à l'Assemblée tant les débats prenaient mauvaise tournure, j'accours aussitôt pour la soutenir et faire entendre raison, sans trop les ménager, aux députés UDR les plus récalcitrants. C'est ainsi qu'une partie d'entre eux finira, bon gré mal gré, par voter cette loi approuvée, dès l'origine, par l'ensemble de la gauche. Certains observateurs noteront le silence de l'Élysée, cette nuit-là, en dépit du soutien officiel affiché par le Président.

*

Bien que la politique étrangère fasse partie, sous la Ve République, du domaine réservé du président de la République, le rôle du Premier ministre n'est pas circonscrit aux seules affaires intérieures. Me référant à la tradition gaulliste dans mon discours de politique générale, le 5 juin 1974, je me suis attaché à souligner la nécessité de préserver notre indépendance nationale et de renforcer, par là même, nos potentiels de dissuasion nucléaire. Si le devoir de la France est d'accompagner le processus de détente entre l'Est et l'Ouest, il est aussi, ai-je rappelé, d'aider à l'accélération de la construction européenne, à travers l'union monétaire, d'intensifier ses relations avec la Chine et de poursuivre sa coopération avec les pays du Tiers-Monde, notamment en Afrique.

De 1974 à 1976, mes voyages à l'étranger en tant que chef du gouvernement sont en grande partie consacrés à faire mieux connaître les industries et les technologies françaises hors de nos frontières, dans le cadre d'une politique commerciale plus offensive. Ces déplacements, qui visent à promouvoir notre savoir-faire national, me permettent de nouer des relations personnelles avec quelques chefs d'État étrangers, du moins d'approcher certains d'entre eux à un moment décisif de leur propre histoire.

Il en va ainsi du Shah d'Iran, dont je fais la connaissance lors de sa venue à Paris, en juin 1974, première visite officielle d'un dirigeant étranger depuis l'élection de Valéry Giscard d'Estaing. Les rapports entre la France et l'Iran s'étaient un peu refroidis après le refus de Georges Pompidou d'assister, en octobre 1971, aux grandioses fêtes de Persépolis commémorant le deux mille cinq centième anniversaire de l'Empire perse. Mais l'accueil chaleureux que le Shah reçoit à Paris, trois ans plus tard, permettra de resserrer les liens entre les deux gouvernements, comme on dit en langage diplomatique.

Le Shah souhaite s'appuyer sur la technologie française pour moderniser son pays. À cette occasion sont signés d'importants contrats d'armement, l'achat par l'Iran de cinq centrales nucléaires, ainsi que des accords confiant aux entreprises françaises la construction du métro de Téhéran et l'électrification des chemins de fer. En décembre 1974, je me rends en Iran pour y négocier, entre autres, l'adoption par Téhéran de notre procédé de télévision en couleurs SECAM.

Le souverain m'y réserve un accueil conforme à l'image puissante et majestueuse qu'il veut donner de son pays comme de sa propre personne. Sous le faste et le prestige qu'il déploie, la réalité qu'on perçoit est celle d'un peuple de plus en plus révolté par le décalage entre ses conditions de vie et les dépenses extravagantes d'une monarchie d'un autre âge. Je ne serai pas surpris par les événements dramatiques qui suivront, tant un bouleversement aussi radical paraissait, de longue date, inéluctable.

Simultanément, la France négocie avec l'Irak, par mon intermédiaire, des accords de coopération énergétique et militaire. Ce qui me conduit à rencontrer le maître du pays, Saddam Hussein, à trois reprises : en octobre 1974, lors d'un premier voyage que j'effectue à Bagdad, puis en septembre 1975 à Paris, à l'occasion de la visite officielle du dirigeant irakien, enfin en janvier 1976, à Bagdad de nouveau, où je fais escale avec le ministre du Commerce extérieur, Raymond Barre, au retour d'un déplacement en Inde.

Pour comprendre l'importance de ces pourparlers, en pleine crise énergétique, il faut rappeler que la France bénéficie en Irak, concernant ses approvisionnements pétroliers, d'une situation privilégiée. Acquis au lendemain de la Grande Guerre, lors du partage par les Alliés des dépouilles de l'Empire ottoman, ses intérêts pétroliers y ont été préservés grâce à la politique arabe menée par le général de Gaulle et poursuivie par Georges Pompidou. En juin 1972, alors que l'homme fort du régime, Saddam Hussein, vient, pour la plus grande fierté de son peuple, de restituer à l'Irak son indépendance pétrolière en mettant fin aux concessions étrangères, les autorités de Bagdad font savoir au gouvernement français qu'elles n'entendent pas remettre en cause leur coopération dans ce domaine. En contrepartie, l'Irak souhaite obtenir de la France la vente d'équipements militaires. C'est dans ce contexte que Saddam Hussein est reçu officiellement à Paris, pour la première fois, en juin 1972 par Georges Pompidou. Un accord est signé, qui satisfait en grande partie aux attentes irakiennes tout en garantissant à la France, pour une dizaine d'années, la pérennité de ses intérêts pétroliers.

À partir de 1974, les échanges industriels et militaires s'intensifient entre les deux pays. En octobre, je suis reçu à bras ouverts par Saddam Hussein à Bagdad pour y négocier de nouveaux contrats. Bien qu'il ait pris le pouvoir dans des conditions pour le moins brutales, le dirigeant irakien, qui jouit alors d'une grande popularité dans le monde arabe, ne passe pas encore pour infréquentable auprès des chancelleries occidentales. Soucieux de se dégager de la tutelle soviétique, il mise sur la France pour l'aider à renforcer l'indépendance de son pays et met tout en œuvre afin de me témoigner son amitié.

L'homme me paraît intelligent, non dénué d'humour et même assez sympathique. Il me reçoit chez lui, me traite en ami personnel. La chaleur de son hospitalité ne passe pas inaperçue. Nos échanges sont empreints de part et d'autre d'une grande cordialité. J'aurai toujours une grande facilité de contact avec les chefs d'État arabes, peut-être parce que ceux-ci pratiquent une forme de franchise peu fréquente chez leurs homologues occidentaux. Et puis l'Irak est un pays fascinant qui me semble promis à occuper parmi les grandes nations la place qu'il mérite.

Un an plus tard, en septembre 1975, j'accueille Saddam Hussein à Paris. Nous visitons ensemble les installations nucléaires de Cadarache, avant de prolonger nos échanges aux Baux-de-Provence, lors d'un week-end privé, marqué par un déjeuner mémorable au restaurant L'Oustau de Baumanière. Le voyage se conclut, comme il est d'usage à cette époque, par un dîner officiel dans la galerie des Glaces du château de Versailles, au cours duquel je confirme publiquement à Saddam Hussein que la France est prête à lui apporter « ses hommes, sa technologie, ses compétences ».

En 1978, alors qu'il venait d'expulser l'ayatollah Khomeiny, en exil en Irak depuis plusieurs années, Saddam Hussein me fera parvenir, par l'intermédiaire de son ambassadeur à Paris, un message me recommandant de faire en sorte que Khomeiny ne soit pas accueilli en France. La plupart des grands pays occidentaux ayant refusé de le recevoir, la France était alors le seul encore susceptible de l'héberger. Dans son message, Saddam Hussein m'adressait, en substance, la mise en garde suivante : « Faites très attention. Laissez-le partir en Libye parce que ce qu'il dira en France aura un retentissement international et ce qu'il dira en Libye restera inaudible. » Bien que n'étant plus Premier ministre, je transmets immédiatement ce message au président Giscard d'Estaing, lequel n'en tiendra aucun compte et fera tout l'inverse de ce que le leader irakien recommandait. La décision d'accueillir en France l'ayatollah Khomeiny aura des conséquences lourdes et irréparables, tant pour l'avenir de l'Iran que pour la stabilité du monde.

Ce fut un de mes derniers échanges avec Saddam Hussein. Je n'ai jamais revu celui qui faisait alors moins figure de despote que de patriote farouche et déterminé, possédé par une fougue et un orgueil nationalistes qui semblaient refléter les grandes ambitions qu'il nourrissait pour son pays. Lorsque j'ai appris, des années plus tard, la folie répressive qui s'était emparée de ce dictateur, j'ai rompu définitivement tout contact personnel avec lui. Ce qui ne m'a pas empêché d'être choqué par le sort ultime qui lui a été réservé, cette mise à mort nocturne orchestrée avec la même barbarie dont il s'était rendu coupable et pour laquelle on l'avait condamné.

Parmi les rencontres qui ont jalonné ces deux années passées à Matignon, la plus marquante pour moi a sans doute été celle de Deng Xiaoping, lors de sa visite officielle en France en mai 1975, la première d'un dirigeant chinois depuis le rétablissement des relations diplomatiques entre nos deux pays.

Après le désastre de la Révolution culturelle lancée par Mao Tsé-toung, Deng Xiaoping, devenu vice-Premier ministre au terme d'une longue période de disgrâce, paraît porteur d'un nouveau souffle pour la Chine. Sous ses habits de communiste, c'est la Chine immémoriale que je sens vivre et s'exprimer. Le témoin d'une des plus anciennes cultures du monde qui continue d'irriguer un pays modelé non par une idéologie, mais par des siècles de rites et de traditions, durant lesquels la Chine a beaucoup apporté à l'histoire de l'humanité, à la spiritualité, à la littérature et à la création artistique sous toutes ses formes.

Deng Xiaoping est un homme très fin, très subtil, direct et chaleureux, qui incarne bien tout ce que la Chine a de puissant et de permanent. Un soir où nous dînons ensemble, avec une interprète, je lui dis :

« Vous êtes en train de développer énormément votre action agricole et bientôt vous n'aurez plus de terres arables disponibles. Qu'allez-vous faire pour nourrir votre peuple ? » Il me répond, avec son petit œil malicieux et sa façon de ponctuer ses phrases par une vieille expression chinoise, « Tseko », qu'il répète deux fois de suite : « Ah ! Tseko, tseko, la Sibérie est entièrement vide... » Entre nous, la communication passe d'autant mieux qu'il sait tout l'intérêt personnel que je porte à la Chine et l'admiration que j'éprouve à l'égard de cette civilisation millénaire.

Nous parlons longuement ensemble de l'histoire de son peuple et Deng Xiaoping s'avoue surpris qu'un chef de gouvernement occidental paraisse en savoir presque autant que lui à ce sujet. Une fois où nous évoquons une période précise de la fin du XIVe siècle, je lui dis : « Il y a eu trois empereurs seulement à ce moment-là. » Deng Xiaoping s'empresse de me corriger : « Ce n'est pas vrai, il n'y en a eu que deux. » J'insiste : « Pas du tout, il y en a eu trois. » Et notre dispute amicale de se poursuivre, aucun des deux ne voulant lâcher prise, jusqu'au jour où Deng Xiaoping, s'étant renseigné, devra reconnaître que j'avais raison et me le fera savoir avec son humour habituel : il y avait bien eu à cette époque trois empereurs, dont un, âgé de neuf ans, n'avait régné que durant six semaines. Cette anecdote a fait le tour de la Chine.

Je n'ai jamais eu de divergences avec lui ni aucun dirigeant chinois sur la question même du communisme, convaincu que la Chine s'en servait, non comme d'une fin en soi, mais comme d'un moyen de réaliser son unité et de s'affirmer de nouveau en tant que grande puissance. Très au fait des relations internationales, Deng Xiaoping voyait dans la relation entre Paris et Pékin une pierre angulaire de la politique chinoise susceptible de permettre à son pays de rompre avec la politique des blocs et de la Guerre froide.

D'un point de vue plus personnel, je sentais qu'il retrouvait avec plaisir un pays qui tenait une place particulière dans son cœur et auquel il associait étroitement ses années de jeunesse et la naissance de son idéal révolutionnaire. Débarqué à Marseille en octobre 1920, il avait travaillé comme ouvrier chez Renault à Billancourt, pour payer ses études. C'est dans ce contexte-là qu'il avait pu appréhender le développement des mouvements ouvriers et les évolutions politiques, sociales et économiques à l'œuvre durant l'entre-deux-guerres.

La France des années vingt constituait, aux yeux des étrangers, et particulièrement des étudiants chinois, une destination privilégiée, compte tenu du bouillonnement intellectuel et artistique qu'elle connaissait et qui était presque unique en Europe. Et Deng Xiaoping, profondément marqué, comme Chou En-laï, par son expérience française, avait su en tirer une source d'inspiration pour ses combats politiques et sa contribution à l'édification d'une Chine moderne, toujours pacifique et plus que jamais ouverte sur le monde.

13

LES RAISONS D'UNE RUPTURE

Hormis la déclaration annonçant, le 25 août 1976, ma décision de mettre fin à mes fonctions de Premier ministre, faute de disposer des « outils nécessaires » pour les assumer, je n'ai jamais expliqué les véritables origines d'une crise sans précédent dans l'histoire de la Ve République.

Loin d'être précipitée comme on a pu le croire, cette décision a été longuement mûrie. Elle ne s'est imposée à moi qu'après avoir tout tenté pour éviter un départ susceptible d'être interprété comme une rupture. Pour rétablir une vérité, selon la formule de Georges Pompidou, je crois aujourd'hui nécessaire de révéler ici les multiples mises en garde et suggestions que j'ai adressées en vain au chef de l'État dès le mois de février 1975 et jusqu'à l'ultime moment où les constats de désaccord dont je lui faisais part ne pouvaient se dénouer, faute d'être entendus, qu'au prix d'une crise politique qui ne resterait pas sans conséquences.

Dès la formation de mon gouvernement, il m'était apparu clairement, comme je l'ai indiqué, que le président de la République entendait tout décider par lui-même. L'idée qu'il se faisait de son rôle aboutissant d'entrée de jeu à réduire et limiter celui du Premier ministre plus que ne l'avait fait aucun de ses prédécesseurs.

Le général de Gaulle s'était arrogé d'emblée un domaine réservé – avant tout, la Défense nationale et les Affaires étrangères. L'avantage résidait dans le fait que, s'occupant directement de ce qu'il considérait comme l'essentiel, il déléguait tout le reste à son Premier ministre. C'était à ce dernier de conduire les affaires du gouvernement, de Gaulle s'interdisant de se mêler de la manière dont il les menait. Il ne serait pas venu à l'idée du Général de traiter directement, avec l'un ou l'autre de ses ministres, d'une question relevant de l'autorité du chef de gouvernement. Il avait pris en charge l'État et respectait les prérogatives du Premier ministre auquel il avait confié la responsabilité de gouverner.

Encore impressionné par les événements de 1968, dont il avait analysé les causes profondes, Georges Pompidou avait élargi son domaine réservé en contrôlant de très près les problèmes économiques et sociaux. Ce qui ne l'empêchait pas de laisser à son gouvernement de grandes initiatives dans ce domaine.

Avec Valéry Giscard d'Estaing, tout change. Doté d'une propension naturelle à tout contrôler, à exercer son pouvoir jusque dans les moindres détails, il est en outre encouragé sans cesse par son entourage à rabaisser le Premier ministre et, le cas échéant, à le blesser. Les cabinets ont ceci de commun – quels que soient les époques et les gouvernements – qu'ils se confèrent de l'importance. Ils consacrent à cela une part non négligeable de leur temps. Sachant qu'on peut, presque à tout instant, intéresser le président de la République à une affaire d'actualité, ils veillent à s'emparer d'un maximum de dossiers, pratique qui conduit le Premier ministre à perdre, l'une après l'autre, ses prérogatives, et donc sa capacité d'initiative. C'est ainsi qu'il m'est arrivé d'apprendre – par l'un ou l'autre de mes ministres, quand ce n'était pas par la presse ou par la radio – des décisions importantes pour lesquelles je n'avais pas même été consulté. S'il m'advenait de diverger d'opinion avec le ministre de l'Économie et des Finances, je pouvais très bien découvrir qu'une décision avait été prise à l'Élysée sans que j'en aie été informé.

Tandis que le ministère des Finances retrouvait une parfaite autonomie dans ses errements antérieurs, Jean-Pierre Fourcade, rayonnant de bonne volonté, s'employait à se faire apprécier du président de la République en même temps que son administration. Et le Premier ministre en était réduit à constater que la France restait soumise à cette administration trop souvent stérilisante.

Jour après jour, j'ai mesuré ce qu'il y avait d'inconvenant à prétendre détenir une responsabilité qu'on n'était pas en mesure d'exercer. Il devenait fâcheux de voir des membres du gouvernement, n'appartenant pas à l'UDR, se flatter de prendre des positions, souvent incompatibles avec les miennes, sous le prétexte que l'Élysée les y aurait encouragés. Situation d'autant moins supportable que l'UDR, dont j'assume la direction, constitue la principale force politique de la majorité...

En février 1975, j'écris au chef de l'État pour lui faire part de mes inquiétudes et lui proposer de remédier ensemble à la confusion qui est en train de s'installer :

Monsieur le Président,

La semaine dernière, au cours de notre entretien, vous avez évoqué la situation politique de la majorité et, au travers des conseils que vous avez bien voulu me donner, j'ai cru discerner un léger agacement né du comportement de certains éléments de cette majorité et peut-être aussi des moyens que j'ai été amené à utiliser pour la consolider. Cela m'a conduit à quelques réflexions sur la conception de ma tâche et de mon rôle par rapport à vous.

Tout d'abord, et je tiens à vous le redire, je n'oublierai jamais que le bon fonctionnement de nos institutions – les meilleures que la France ait connues depuis longtemps – exige du Premier ministre une loyauté totale au chef de l'État qui, en retour, lui accorde toute sa confiance. Ainsi, dès l'instant où vous m'avez fait l'honneur de me confier ce poste, je me suis promis que jamais mon ambition politique personnelle ne viendrait encombrer votre route ou compliquer votre tâche. Le contrat qui vous lie au peuple français – auquel j'ai souscrit lors de votre élection – est pour moi sacré.

Mais, aussi assuré que l'on soit de ses intentions, il peut arriver que, dans la conduite des affaires, des paroles lancées dans le feu de l'action ou des actes secondaires nécessaires pour réduire une difficulté imprévue, viennent à faire douter de la détermination à garder le droit-fil. Si je suis navré qu'un doute ait pu naître à cet égard, je dois avouer qu'en ce moment ma tâche est rude dans le domaine politique et je suis heureux de m'en ouvrir à vous.

Je suis parti de l'idée simple que la majorité politique et parlementaire qui s'est ralliée à vous lors de votre élection doit être unie dans le soutien qu'elle apporte au chef de l'État. Tous les mouvements ou partis qui vous ont approuvé lorsque vous définissiez les lignes directrices de votre action politique future doivent vous accorder, pour la réalisation de cette action, une confiance, lucide certes, mais totale et sans réserve. De la même manière, tous les éléments qui composent la majorité doivent être considérés sur un pied d'égalité et assurés de votre protection, sauf le cas d'indignité.

Pour ma part, je pense que c'est le rôle du Premier ministre de veiller à la fois à la permanence du soutien apporté au président de la République par les diverses composantes de sa majorité et à l'équilibre qui doit régner entre elles jusqu'au jour où les électeurs auront à exercer à nouveau leur choix. Faute de quoi, nous assisterions à des déchaînements d'appétits et à des règlements de comptes qui nous conduiraient à une situation de crise qu'il nous faudrait faire trancher par le peuple à un moment que nous n'aurions pas choisi. C'est, avec une action insurrectionnelle fondée sur un large mécontentement que nous n'aurions pas su déceler ou réduire à temps, le seul accident qui peut mettre en péril notre régime.

Or je crains que se crée actuellement une certaine confusion et que le retour d'une brebis égarée ait un peu dispersé le troupeau. Pourtant, il me paraissait inadmissible que l'UDR, qui a été créée pour soutenir les institutions de la Vᵉ République, manque au chef de l'État et je craignais que certains de ses chefs, moins par désir de revanche, pire, par un sentiment d'amertume, ne finissent par l'entraîner hors de son devoir. C'est pourquoi, en décembre, avec votre accord, j'ai résolu d'en prendre la tête pour la ramener dans le droit chemin.

Pour d'autres raisons, Michel Poniatowski a fait de même avec les Républicains Indépendants et il serait souhaitable que nous aidions rapidement les différentes formations centristes à mettre de l'ordre dans leurs affaires.

Mais ces actions – pour nécessaires qu'elles aient été – n'auraient eu pour seul effet que de renforcer les partis d'une coalition si n'étaient pas définis dès maintenant les structures et l'esprit de la nouvelle majorité présidentielle ainsi que le rôle que vous entendez voir jouer au Premier ministre dans la conduite de celle-ci. Cette définition, que vous pouvez seul arrêter, vous permettra d'appuyer votre action sur une force politique unie et cohérente susceptible, si l'occasion s'en présente, d'accueillir tout individu, mouvement ou parti qui aurait choisi de vous rejoindre.

Je souhaiterais, Monsieur le Président, avoir votre sentiment et vos instructions afin d'être assuré, dans l'action, que je suis bien l'interprète fidèle de votre pensée.

Je vous prie de bien vouloir accepter, Monsieur le Président, les assurances de mon très fidèle et très respectueux dévouement.

Jacques Chirac

En dépit de cette main tendue, Giscard ne fera rien pour consolider la situation de son Premier ministre ni apaiser les tensions entre les différentes composantes de la majorité. Que tel ministre centriste puisse déclarer, comme celui de la Coopération, Pierre Abelin, qu'il faut « combattre l'UDR avec toute notre énergie », ou que tel ministre giscardien, comme celui des Finances, Jean-Pierre Fourcade, affirme publiquement avoir « une plus grande expérience de la gestion » que le chef du gouvernement, ne suscite aucun désaveu public de la part de l'Élysée, comme si chacun d'eux s'était exprimé avec son assentiment.

De leur côté, irrités par les annonces répétées d'un « rééquilibrage » de la majorité, les élus de l'UDR se montrent de plus en plus critiques envers certaines idées malencontreuses du chef de l'État, comme la suppression des célébrations du 8 Mai ou son absence au Mont-Valérien, le 18 juin 1975, sans parler de sa volonté de changer le rythme de *La Marseillaise.* À cela s'ajoute la multiplication de « gadgets » médiatiques, comme le fait d'inviter les éboueurs à petit-déjeuner à l'Élysée ou celui d'aller dîner chez des Français de condition modeste. On imagine l'embarras de ces familles priées de recevoir à leur table le couple présidentiel escorté, à courte distance, par les caméras de télévision… J'ai moi-même du mal à être convaincu par ces initiatives pour le moins démagogiques, qui me paraissent davantage refléter une proximité de façade qu'exprimer la volonté réelle d'organiser une société plus juste et plus humaine.

Élu d'extrême justesse et désireux de se faire accepter, mieux de plaire à la France entière, Giscard pense avant tout aux conciliations, aux rapprochements, aux marques de compréhension à distribuer à droite et à gauche, aux bienveillances à manifester pour les nouvelles mœurs, les nouvelles tendances, les impatiences et les révoltes. Il ne veut rien brusquer ni personne. Il ne me donne jamais tout à fait tort sur chaque question évoquée mais, après la franche explication, il revient toujours à sa propre démarche, très différente de la mienne.

En mars 1976, les résultats des élections cantonales, qui démontrent que la gauche est désormais majoritaire dans le pays, retentissent comme un signal d'alarme pour la majorité. Je n'en suis pas étonné, ayant une nouvelle fois alerté par écrit le chef de l'État, entre les deux tours, sur la nécessité de faire taire les désaccords entre les partis qui le soutiennent. J'y évoquais le rôle néfaste à cet égard de Michel Poniatowski :

Monsieur le Président,

À la suite de notre entretien, j'ai cru nécessaire de rappeler au ministre d'État, ministre de l'Intérieur, qu'il était souhaitable d'éviter autant que possible les distorsions nuisibles à la cohésion de la majorité et qu'il convenait, pour ce faire, de me consulter avant de prendre des initiatives dans le domaine de la politique intérieure.

Je rappellerai d'ailleurs à l'occasion aux ministres, et en particulier à ceux qui ont la charge d'une formation politique, qu'ils doivent se conformer à cette règle élémentaire de bienséance et d'efficacité qui veut que le Premier ministre puisse en temps utile faire connaître son sentiment sur l'opportunité de leurs initiatives. Faute de quoi, la majorité donnerait au pays l'image d'une troupe inorganisée et bavarde, incapable de mobiliser les énergies de tous ceux qui vous ont élu et vous soutiennent.

Je vous prie de vouloir bien accepter, Monsieur le Président, le témoignage de mon très respectueux et fidèle dévouement.

Jacques Chirac

Au lendemain de cette première défaite, qui en laisse présager d'autres, plus sévères, si rien n'est fait afin d'y remédier, j'insiste auprès du chef de l'État pour qu'il reprenne la situation en main. De nouveau, je lui déclare être prêt, s'il le souhaite, à assumer le rôle qui revient au Premier ministre, de coordinateur de la majorité – à condition, bien sûr, qu'il me charge clairement et publiquement d'une mission en ce sens.

Dans un premier temps, Giscard tend à minimiser la portée de ce qu'il qualifie d'« élections locales », se refusant à paraître réagir dans la précipitation. Puis il se laisse persuader par Pierre Juillet, dont il recherche les conseils, de me confier « le soin de coordonner et d'animer l'action des partis politiques de la majorité », comme il l'annonce à la nation dans une allocution télévisée trop embarrassée pour être pleinement convaincante.

Dès les semaines qui suivent, Giscard s'empressera de reprendre à son profit la délégation qu'il a accepté, bien malgré lui, de me concéder. Et les rivalités, entretenues à dessein par l'entourage présidentiel, reprendront de plus belle au sein de la majorité. Le problème auquel je me trouve confronté devient si inextricable que je ne vois plus d'autre solution, pour sortir de l'impasse, que de quitter mes fonctions, si rien ne change à bref délai. Le 31 mai 1976, c'est dans l'espoir de provoquer un sursaut salutaire que je remets à Valéry Giscard d'Estaing, lors d'un entretien en tête à tête, une longue lettre manuscrite lui exposant ce que je crois nécessaire pour le pays :

Monsieur le Président,

Après mûres réflexions, j'ai acquis la certitude que l'impression de flou qui ressort de l'action gouvernementale, et l'esprit de division qui marque celle de la majorité, troublent un grand nombre de ceux qui, en vous portant à la tête de l'État, vous ont confié leur sort.

Faute de mettre rapidement un terme à cet état de choses, nous allons perdre au fil des mois notre originalité, notre crédibilité et notre force.

Il serait vain de nier que la bataille politique fût engagée. Elle l'est. Chacun le voit et le sent et, en face d'une opposition habile, acharnée et sûre d'elle-même, l'incertitude de notre démarche politique augmente le désarroi de beaucoup de Français.

Il faut tout au contraire, et vous me l'avez souvent dit, ne pas cacher que le combat qui s'engage sera décisif pour notre régime et le mener avec une détermination clairement perceptible par tous.

Dans ce but, vous aviez bien voulu, il y a deux mois, me confier des pouvoirs de coordination. Il était évident qu'ils seraient dérisoires s'ils n'étaient pas perçus comme bénéficiant constamment du soutien de votre volonté intransigeante.

Les dernières semaines ont montré que les forces centrifuges qui s'exercent dans les mouvements et partis soutenant votre action ont singulièrement affaibli la portée de votre décision. Il en va de même de l'action gouvernementale, trop de ministres étant plus soucieux de vous plaire que de vous servir.

J'avais peut-être surestimé mes forces et négligé de tenir suffisamment compte de l'action de ceux qui réagissent davantage en fonction des querelles du passé que de la nécessité d'organiser une véritable majorité présidentielle. Incapables de tirer les conséquences de la prééminence du président de la République dans nos institutions, ils risquent, consciemment ou non, de nous ramener au régime des partis, avant-coureur de l'instabilité et de l'impuissance.

J'en arrive maintenant à douter que l'on puisse, seulement par des déclarations d'intention, redonner cohésion et courage à tous ceux qui sont prêts à se battre pour la société de libertés que vous personnifiez.

Je pense qu'il serait néfaste, dans ces conditions, de laisser le pays pendant deux ans dans une incertitude préjudiciable à ses intérêts profonds. Il me paraît donc souhaitable de démontrer au plus tôt que la majorité des Français reste attachée à la société que nous défendons et rejette le collectivisme.

C'est pourquoi je crois qu'un nouveau gouvernement, fort, cohérent et ramassé, devrait se voir confier sans attendre non seulement la tâche de poursuivre fermement la politique d'évolution et d'adaptation nécessaire à notre société, mais aussi celle de préparer activement une consultation du pays par des élections législatives prochaines.

Au reste, et sur un plan électoral, il est de meilleure tactique de montrer que nous avons confiance en nous-mêmes plutôt que de permettre à nos adversaires d'uti-

liser le résultat inévitablement médiocre des élections municipales pour accréditer l'idée que le peuple français a modifié ses choix.

En quelques mois, j'ai la certitude que nous pouvons non seulement arrêter l'hémorragie qui nous mine, mais, par la vertu de l'offensive, regrouper et galvaniser tous les tenants de notre société.

Les conclusions auxquelles j'arrive s'ordonnent donc autour de la nécessité de consulter le pays et peuvent se résumer chronologiquement ainsi :

– Démission du gouvernement dès la fin de la présente session parlementaire,

– Formation du nouveau gouvernement, ramassé, solidaire et pugnace,

– Affirmation, clairement renouvelée, que le Premier ministre est chargé de coordonner et d'animer, en votre nom et sous votre contrôle, l'action du gouvernement et celle de la majorité,

– Dissolution de l'Assemblée Nationale afin de provoquer des élections législatives à l'automne de 1976.

À différentes reprises, je me suis permis d'évoquer devant vous les difficultés quotidiennes de la tâche que vous m'avez confiée. Si j'ai cru devoir vous faire part aujourd'hui de ces réflexions, c'est parce qu'il ne s'agit plus de moi ou de mes soucis, mais parce que je crains que nous ne nous donnions pas les moyens d'assurer au pays l'avenir que vous avez défini et que vous souhaitez pour lui.

Je vous prie de vouloir bien accepter, Monsieur le Président, les assurances de ma haute considération et de mon très fidèle dévouement.

Jacques Chirac

Après avoir pris connaissance des solutions, certes risquées mais devenues à mes yeux inévitables, que je préconise, le chef de l'État m'indique qu'il souhaite prendre le temps d'y réfléchir. Nous aurons l'occasion, me dit-il, d'en reparler à Brégançon, où il m'a invité avec mon épouse pour les fêtes de la Pentecôte, en signe d'amitié et de concorde retrouvées.

Mais loin d'offrir les conditions d'un échange confiant et apaisé – ce qui m'eût d'ailleurs étonné –, ce bref séjour commun au fort de Brégançon ne fait que confirmer tout ce qui me sépare d'un président si imbu de ses prérogatives, qu'il en arrive à traiter ses hôtes, fût-ce son Premier ministre, avec une désinvolture de monarque.

Passe encore que Giscard se fasse servir à table le premier ou que ses invités ne se voient offrir que de simples chaises pour s'asseoir quand le couple présidentiel occupe deux fauteuils : ce goût prononcé de l'étiquette n'est plus fait pour nous surprendre. Le plus déconcertant est la scène à laquelle nous assistons le lendemain soir de notre arrivée, après un après-midi passé dans notre chambre à attendre qu'on nous fasse signe.

Giscard a convié à dîner avec nous son moniteur de ski, ainsi que son épouse. Le couple arrive, lui en polo, elle portant une jupe courte, faute d'avoir été prévenus de la tenue souhaitée : costume de ville et robe longue. La situation est pour eux si embarrassante, et même humiliante, que la malheureuse épouse du moniteur n'aura de cesse, durant la soirée, que de tirer discrètement sur sa jupe comme pour lui faire gagner quelques centimètres. Je tente, pour la divertir, d'avoir une conversation avec elle. Mais elle me répond à peine, tant elle paraît tétanisée, comme son mari, de se trouver placée dans une position aussi inconfortable face au président de la République et à son Premier ministre.

De son côté, Giscard n'a pas un mot pour détendre l'atmosphère, ni atténuer la gêne de ses invités, paraissant au contraire s'en délecter. Je rentre à Paris choqué par un tel manque de respect. Et plus déterminé que jamais à reprendre ma liberté dès que je le pourrai…

L'épisode de Brégançon me confortera dans l'idée que je n'ai plus grand-chose en commun avec ce Président.

*

Le 15 juillet, sans m'en avoir prévenu, Giscard sollicite en Conseil des ministres l'avis du gouvernement sur la question de l'élection du Parlement européen au suffrage universel. Sujet, il ne l'ignore pas, qui ne peut qu'engendrer de nouvelles divisions au sein de la majorité. Je m'étonne de la « procédure insolite et inhabituelle » qui consiste désormais à ne même plus me tenir informé de l'ordre du jour des réunions gouvernementales.

Mais cet oubli, chez Giscard, ne doit rien au hasard, s'agissant d'une question aussi sensible. D'autant que j'ai de nouveau fait part au chef de l'État, deux jours auparavant, de mes réserves concernant l'élargissement de la Communauté européenne à trois nouveaux pays, la Grèce, l'Espagne et le Portugal. Même si chacun a vocation, de toute évidence, à intégrer le Marché commun, il n'en est pas moins vrai que l'adhésion à l'Europe des Neuf de trois partenaires supplémentaires ne peut qu'entraîner, dans l'immédiat, des bouleversements préjudiciables à l'équilibre économique des pays déjà membres.

Le chef de l'État ayant choisi d'esquiver ce débat, après avoir déjà éludé les solutions que je préconisais pour en finir avec une équivoque politique mal ressentie par l'opinion, et les tensions continuant de s'exacerber entre les partis de la majorité, j'estime dans les jours suivants n'avoir plus d'autre choix que de démissionner.

Le 19 juillet, j'informe Valéry Giscard d'Estaing, lors d'un entretien que j'ai sollicité, de mon souhait d'être démis de mes fonctions. Il s'y refuse, m'assurant qu'il comprend très bien les raisons de ma lassitude et de mon irritation, mais sans voir la nécessité d'un départ aussi prématuré. « Nous en reparlerons à la rentrée », me dit-il en me demandant de patienter jusqu'à cette date. Je me garde de lui donner la moindre assurance à cet égard, bien résolu à ne pas laisser perdurer plus longtemps une situation qui ne peut que desservir, selon moi, les intérêts du pays.

Le 26 juillet, je remets donc en main propre au président de la République ma lettre de démission, cette décision devenant effective « au plus tard le mardi 3 août », c'est-à-dire au retour de mon voyage officiel au Japon que j'ai accepté de ne pas décommander. Devant lui-même se rendre au Gabon, Giscard souhaite que mon départ ne devienne officiel qu'à l'occasion du prochain Conseil des ministres. Il prend acte le même jour de ma décision et me confirme son souhait que l'annonce en soit différée jusqu'au Conseil « que vous me demandez de convoquer dans la deuxième quinzaine d'août ». Le chef de l'État ajoute en conclusion : « Je vous remercie de l'exceptionnelle activité que vous avez déployée dans votre haute charge et de la loyauté avec laquelle vous vous êtes attaché à atteindre les objectifs qui me paraissaient essentiels pour le bien et le renouveau de la France. » On ne saurait mieux dire.

La réunion du Conseil est fixée par Giscard au mercredi 25 août, à son retour de Brégançon. Avec son accord, je m'adresse en début de séance, et hors de sa présence, à l'ensemble des ministres pour leur donner les raisons de mon départ, dont aucun d'eux ne peut être, au demeurant, véritablement surpris :

Mesdames, Messieurs,

Le Président de la République viendra nous rejoindre dans quelques instants pour présider le dernier Conseil des ministres du Gouvernement.

Avant de lui remettre officiellement la démission de mon Gouvernement, je tenais à vous en informer et à vous remercier de votre collaboration.

Vous êtes peut-être étonnés que j'abandonne, de moi-même, le poste éminent de Premier ministre et que je renonce ainsi volontairement à la tâche la plus exaltante qu'il m'ait été donné de remplir.

Je vous dois une explication :

Il y a vingt-sept mois, contre l'avis de la plupart de mes amis, j'ai soutenu dès le début la candidature de M. Giscard d'Estaing à la présidence de la République. Parce qu'il était le seul capable d'éviter une expérience socialo-communiste ruineuse pour la France et désastreuse pour les Français, parce qu'il était le plus apte à prendre en charge les destinées du pays et à mettre en œuvre une politique de transformation et d'amélioration de notre société.

Pendant vingt-sept mois, je l'ai servi fidèlement et loyalement. Ces derniers temps, et à plusieurs reprises, j'ai demandé les moyens que je jugeais nécessaires pour affronter efficacement une situation politique et économique difficile.

Je persiste à penser qu'étant donné notre Constitution et la composition actuelle de la majorité parlementaire, le Premier ministre doit disposer, outre la confiance du Président, de l'autorité sur les membres du gouvernement et d'une certaine autonomie tactique. Étant donné la situation politique de la France et la nature de l'opposition, nous devons engager résolument le combat pour défendre le régime et la société auxquels nous sommes attachés.

Je n'ai pas obtenu les moyens de gouvernement que je demandais, ni la liberté de mener la bataille politique comme je le souhaitais.

Le Premier ministre n'a pas à porter de jugement sur les orientations ni sur les décisions du chef de l'État ; il obéit ou bien il cède la place, c'est ce que je fais.

Certains d'entre vous ont compliqué ma tâche en affaiblissant par des initiatives diverses ou des prises de position publiques, la cohésion gouvernementale. Quels que soient les motifs qui les ont fait agir de la sorte, je suis persuadé qu'ils ont par là même affaibli la majorité présidentielle à un moment où celle-ci a besoin d'être plus soudée et unie que jamais.

À tous ceux qui m'ont aidé et qui m'ont soutenu, je voudrais exprimer ma gratitude, oubliant pour cette fois l'enseignement du général de Gaulle qui aimait à dire « que ceux qui ont eu l'honneur de servir la France n'ont que faire de récompense ou de remerciement ».

Puis, à l'issue du Conseil des ministres, où il a commenté ma démission avec un détachement calculé, considérant que « lorsque quelqu'un veut partir, il faut le laisser s'en aller », et que « le poids des partis politiques s'est trop fait sentir ces derniers temps », comme si j'en étais le principal responsable, je m'entretiens quelques minutes, seul à seul, avec le chef de l'État. Avant d'en informer les Français, j'ai tenu à lui lire le texte de la courte déclaration que je m'apprête à leur livrer. Son contenu ne paraît pas le surprendre : du moins n'y fait-il aucune objection, sur l'instant. Puis nous échangeons quelques mots sur un ton presque détendu, avant que je me rende à Matignon où m'attendent les caméras de télévision…

Lorsque je le reverrai, dans les heures qui suivent ma déclaration, Giscard s'étonnera du ton cassant sur lequel je l'ai prononcée. « La façon dont vous avez présenté les choses, me dit-il, en le regrettant. Le ton que vous avez employé… » Je lui ferai seulement observer qu'on n'abandonne pas de telles fonctions sans émotion, ce qui m'avait peut-être conduit à paraître plus dur, plus brutal même que je ne le souhaitais. Mais sur le fond, je lui confirme que ma résolution de me retirer est nette et sans ambiguïté.

*

On ne cesse pas d'être Premier ministre, du jour au lendemain, sans qu'il s'ensuive, sur tous les plans, un réel bouleversement. Il s'agit d'abord de déménager, de quitter les lieux dans les plus brefs délais, en prévision de la passation de pouvoirs, avant d'entamer une autre vie, dont on ne sait à peu près rien dans l'immédiat, faute de l'avoir réellement envisagée.

J'avais dans mon bureau de Matignon une table avec un grand tiroir fermé à clef. Jérôme Monod, mon directeur de cabinet, qui occupait la pièce voisine, était intrigué par ce tiroir toujours clos, alors que j'avais l'habitude de tout laisser ouvert autour de moi. Je gardais la clef dans ma poche. Personne, jusque-là, n'avait osé me poser de question à ce sujet. À l'instant précis où je m'apprête à vider ce tiroir, Jérôme Monod entre, un sourire moqueur aux lèvres : « Enfin, on va la voir, ta collection de littérature érotique! – Écoute, Jérôme. Maintenant que nous partons, je n'ai plus rien à cacher. Je te dois la vérité. » Je lui révèle donc le contenu de ce mystérieux tiroir qui ne renferme rien d'autre que des livres et quelques revues de poésie contemporaine. Jérôme Monod en paraît stupéfait, comme si mon image de marque, et l'idée que même mes proches se font de moi, ne m'accordaient pas le droit d'aimer les poètes, du moins d'avouer cette passion qui ne m'a jamais quitté depuis l'adolescence...

Déchargé de toute responsabilité, je me sens libre, vacant, disponible : impression à la fois exaltante et démoralisante pour une nature comme la mienne. L'idée de rester inactif au-delà de quelques semaines ne tarde pas à venir gâcher la quiétude des premières heures. Très vite, je ne tiens plus en place. Il ne se sera pas écoulé plus de quatre jours avant que je reparte au combat.

14

LA FONDATION DU RPR

Affaiblie par l'échec de son candidat à l'élection présidentielle de 1974, l'UDR ne sort pas davantage renforcée de mon départ du gouvernement. Son avenir est en suspens. La force politique qu'elle représente dans le pays demeure, certes, considérable. Mais elle a besoin d'un nouvel élan pour s'imposer durablement face à l'UDF, qui regroupe désormais sous une même bannière les courants centriste et giscardien, et à la coalition des partis de gauche encore unis par le Programme commun.

Pour impulser ce nouvel élan, il ne suffit pas de procéder à une simple refonte des structures existantes. C'est un grand rassemblement moderne et populaire, porteur d'une autre politique pour la France, qu'il s'agit de recréer sans tarder. Dès le 29 août 1976, une réunion décisive se tient chez Pierre Juillet, dans sa propriété de la Creuse, à Puy-Judeau, en ma présence et celles de Marie-France Garaud, Charles Pasqua, Jacques Friedmann et Jérôme Monod. La stratégie qui déterminera la création du Rassemblement pour la République y est mise au point. Nous convenons que je lancerai, dans un premier temps, un appel à tous les Français, avant la réunion, en fin d'année, d'un Congrès national où je prononcerai le discours fondateur du RPR. Entre-temps, je me serai fait réélire député d'Ussel…

La première phase de l'opération se déroule le 3 octobre 1976, dans la petite ville d'Égletons, dont le maire est toujours mon ami Charles Spinasse. Lieu symbolique pour une entreprise de reconquête qui doit prendre ses racines dans la France profonde et regrouper des hommes et des femmes de toutes conditions sociales et de sensibilités multiples. C'est l'essence même du gaullisme. N'ayant jamais été un homme de droite au sens strict du mot, ni ce qu'on appelle un conservateur, je me reconnais sans difficultés dans une démarche politique visant à dépasser les limites idéologiques habituelles. Cette diversité d'opinions se retrouve au sein même de mon équipe rapprochée, sans qu'un tel amalgame me paraisse devoir porter atteinte à la cohérence de notre projet collectif. Entre la vision réformiste de Jérôme Monod et celle, plus traditionaliste, de Pierre Juillet ou de Marie-France Garaud, entre la tendance populiste des uns et l'esprit technocratique des autres, il peut y avoir échanges, débats, voire conflits. Mais cette confrontation répond bien à l'idée que je me fais du grand mouvement politique que nous sommes en train d'élaborer, et du rôle d'arbitre et de fédérateur qu'il me revient d'assumer à sa tête.

Le discours d'Égletons préfigure celui que je prononcerai deux mois plus tard à Paris, lors du meeting organisé porte de Versailles. Les observateurs en retiendront avant tout l'idée d'un « travaillisme à la française », formule diversement appréciée, qui doit plus à l'inspiration de Charles Spinasse qu'à la mienne, sans contredire pour autant le fond de ma pensée. « Vous devriez mettre là-dedans un peu plus de sensibilité de gauche, m'avait-il conseillé à la lecture du discours. Pourquoi ne parleriez-vous pas d'un travaillisme à la française ? » Sur l'instant, je ne vois aucune objection à employer un mot qui me paraît bien illustrer ma propre volonté de concertation avec les syndicats. Mais j'aurai vite fait de me rendre compte, en écoutant les réactions, de la confusion politique qu'il risque d'engendrer…

Devant les militants et les sympathisants massés dans le gymnase d'Égletons, je reviens d'abord sur les raisons qui m'ont incité à mettre fin à mes fonctions : « … au-delà de nos préoccupations immédiates, au-delà des soucis qui sont les nôtres, il y a les Français qui s'interrogent, il y a la France, aux prises avec ses difficultés sociales, économiques, politiques. Ces difficultés, j'ai lutté de toutes mes forces pour les surmonter. Ces problèmes, j'ai mis, depuis deux ans, tout mon cœur, toute mon énergie, pour leur trouver une solution. Et le jour où j'ai considéré que, dans le cadre qui m'était fixé, avec les moyens dont je disposais, je n'avais plus de chance sérieuse de réussir, j'ai estimé de mon devoir de remettre la démission de mon gouvernement au président de la République. »

Puis j'évoque les grandes options qui guideront mon engagement : défense de l'indépendance nationale, préservation des institutions de la Ve République, renforcement des libertés publiques dans le cadre d'une démocratie plus responsable. J'insiste sur la nécessité de concevoir un modèle social où « la diversité, les différences entre les hommes » seront

« un droit autant qu'un fait » ; où « certaines inégalités » seront tenues pour intolérables : « toutes celles qui résultent de rentes de situation où le mérite personnel n'a que faire, toutes celles que sécrète le jeu de certains mécanismes économiques quand l'État ne maintient pas la mesure ». Un modèle social où la solidarité ne se confond pas avec l'assistance et doit permettre de concilier « le goût de l'initiative personnelle et la sécurité à laquelle nous aspirons tous légitimement ».

Le discours d'Égletons s'inscrit naturellement dans le contexte politique de l'époque. C'est un appel à la mobilisation contre ce que nous appelions – formule d'un autre temps – « la coalition socialo-communiste » et « les dangers du collectivisme » que ferait courir au pays l'application du Programme commun. Mais ce discours est avant tout le constat d'une société en proie au doute et au désarroi, aspirant à une refonte complète de tous les modes de fonctionnement, qu'il s'agisse du rapport entre l'homme et l'État ou de son rôle au sein de l'économie. Questions sur lesquelles j'insiste tout particulièrement :

Le progrès, aujourd'hui, consiste à donner à chaque citoyen une maîtrise accrue sur sa vie quotidienne. Les peuples en marche vers la démocratie se sont d'abord débarrassés des barons et des princes qui monopolisaient le pouvoir. Par l'élection, expression périodique de la démocratie, ils ont obtenu de choisir les représentants qui exercent ce pouvoir en leur nom. Le moment est désormais venu où cette forme de démocratie apparaît à son tour insuffisante. Les citoyens veulent aujourd'hui passer de l'exercice périodique de la démocratie à des formes originales de démocratie du quotidien. Vous sentez bien autour de vous cette aspiration de plus en plus pressante de chacun à choisir sa vie, sa maison, sa rue, son travail et l'organisation de son travail.

La démocratie que nous devons inventer doit permettre l'exercice continu de la responsabilité individuelle, ce qui suppose une transformation profonde de l'Administration, de ses méthodes, de ses structures.

C'est le cas de la participation. Vous savez combien cette idée nous est chère. Pour être effective, la participation suppose non seulement un droit à l'information, l'accès aux responsabilités, mais également une meilleure diffusion de la propriété par l'association de tous au capital. Voilà les bases de la véritable et nécessaire réforme de l'entreprise.

J'annonce la naissance d'« un vaste mouvement populaire » fondé sur les valeurs essentielles du gaullisme, tout en appelant les gaullistes eux-mêmes à s'ouvrir et se rénover, à renoncer au confort de se retrouver entre eux pour « parler du passé ». Même s'« il sera un peu pénible, un peu déroutant, d'accueillir de nouveaux venus, parfois d'anciens adversaires, le bien de la France est à ce prix », leur dis-je en conclusion, sachant qu'ils sont faits, plus que tout autre, pour comprendre ce langage.

Mal ressentie par la plupart des « barons », dont l'hostilité à mon égard reste vive et tenace, la création du RPR suscite un grand enthousiasme parmi les cadres et les militants de l'UDR, lesquels devront se prononcer sur l'avenir du mouvement à l'occasion d'Assises nationales extraordinaires convoquées à ma demande par le secrétaire général, Yves Guéna. Gaulliste depuis qu'il a rejoint la France Libre, à l'âge de dix-huit ans, et passionnément dévoué à la défense de son idéal, Yves Guéna soutient ma démarche, la jugeant salutaire pour notre cause commune. Organisateur d'une redoutable efficacité, Charles Pasqua multiplie de son côté les réunions dans les fédérations, où se pressent des militants galvanisés à l'idée de repartir au combat sous les ordres d'un nouveau chef. La régénération que beaucoup appelaient de leurs vœux est en marche.

Réélu député de Corrèze le 14 novembre, dès le premier tour, je consacre beaucoup de temps, réfugié avec Jérôme Monod, Alain Juppé et quelques autres dans un appartement discret de la capitale, à rédiger les statuts du mouvement, à peaufiner les grandes lignes de notre programme, à susciter l'adhésion d'hommes et de femmes en quête, eux aussi, d'un nouvel espoir pour notre pays et qui ne se reconnaissent ni dans les concepts esthétiques de la « société libérale avancée », ni dans ceux, selon nous plus inquiétants, du Programme commun. C'est bien une autre ambition française qu'il s'agit de proposer à l'heure où le pays s'enlise dans la crise économique, où l'Europe ne parvient plus à s'extirper de ses blocages et le monde à se donner d'autres perspectives que celles de la Guerre froide.

Le 5 décembre 1976, une foule immense, comme on n'en avait plus vu depuis les grands rassemblements du RPF, se masse dans le grand hall de la porte de Versailles, accourue par cars et par trains entiers, de toutes les régions de France. Plus de cinquante mille personnes unies par une même ferveur, en dépit de la température glaciale qui règne sur la capitale. L'UDR laisse place au Rassemblement pour la République, dont je suis élu président avec 96,52 % des voix. C'est, pour chacun d'entre nous, un de ces moments de communion et d'exaltation où l'on sent vibrer l'âme de la famille gaulliste, renaître une ardeur, une volonté, qui n'appartiennent qu'à elle.

Mon discours du 5 décembre fixe les grands objectifs du Rassemblement, tels que je les ai esquissés, deux mois auparavant, dans celui d'Égletons : rendre espoir et confiance à une nation qui s'interroge plus que jamais sur son avenir ; conforter notre indépendance nationale en se donnant les moyens d'une économie forte et équilibrée et d'un système de défense efficace ; promouvoir une démocratie de responsabilité et d'initiative ; redéfinir les véritables missions de l'État en termes de régulation et de planification ; bâtir une France plus largement ouverte sur le monde...

Tout en précisant que le Rassemblement se doit d'être « un lieu de réflexion, de suggestion et, si besoin, de critique à l'égard de l'action gouvernementale », je veille à dissiper toute équivoque quant à son positionnement politique. Celui-ci a fait l'objet d'un débat assez vif à l'intérieur du mouvement entre partisans d'une action en dehors ou à l'écart de la majorité et ceux qui pensent, comme moi, que nous devons occuper toute notre place en son sein afin de poursuivre, le mieux possible, l'œuvre de la Ve République. C'est cette ligne politique que je réussis à faire prévaloir, nonobstant les avantages certains qu'aurait eus pour le RPR une clarification plus immédiate de ses relations avec le chef de l'État.

Le renouveau de la famille gaulliste s'exprime en premier lieu dans le choix des hommes qui m'entourent à la direction du mouvement. Non sans peine, je suis parvenu à convaincre Jérôme Monod de prendre en charge le secrétariat général jusqu'aux élections législatives du printemps 1978, date à laquelle il m'a fait promettre de lui rendre sa liberté. Se jugeant peu qualifié pour la politique, dont, à quelques exceptions près, il n'estime guère le personnel, Jérôme Monod préfère, et ne s'en cache pas, l'atmosphère des cabinets ministériels à celle des officines électorales et les rites de la fonction publique à ceux des milieux parlementaires. Il n'est pas homme, de surcroît, à se laisser dicter un comportement, ni imposer une opinion contraire à ses vues et plus encore à ses principes. D'une grande exigence morale, le verbe volontiers tranchant, le jugement net et sans détour, Jérôme Monod a le goût de l'action et le sens de la décision. Il s'est affirmé, au cours des neuf années passées à la direction de la DATAR, comme un organisateur hors pair, ayant acquis une connaissance du territoire national, de ses particularités, de ses évolutions, aussi riche et précise que l'est son expérience du monde. Avoir Jérôme Monod auprès de soi, c'est se prémunir contre l'influence de ceux, toujours plus nombreux, qui ont, de toute chose, une vision plus étroite.

À la présidence du RPR, comme naguère à Matignon, j'ai besoin d'un second avec qui je puisse travailler en harmonie et dont la parole sera reçue comme la mienne. Complices de longue date, peu de mots nous sont nécessaires pour nous comprendre, sentir les transformations à opérer et les hommes à promouvoir pour faire du Rassemblement une organisation politique moderne et tournée vers l'avenir.

C'est Jérôme Monod qui m'a présenté, alors que j'étais encore Premier ministre, un jeune inspecteur des Finances et normalien, déjà repéré par Jacques Friedmann. Quelques minutes d'entretien m'ont suffi pour déceler à mon tour, en Alain Juppé, un homme d'une culture et d'une intelligence hors du commun. Je lui propose aussitôt d'entrer dans mon équipe. Apte à traiter rapidement du moindre dossier, à émettre un jugement sûr tant à propos des questions sociales et économiques que des problèmes politiques les plus complexes, Alain Juppé possède, entre autres dons, celui de l'écriture, qualité plutôt rare chez les énarques.

Après mon départ de Matignon, Alain Juppé, manifestant une loyauté qui ne cessera de se vérifier, acceptera tout naturellement de poursuivre son engagement à mes côtés. Il prend une part active, avec Jérôme Monod, à la rédaction du discours d'Égletons, puis à la préparation du programme que je présenterai lors du congrès du 5 décembre. Promu délégué aux études du RPR, avant d'intégrer le comité exécutif du mouvement en janvier 1977, il me paraît déjà promis à un grand destin politique.

*

Dans mon esprit, la fondation du RPR ne peut qu'être utile à la majorité en prévision des élections législatives de 1978, que celle-ci n'est pas sûre, loin de là, de remporter. Le 5 décembre, m'adressant à la foule rassemblée porte de Versailles, j'ai clairement fait connaître ma position à ce sujet. En dépit des réticences d'une grande partie de mes auditeurs, j'ai insisté sur notre appartenance à la majorité, désignant l'union de la gauche comme notre seul et unique adversaire. Objectif qui supposait naturellement que cette majorité se ressaisisse et fasse taire ses divisions.

Si aucune manifestation hostile au chef de l'État n'est sortie, ce jour-là, de nos rangs, tel n'a pas été le cas, malheureusement, de l'entourage présidentiel à notre égard. La décision prise au même moment par le ministre de l'Intérieur, Michel Poniatowski, de faire évacuer par la police les locaux du *Parisien libéré*, en grève depuis plusieurs semaines – décision qui ne peut que conduire le reste de la presse à s'abstenir, en signe de solidarité, de paraître le lendemain, et, par là, de rendre compte de notre congrès – a toutes les allures d'un coup monté. À ma demande, Yves Guéna monte aussitôt à la tribune pour dénoncer cette manœuvre, tandis que j'adresserai moi-même une lettre de protestation au Premier ministre, Raymond Barre, sans obtenir de lui le moindre démenti crédible.

Bien plus que cette tentative de manipulation assez mesquine, et sans grand effet au bout du compte, ce sont les mises en cause incessantes, par mon successeur, de ma propre action à Matignon, et de l'héritage, selon lui catastrophique, que je lui aurais légué, qui contribuent à envenimer les relations entre le gouvernement et la principale composante de sa majorité. Il n'est pas de jour où Raymond Barre ne laisse entendre, quand il ne l'affirme pas ouvertement, qu'il a trouvé « les caisses vides » à son arrivée

– ce qui, si tel était le cas, n'aurait pu se faire sans l'assentiment du chef de l'État, et revient donc à incriminer ce dernier directement. Pas de jour, non plus, où Raymond Barre ne se pose en sauveur d'une économie prétendument naufragée par son prédécesseur...

Ces attaques me surprennent, d'autant que je n'ai jamais entretenu, jusqu'ici, de mauvaises relations avec Raymond Barre, le connaissant fort peu, au demeurant, sur le plan personnel. Précédé d'une réputation flatteuse de grand économiste, il occupait des fonctions européennes éminentes lorsque Valéry Giscard d'Estaing, avec mon approbation, lui a confié le ministère du Commerce extérieur, en janvier 1976. Sept mois plus tard, le choix de le nommer Premier ministre me paraîtra tout aussi judicieux, bien que Raymond Barre n'ait aucune expérience d'un monde politique qu'il se flatte de mépriser. Compte tenu du contexte, notre passation de pouvoirs s'effectuera en quelques minutes et sans chaleur particulière. Mais je n'éprouve à l'égard de mon successeur ni hostilité ni acrimonie, espérant au contraire qu'il s'attachera à apaiser les tensions au sein de la majorité.

C'est l'attitude inverse qu'adopte très vite Raymond Barre en dressant de ma gestion le tableau le plus accablant, jusqu'à me conduire, en septembre 1977, un peu plus d'un an après mon départ de Matignon, à faire paraître dans la presse la mise au point suivante quant à nos bilans respectifs et aux critiques qui m'étaient adressées :

La situation économique, il y a un an, n'était pas si mauvaise que certains le disent aujourd'hui. Elle était même plutôt meilleure que la situation actuelle.

C'est le cas du commerce extérieur. Sur les sept premiers mois de 1977, le déficit cumulé est de 9 milliards contre moins de 5 pour la période correspondante de 1976.

C'est le cas de la production industrielle. Elle croissait à l'époque (de juin 1975 à juin 1976) de plus de 10 % par an. Elle croît aujourd'hui (de juin 1976 à juin 1977) de 3,2 %.

C'est le cas de l'emploi. Il y avait 808 000 demandeurs d'emploi contre plus d'un million aujourd'hui.

*

Première critique : *Quand M. Barre arrive à Matignon, l'inflation est en train de s'emballer.*

Les faits ne confirment pas cette appréciation. La hausse des prix avait été alors de 9,5 % sur les douze derniers mois. Sur les six derniers mois, elle avait été de 4,8 %, soit 9,4 % en rythme annuel, et sur les trois derniers mois de 2,1 %, soit 8,7 % en rythme annuel.

Ces chiffres montrent de façon irréfutable que la tendance n'était pas à l'« emballement » mais au contraire à la réduction de la hausse des prix.

Deuxième critique : *La tendance des prix était à la fin de l'été 1976 de 13 %.*

On vient de voir qu'aucun des résultats constatés pendant que Jacques Chirac était Premier ministre n'approche, même de loin, ce chiffre. En fait, celui-ci ne peut correspondre qu'à la multiplication par douze des mauvais résultats de septembre et d'octobre 1976. Mais il est un peu risqué de faire de telles extrapolations. (À ce compte, en effet, la « tendance des prix » aurait dépassé 17 % en avril dernier quand l'indice mensuel a crû de 1,3 %.) Et, surtout, Jacques Chirac n'avait plus, ni en septembre, ni en octobre, la responsabilité de l'économie !

Troisième critique : *Sans le gel des prix, on aurait eu 13 % d'inflation en 1976. Grâce à cette mesure, elle n'a été que de 9,9 %.*

Le plan Barre, et notamment le gel des prix, s'est appliqué en fait à la fin de septembre 1976. À cette date, la hausse des prix cumulée depuis le 1er janvier 1976 était de 7,7 %. Il aurait donc fallu, pour arriver à 13 % d'inflation sur l'année, que la hausse des prix atteigne 5 % sur les trois derniers mois de 1976. Un tel chiffre est invraisemblable. Même au pire moment de l'inflation galopante, au début de 1974, on n'avait pas dépassé 4,2 % de hausse par trimestre. Et depuis, le rythme de la hausse avait été progressivement ralenti. Rappelons que pour le dernier trimestre de Jacques Chirac à Matignon, la hausse des prix avait été de 2,1 %.

Quatrième critique : *« Les indices élevés du premier semestre de 1977 sont la conséquence du passé. »*

Certes, la situation actuelle s'explique pour partie par les habitudes inflationnistes acquises par les Français au cours des trente dernières années, par le goût de l'expansion économique facile qui a dominé le monde jusqu'à la crise de l'énergie de 1973 ou par les décisions économiques des gouvernements précédents. Il est évident que toute période est influencée par la précédente. Mais ceci n'interdit pas au gouvernement d'améliorer la situation. Ainsi Jacques Chirac, dans sa première année de gouvernement, avait-il pu ramener le taux d'inflation trimestriel de 4 % à 2,4 %, et finalement laisser à Raymond Barre une situation dans laquelle la hausse trimestrielle était de 2,1 %. Ce dernier n'a pas eu la chance de pouvoir, au cours de sa première année à Matignon, réduire la hausse des prix, qui reste pour les trois derniers mois connus (mai-juin-juillet) de 2,6 % contre 2,1 % il y a un an.

Cinquième critique : *Le taux d'inflation en 1977 sera, malgré la hausse des prix alimentaires en début d'année, inférieur à celui de 1976.*

La hausse des prix depuis le 1er janvier est au 1er août 1977 de 5,9 %. Si l'inflation revient, sur les cinq derniers mois de l'année, à 0,7 % par mois, on peut encore limiter l'inflation à 9,7 % sur l'année, donc moins que les 9,9 % officiels de 1976. Il faut souhaiter que ce résultat, qui reste possible, soit atteint. C'est l'intérêt évident du pays. Mais on notera cependant, par souci de vérité, que ce ne serait alors que par un jeu comptable, à cheval sur deux exercices, que l'inflation pourrait apparaître inférieure en 1977 à celle de 1976.

Ainsi les chiffres et les faits font-ils justice de cette campagne insidieuse de critiques, qui cherchent à faire de Jacques Chirac un fauteur d'inflation. La seule vérité incontestable est qu'il a trouvé l'inflation à 4 % par trimestre et qu'il l'a laissée à M. Barre à 2,1 % par trimestre.

Ajoutons enfin que la conduite de la politique économique du pays, pour sortir la France de la crise, est une tâche difficile. Elle l'a été pour Jacques Chirac. Elle l'est pour Raymond Barre. Mais ce n'est pas en peignant en noir l'action de son prédécesseur qu'on grandira l'action de l'actuel Premier ministre.

Comment s'étonner, dans ces conditions, du climat de fronde et de défiance qui s'est très vite installé au sein du groupe RPR vis-à-vis du nouveau Premier ministre ? J'aurai le plus grand mal, certains jours, à ramener à la raison des députés gaullistes déchaînés contre le gouvernement au point d'être prêts à s'abstenir lors du vote de confiance. Mais il m'est d'autant moins facile de calmer les esprits qu'aux maladresses de Raymond Barre à notre égard s'ajoutent les provocations délibérées du chef de l'État, le peu de considération qu'il nous témoigne, l'arrogance avec laquelle il traite tous ceux qui ne se soumettent pas à ses oukases. Attitude qui va le conduire à se lancer dans une aventure aussi hasardeuse que celle de la mairie de Paris...

Promulgué par la loi du 31 décembre 1975, le nouveau statut de la capitale, administrée directement par l'État depuis plus d'un siècle, prévoit l'élection d'un maire doté des mêmes pouvoirs que ceux des maires des autres communes. Réduit jusque-là à un rôle en grande partie honorifique, le conseil municipal retrouve sa capacité d'initiative et de décision. Un accord a été conclu au sein de la majorité pour le choix de la future tête de liste. À mon instigation, et en plein accord avec l'Élysée, c'est le sénateur Pierre-Christian Taittinger qui a été désigné. Bien que giscardien, celui-ci entretient les meilleures relations avec les élus gaullistes de la capitale, majoritaires dans le conseil sortant. L'union paraît donc acquise, lorsque, en novembre 1976, passant outre au pacte que nous avions conclu, Giscard décrète, comme à son habitude sans consulter quiconque, la mise à l'écart de Pierre-Christian Taittinger, qu'il juge trop consensuel, au profit d'un de ses hommes-liges, Michel d'Ornano, ministre de l'Industrie et maire de Deauville, réputé plus antigaulliste.

Le 12 novembre, ce dernier annonce sa candidature sur le perron de l'Élysée. À juste titre, cette annonce est aussitôt ressentie comme une agression par les gaullistes parisiens, et en particulier leurs deux chefs de file, Christian de La Malène et Pierre Bas, qui envisagent à leur tour de se porter candidats. Face à une telle cacophonie, dont la gauche a toute chance de bénéficier, il m'apparaît de plus en plus évident, au fil des semaines, que je n'aurai pas d'autre choix que de me présenter. Mon entourage m'y incite d'ailleurs fortement, qui perçoit tout l'intérêt de disposer, pour l'avenir, d'une telle plate-forme politique. Aussi étonnant que cela puisse paraître, ma seule ambition municipale, à cette époque, est de prendre la succession de mon ami Charles Spinasse à la mairie d'Égletons. J'y vois un bon moyen de consolider mon implantation en Corrèze, dont les habitants me sont, depuis toujours, plus familiers que les Parisiens. En me présentant à Paris, je crains, en outre, de paraître ajouter à une division déjà bien engagée. Jusqu'à l'intervention de Giscard, le 17 janvier 1977…

Ce jour-là, le président de la République, préoccupé de « décrispation », tient une conférence de presse décisive. Il y indique que, dorénavant, la majorité ne doit plus être uniforme, mais « pluraliste », et que, par voie de conséquence, chacune des formations politiques qui soutient son action doit libérer ses forces de proposition. En bref, ceci implique la pluralité des candidatures aux élections. Le surlendemain, 19 janvier, au nom du principe énoncé l'avant-veille, j'annonce à la télévision que je suis candidat à Paris pour les élections municipales. Tout au plus en ai-je prévenu Raymond Barre, lors d'une entrevue où le Premier ministre, qui ne croit guère lui-même aux chances de Michel d'Ornano, s'efforce en vain de me dissuader d'entrer en lice...

Et me voici en campagne ! C'est-à-dire arpentant chaque rue, visitant une à une chaque maison, chaque boutique, saluant chaque passant et serrant toutes les mains sans distinction. Qu'il s'agisse de Paris ou de la Corrèze, quelle meilleure façon de rencontrer les gens, de se faire connaître d'eux et, en retour, de pouvoir les apprécier ? Et tout cela en prenant soin de ne jamais évoquer le nom de mon principal concurrent, ni même de paraître au courant de son existence. Une des règles d'or, selon moi, de toute campagne électorale. Quand on me parle de Michel d'Ornano, je réponds invariablement : « Qui est-ce ? » Des années plus tard, à l'issue d'une réunion publique en Corrèze où il n'a cessé de citer mon nom, c'est le conseil amical que je donnerai à François Hollande : « Ne prononcez jamais le nom de votre adversaire. Il est inutile de lui faire de la publicité ! »

Un temps favori des sondages, le candidat du pouvoir paraît bientôt en si mauvaise posture que Giscard envisage momentanément de le retirer de la course au profit d'Edgar Faure, alors président de l'Assemblée nationale. J'en suis prévenu à temps. Un soir, je reçois vers minuit un coup de téléphone de Lucie Faure, à laquelle m'unit une grande amitié : « Jacques, pouvez-vous venir tout de suite à l'hôtel de Lassay ? C'est important ! » À mon arrivée, je trouve Lucie dans tous ses états, tandis qu'Edgar se tient silencieux dans son fauteuil, l'air un peu fautif. Elle m'annonce que Giscard vient de demander à son mari de se porter candidat à la mairie de Paris. « Vous connaissez Edgar, ajoute-t-elle devant lui. Il ne sait pas résister aux tentations de ce genre. Par conséquent, je tiens à lui faire promettre devant vous qu'il ne sera pas candidat et refusera la proposition de Giscard. » Puis, s'adressant à son mari : « Edgar, voulez-vous dire à Jacques que vous ne serez pas candidat... » Et Edgar, l'oreille un peu basse, de s'y engager malgré lui : « Bien, je ne me présenterai donc pas. » Affaire réglée : la candidature de Michel d'Ornano pourra suivre son cours...

Fortes des réseaux gaullistes solidement implantés dans la plupart des arrondissements parisiens et pourvues d'un état-major de choc, composé entre autres de Christian de La Malène, Roger Romani, Nicole de Hauteclocque et Jean Tiberi, tête de liste dans le Ve arrondissement où je me présente en position de second, nos équipes remportent la victoire le 20 mars, au deuxième tour : cinquante-quatre sièges contre quinze à celles de Michel d'Ornano et quarante-quatre à celles de la gauche qui, dans l'ensemble, ont réalisé un très bon score.

Cinq jours plus tard, je suis élu maire de Paris par soixante-sept voix contre quarante au communiste Henri Fizbin. Le lendemain, les habitants de la capitale accourent en nombre à l'Arc de Triomphe où je les ai invités à nous rejoindre. C'est un premier succès pour le RPR. Et une défaite humiliante pour Giscard, qui en fera payer le prix à son vieux complice, Michel Poniatowski, chassé sans un mot d'éloge ou de regret du gouvernement Barre remanié au lendemain des élections municipales.

Quand je franchirai le seuil de l'Hôtel de Ville en tant que maire, me heurtant, sous la voûte, à la statue équestre noire et glacée, que j'ai prise tout d'abord pour celle d'Étienne Marcel, je me ferai la réflexion, avec soulagement, que, pour la première fois de ma vie, je ne suis le second de personne.

15

DE VICTOIRE EN DÉFAITE

Faut-il désormais, comme le conseillent quelques-uns de mes proches – Charles Pasqua en particulier – et comme paraît le souhaiter une grande partie de notre électorat, prendre nos distances avec le chef de l'État pour mettre fin à un imbroglio politique devenu intenable ? Si une telle rupture peut servir les intérêts du RPR, sinon les miens directement, je ne crois pas, en revanche, qu'elle servirait ceux du pays, ni de nos institutions. Mon objectif immédiat reste le même : assurer le succès de l'ensemble de la majorité aux élections législatives à venir. Tout faire, autrement dit, pour éviter l'arrivée au pouvoir des socialistes et de leurs alliés communistes. Mais c'est d'abord au président de la République qu'il appartient de mettre sa majorité tout entière en ordre de marche.

Lorsqu'il me reçoit à l'Élysée, au lendemain de mon élection à la mairie de Paris, Giscard se montre détendu, conciliant, avec cet art inimitable de paraître oublier ses griefs pour mieux les distiller. Mais tout indique, dans les semaines suivantes, qu'il a plus en tête d'organiser un front anti-RPR que de nous conduire à la victoire.

Le 30 juin 1977, je l'appelle clairement, dans une lettre que je lui adresse ce jour-là, à tenir son rôle d'unificateur en se déclarant « totalement solidaire » du sort de sa majorité – ce qui, chez lui, reste aussi à démontrer :

Si vous voulez bien vous engager personnellement au moment où se préparent les conditions qui décideront du destin de la France, vous savez que ni le Rassemblement ni moi-même n'auraient de réticences à se placer sous votre autorité pour affronter la prochaine échéance électorale.

En revanche, si en vertu d'un choix qui vous appartient, vous renoncez à exercer cette mission telle que l'avaient comprise vos prédécesseurs, il est malheureusement certain que nul ne peut vous y remplacer, pas même le Premier ministre, quelles que soient ses qualités personnelles.

Dans ces conditions, il ne reste à la majorité qu'à s'organiser elle-même, dans le pluralisme que vous avez souhaité, et selon la procédure très simple que j'ai proposée. Il vous appartiendra alors de rappeler à l'ordre ceux qui entretiennent une confusion nuisible à notre cause en se couvrant indûment de votre autorité.

Je me suis décidé à vous écrire, d'une manière que vous jugerez peut-être insolite, mais à raison des responsabilités extrêmement graves qui nous incombent dans un moment décisif et en raison d'une particulière urgence.

Le souvenir que je conserve d'avoir été votre Premier ministre m'encourageait à vous soumettre ces réflexions, étant assuré que vous comprendrez dans quel esprit elles sont formulées.

Veuillez agréer, Monsieur le Président, l'expression de ma très haute considération et de mon plus respectueux souvenir.

Jacques Chirac

Au début de juillet 1977, Giscard prononce à Carpentras un discours plutôt rassurant quant à son engagement aux côtés de la majorité. Mais sans dissiper toute ambiguïté s'agissant de l'attitude qu'il adopterait en cas de victoire de l'opposition. C'est la question de fond désormais. Est-il envisageable, compte tenu de ce qu'est l'union de la gauche à cette époque, et du rôle prédominant que continue d'y jouer le Parti communiste, compte tenu aussi de la nature du Programme commun et des menaces que son application ferait peser sur notre économie comme sur nos libertés, que le successeur du général de Gaulle et de Georges Pompidou demeure en fonctions et assiste à la mise en place d'une telle politique, sans rien faire pour l'empêcher ? Jamais ce débat ne s'est posé de manière aussi cruciale depuis la fondation de la Ve République. Et le problème, dans l'immédiat, est moins l'éventualité de ce qu'on appellera plus tard une « cohabitation », que de paraître disposé à l'assumer quelles qu'en soient les conséquences pour le pays.

C'est de cela que je m'inquiète dans une nouvelle lettre adressée au chef de l'État, le 8 juillet 1977 :

La Constitution permet sans doute, sur le plan juridique, une autre conception de la fonction présidentielle. Dans cette hypothèse, le chef de l'État, acceptant d'avance de rester à son poste et de coopérer avec n'importe quelle majorité, ne peut évidemment en diriger aucune, ni par lui-même, ni par un Premier ministre dont l'autorité découle de lui.

La thèse du Président, arbitre impartial, ne peut se concevoir que si l'opposition ne se propose pas de détruire la société et de bouleverser la Constitution. La démocratie parlementaire peut être un jeu avec ses règles et ses subtilités ; mais comment jouer quand un des partenaires déclare dès l'abord que, s'il gagne, il cassera l'échiquier et tuera l'arbitre. C'est là que le jeu devient combat et, même si on le déplore, il n'y a pas d'autre issue.

En fait, c'est le choix essentiel. C'est pourquoi j'ai bonne confiance que votre détermination à l'encontre de la coalition socialo-communiste vous amènera à refuser de donner dès à présent à l'opposition la caution de votre permanence.

Malgré cette mise en garde, dans son discours de Verdun-sur-le-Doubs, à la fin de janvier 1978, Giscard fera savoir aux Français, tout en leur indiquant « le bon choix pour la France », qu'en cas de succès de l'opposition le Programme commun serait appliqué sans qu'il ait aucun moyen constitutionnel de l'empêcher. Sous prétexte de le galvaniser, on ne pouvait mieux contribuer à démobiliser notre électorat.

Cette annonce me paraît d'autant plus inopportune qu'elle coïncide avec un regain de discordes entre les partis de la majorité, laissés à eux-mêmes depuis l'instauration du « pluralisme » un an auparavant. Le 8 janvier 1978, j'écris de nouveau au chef de l'État pour déplorer qu'en dépit du « pacte de loyauté » conclu entre le RPR et l'UDF en cas de primaires, « une coalition se forme, avec le souci manifeste de s'opposer beaucoup plus au gaullisme qu'à nos adversaires communs ». J'ajoute la mise au point suivante :

S'il ne s'agissait que d'une agression déloyale contre la formation que je préside, je ne viendrais pas m'en plaindre à vous. J'y répondrais en prenant les électeurs pour juges, comme durant les élections municipales de Paris. Aujourd'hui, la situation est différente car il s'agit d'un comportement tout aussi sectaire et tout aussi aveugle, mais de conséquences beaucoup plus lourdes pour la Nation. L'hostilité manifestée à l'encontre du Rassemblement nuira ou ne nuira pas à celui-ci, je n'en sais rien, et je ne m'en préoccupe pas à cet instant. En revanche, je constate que la majorité dans son ensemble ne pourra manquer d'en souffrir d'une manière probablement fatale. Comme le notait un observateur aussi impartial que M. Raymond Aron : « Ceux qui se réclament de la majorité présidentielle n'ont aucune chance de battre le RPR sans perdre les élections. »

Que cela plaise ou non, c'est l'évidence même.

La nette victoire de la majorité au second tour des élections législatives, victoire dont personne n'aurait juré deux mois auparavant, sera liée à deux facteurs essentiels. Le premier est la désunion de la gauche, dont les leaders se sont déchirés publiquement à propos de la réactualisation du Programme commun. Le second est la campagne menée tous azimuts, d'un bout à l'autre du pays, par le RPR. Je n'ai personnellement économisé ni mon énergie ni mon temps, au cours des trois derniers mois, pour mobiliser nos électeurs : 80 départements et 453 villes visités, 416 discours prononcés, 69 réunions publiques organisées... Le 11 février, plus de cent mille personnes, venues de toutes nos fédérations, déferlent en direction des halles de la porte de Pantin pour le dernier meeting de la campagne. La France est là, rassemblée, dans sa plus grande diversité.

Le 19 mars 1978, la majorité compte 290 députés, la gauche 201. Le RPR, avec 153 sièges contre 137 à l'UDF, conserve sa prédominance sur le parti du Président, bien que celui-ci sorte renforcé en nombre de représentants. Ce qui aurait pu être l'occasion d'un nouveau départ est pris pour une offense par l'Élysée. Et plutôt que de faire un geste en direction du RPR, Giscard préfère exprimer à l'opposition son espoir de réussir à organiser... « une cohabitation raisonnable ». Manière de dire, sans doute, qu'il envisage déjà de se passer de ses alliés naturels.

Dès lors, plus rien ne peut retenir notre mouvement d'exister pour lui-même.

*

D'autres échéances électorales se profilent – et le temps me paraît venu d'une réflexion d'ensemble sur les engagements qui devront être les miens, leurs raisons profondes, leur finalité immédiate ou à plus long terme. En novembre 1978, je publie un livre, *La Lueur de l'espérance*, dont le titre m'a été inspiré par une formule du général de Gaulle, dans la dernière phrase de ses *Mémoires de guerre*.

À l'instigation de Marcel Jullian, et sous l'impulsion de mes amis Denis Baudouin et Roland Laudenbach, j'avais entrepris, quelques mois auparavant, d'évoquer mon parcours à partir de souvenirs enregistrés sur un magnétophone, avant d'être retranscris et mis en forme. J'y racontais ma jeunesse, mon escapade américaine, mes débuts d'énarque, mon expérience de soldat en Algérie, mes premières années de collaboration avec Georges Pompidou. L'ouvrage devait s'appeler *Les Mille Sources*, par fidélité à mes origines corréziennes.

Je sacrifiai à cet exercice avec sérieux, mais sans réel enthousiasme, répugnant de plus en plus, au fil des jours, à parler de moi, à revenir sur un passé qui n'a rien d'exceptionnel à mes yeux, à livrer mes états d'âme au risque de me donner en spectacle. Après une centaine de feuillets, je décidai d'y renoncer. Un récit trop personnel me paraissait sans intérêt, en tout cas prématuré.

La Lueur de l'espérance n'a rien d'une autobiographie. C'est un livre de combat qui propose quelques principes d'action et définit les grandes lignes de mon projet politique pour la France. Récusant les modèles socialiste et libéral, je m'y réfère plus que jamais à l'idéal gaulliste, comme expression d'une permanence historique toujours actuelle et toujours dérangeante :

La référence à Charles de Gaulle incorpore à la fois le vieil orgueil de la patrie, l'irréductible combat de la liberté, les transformations requises pour la continuité d'un grand passé dans un avenir maîtrisé et voulu. Elle évoque parfaitement la politique telle que nous la concevons, qui se moque de la politique telle que d'autres la conçoivent, et qui transcende toutes les divisions artificiellement entretenues entre les Français. Elle implique la stabilité d'institutions soustraites au jeu des partis, l'orientation d'une politique étrangère rebelle aux hégémonies, la préoccupation constante du progrès social.

Nous ne sommes donc pas faciles à manœuvrer et, sur tout ce qui touche à l'essentiel, nous ne voyons aucune raison de nous sentir dans l'embarras. Il en est ainsi, en particulier, de notre situation dans une majorité à laquelle nous appartenons sans en approuver toutes les tendances.

Nous sommes attachés aux institutions de la Ve République, qui ont soustrait le pouvoir aux combinaisons des partis, et donc attachés aux prérogatives du président de la République. Et si le président de la République inspire au gouvernement une politique que nous désapprouvons ? Eh bien, il exerce ses prérogatives et, de notre côté, nous faisons notre devoir en critiquant ou en votant selon notre conscience. La Constitution n'a pas créé une monarchie absolue d'attribution élective. Elle vise à renforcer la démocratie, non à dessaisir celle-ci au profit d'un homme, comme la IVe République le faisait en faveur d'une oligarchie élective. L'interprétation contraire serait aujourd'hui saugrenue. Elle est démentie par le comportement du général de Gaulle. Celui-ci a voulu recréer entre lui et le peuple l'antique alliance dont la vocation est de mater les féodalités ; il a toujours demandé au corps électoral, à chaque étape importante de son action politique, une nouvelle confirmation, quitte à s'effacer en cas de désaveu, ainsi qu'il le fit.

Face à une situation économique marquée par la stagnation et le chômage, et à l'impuissance avérée des politiques mises en place, je préconise, dans *La Lueur de l'espérance*, le retour à une planification continue. C'est le seul instrument de la volonté nationale, s'il se fonde sur la concertation, qui me paraisse susceptible de contenir à la fois les excès du libéralisme et les méfaits du dirigisme bureaucratique. J'insiste ici, de nouveau, sur le rôle primordial de l'État, en accord avec les catégories sociales et professionnelles concernées, dans la définition des grandes orientations d'une économie renouvelée. Les priorités doivent être, notamment, le développement des énergies nouvelles, le soutien aux secteurs à très haute technologie, la réorganisation des grands secteurs en crise, tels que la sidérurgie, l'industrie textile ou la construction navale, la mise sur pied d'une industrie agro-alimentaire à vocation exportatrice…

Indissociable à mes yeux des problèmes économiques, la question sociale justifie plus encore la recherche d'une troisième voie entre socialisme et capitalisme. Troisième voie qui passe inévitablement par une mise en œuvre plus conséquente de la participation. Dans mon livre, je soutiens l'idée que celle-ci doit, non seulement s'appliquer aux conditions de travail dans l'entreprise et s'étendre à l'actionnariat des salariés, mais aussi permettre, à terme, d'associer le personnel à la propriété des moyens de production – réforme ultime et fondamentale qui bouleverserait durablement notre système économique.

Si *La Lueur de l'espérance* souligne le rôle essentiel de l'État dans tous les domaines de la vie nationale, il n'en reconnaît pas moins le discrédit dont celui-ci pâtit auprès de l'opinion, à force d'incertitude et de dérèglement. La montée de la technocratie ne suffit pas à expliquer les carences de l'État, celle-ci n'étant jamais que la conséquence d'une volonté politique défaillante. C'est donc à la racine du mal qu'il s'agit de s'attaquer, l'abdication même du pouvoir politique, à laquelle ne peut remédier qu'un nouvel engagement citoyen, seul garant d'une réaffirmation de la souveraineté démocratique.

Ma conviction est que jamais un ordre intelligible, clair et rationnel, ne sera rétabli face à une administration devenue aussi tentaculaire que paralysante sans une prise de conscience émanant de la nation tout entière. La solution libérale, consistant à réduire les attributions de l'État, me paraît largement illusoire à cet égard, étant donné les compétences que conserve nécessairement l'État en matière de fiscalité, de crédit, d'énergie ou de réglementation sociale. Même si la liberté proprement économique était posée comme un absolu, elle ne couvrirait en fait qu'un champ assez réduit, car la réglementation administrative s'étend, et ne cesse de se développer. Il n'est pas de jour où l'on ne signale que telle ou telle activité, en raison d'un abus constaté, d'un incident quelconque, n'est pas assez réglementée, et chaque jour des projets s'élaborent dans les bureaux pour combler ce vide de la législation. L'opinion publique elle-même se scandalise, parfois à bon droit, de l'impunité dont bénéficient tels ou tels agissements. Partout au monde, il apparaît inévitable de renforcer encore la réglementation, en matière de protection de l'environnement ou de prévention contre les dangers de certaines activités industrielles. Ce serait donc se payer de mots que d'envisager une déflation administrative massive résultant d'une philosophie libérale installée au sommet de l'État.

Il est tout aussi vain de croire qu'un gouvernement se rendra maître de tous les services qui dépendent de lui par l'effet de son seul courage. La bonne volonté des ministres n'est pas en cause. Une volonté individuelle, ministérielle ou même présidentielle, ne peut prévaloir à elle seule sur l'énorme puissance d'une inertie savamment organisée. Encore faut-il que se manifeste une volonté collective d'instaurer plus de démocratie dans les relations entre l'État et le citoyen, par le biais, entre autres, de la décentralisation.

La dernière partie de mon ouvrage est consacrée à la politique étrangère et plus particulièrement au rôle et à la place de la France au sein de l'Europe, dans la perspective de la première élection de l'Assemblée européenne au suffrage universel direct, prévue pour juin 1979. À une époque où il est de bon ton, au plus haut niveau de l'État, de minimiser l'influence de la France en la rapportant au pourcentage de sa population, 1 %, de la population mondiale, je tiens à rappeler les principes d'indépendance et de souveraineté qui, depuis 1958, fondent notre action diplomatique et valent à notre pays son rayonnement spécifique auprès des autres nations. Contrairement à Valéry Giscard d'Estaing, je ne crois pas au déclin de la France, ni que cette dernière soit condamnée, pour survivre, à se dissoudre dans une organisation supranationale.

Ma conviction est, tout au contraire, que la construction de l'Europe ne se fera pas sans le ressort des volontés nationales, seules capables d'animer l'entreprise. Ce qui suppose d'abord que la France manifeste bel et bien une volonté nationale. Ce qui suppose ensuite que la politique européenne de la France n'aille pas se perdre ou s'engluer dans un système d'assemblées et de commissions contre lequel ne manqueraient pas de réagir, un jour ou l'autre, les aspirations à l'indépendance. C'est pourquoi, loin d'être un remède, un prétexte ou un alibi à la démission de la France, la construction de l'Europe doit procéder, à mon sens, d'une ambition nationale puissamment affirmée.

Si je suis hostile à l'élection de l'Assemblée européenne au suffrage universel, comme à un élargissement précipité de la Communauté à l'Espagne ou au Portugal, c'est parce que l'une et l'autre ne feront, à mon sens, qu'accroître les pouvoirs d'une bureaucratie incontrôlée, au détriment de ceux des États. En droit, les attributions de l'Assemblée européenne, déterminées par le traité de Rome, ne seront pas modifiées. En fait, chacun sait bien que les tentations de débordement sont inévitables et que la Commission, de son côté, ne manquera pas d'y chercher appui pour s'arroger le statut d'un supergouvernement, ce à quoi elle ne tend déjà que trop.

Quant à l'arrivée de l'Espagne et du Portugal, j'exprime à ce sujet, dans *La Lueur de l'espérance*, les mêmes réserves que je formulais en juillet 1976 dans ma lettre au chef de l'État. À savoir que les mécanismes du Marché commun prévus initialement pour six pays, et qui ont le plus grand mal à fonctionner de façon satisfaisante avec les neuf membres actuels de la Communauté économique européenne, deviendraient tout à fait inadaptés et inefficaces s'ils devaient régir un ensemble élargi à douze, une fois la Grèce, associée depuis 1961, définitivement intégrée.

Livre de combat, je l'ai dit, *La Lueur de l'espérance* fixe déjà les grands axes de la future campagne électorale du RPR. Au cours du mois de novembre 1978, je réunis les principaux responsables du mouvement, Yves Guéna, Alain Devaquet, le nouveau secrétaire général, ainsi que les présidents des groupes parlementaires du Sénat et de l'Assemblée nationale, Charles Pasqua et Claude Labbé, pour recueillir leur avis sur le discours de politique européenne que je dois prononcer devant nos instances nationales. À ce petit groupe vont s'adjoindre, à ma demande, Marie-France Garaud et Pierre Juillet, lesquels m'encouragent, comme toujours, à adopter la position la plus intransigeante.

La ligne du discours étant définie, il reste à en préciser la forme quand, le 26 novembre, je suis victime d'un grave accident de voiture, en Corrèze, qui me contraint à suspendre mes activités durant plusieurs semaines. Transporté d'urgence à Paris, à l'hôpital Cochin, pour y être opéré d'une jambe, souffrant beaucoup, je suis trop affaibli pour prêter visiblement attention, dans les jours qui suivent, à ce qui se dit et se passe autour de moi. Je reçois quelques visites, dont celle de Marie-France Garaud venue me soumettre la dernière mouture, rédigée par Pierre Juillet, de mon discours sur l'Europe. Faute de pouvoir le prononcer, je consens, sous leur pression commune, à ce que le texte soit publié sous forme d'appel. En réalité, dans l'état de fièvre et de fatigue où je me trouve, je ne suis pas en mesure de juger du bien-fondé d'une telle initiative. C'est en toute confiance et de guerre lasse, il faut bien le dire, que je donne mon accord à Marie-France Garaud et Pierre Juillet pour que soit lancé cet « appel » revu et corrigé par leurs soins, sans que j'aie même eu la capacité de le relire. Il leur était aisé, dans ces conditions, de me forcer la main.

L'appel dit de Cochin porte à l'évidence la marque de Pierre Juillet, inséparable comme toujours de celle de Marie-France Garaud. Même si son contenu reflète, pour l'essentiel, mes convictions, le style comporte des outrances, des formules abusives qu'en d'autres circonstances je n'aurais sans doute pas accepté de reprendre à mon compte. Celle-ci, surtout, inutilement agressive et grandiloquente : « Comme toujours, quand il s'agit de l'abaissement de la France, le parti de l'étranger est à l'œuvre avec sa voix paisible et rassurante. Français, ne l'écoutez pas. C'est l'engourdissement qui précède la paix de la mort. Mais, comme toujours quand il s'agit de l'honneur de la France, partout des hommes vont se lever pour combattre les partisans du renoncement et les auxiliaires de la décadence. »

L' « appel de Cochin » dénonce certaines dérives que j'ai moi-même stigmatisées, sous une autre forme, dans le livre que je viens de publier. Mais sans aller, comme c'est ici le cas, jusqu'à accuser le gouvernement ou le parti du Président d'agir, au nom de l'Europe, contre les intérêts de la France en préparant son « inféodation » et consentant à « l'idée de son abaissement » . Tel n'est pas, à l'évidence, le fond de ma pensée, quelles que soient les divergences qui m'opposent en ce domaine au chef de l'État et à son Premier ministre.

Dès lors, et sans que je puisse rien faire désormais pour le corriger, sous peine de paraître me déjuger, le ton est donné d'une campagne électorale qui va se révéler d'un bout à l'autre excessive, archaïque, et, pour finir, désastreuse. Sorti de l'hôpital après cinquante jours de soins puis de rééducation, amaigri, les traits tirés, en marchant appuyé sur des cannes anglaises, j'ai peine à repartir au combat, à sillonner la France, de nouveau, pour porter une parole qui n'est pas tout à fait la mienne. Ce que je ferai, pourtant, en témoignant d'une ardeur apparemment intacte. Dirigeant la liste RPR face à celles de l'UDF, du Parti socialiste et du Parti communiste, conduites respectivement par Simone Veil, François Mitterrand et Georges Marchais, j'accomplis ma tâche sans hésitation ni réticence manifestes, mais avec le sentiment de m'être laissé entraîner, par une partie de mon entourage, plus loin que je ne le souhaitais.

Le soir du 10 juin 1979, les résultats des élections européennes seront pires encore que ceux escomptés : avec 16,25 % des voix contre 27,55 % à celle de Simone Veil, 23,57 % pour le PS et 20,57 % pour le PCF, notre liste arrive en quatrième position.

Le lendemain, je décide de reprendre ma totale indépendance vis-à-vis de mes deux conseillers présumés les plus influents et dont la responsabilité directe, dans l'origine de ce fiasco, ne fait aucun doute. Le départ de Pierre Juillet et de Marie-France Garaud n'est pas seulement lié aux résultats des élections européennes. Il est avant tout la conséquence d'une volonté de domination excessive qui s'est exercée, non seulement sur moi, mais aussi sur la direction du mouvement tout entière, au point d'être devenue au sein du RPR un facteur inquiétant de rivalités et de divisions. Y mettre un terme était de mon devoir.

Beaucoup de mes proches, à commencer par mon épouse, m'incitent depuis plusieurs mois à marquer plus de distance à l'égard d'un tandem qu'ils jugent par trop envahissant. Bernadette aura auprès de moi un rôle d'autant plus persuasif que ses propres fonctions politiques en Corrèze, où elle s'est fait élire conseillère générale du canton du même nom, ainsi que ses multiples contacts avec les milieux parisiens, lui permettent de recueillir des informations et de me faire part de réflexions qu'elle est souvent la seule à me transmettre. Grâce à elle, j'en sais parfois davantage sur l'état d'esprit des Français, leurs sentiments et leurs aspirations, que ne m'en apprennent à ce sujet des sources plus officielles.

Confronté pour la première fois à la défaite, me voici du même coup mis face à une épreuve de vérité aussi décisive pour moi que pour ceux qui m'entourent. La plupart d'entre eux me témoignent leur fidélité. Quelques-uns émettent des doutes sur mon avenir. À tous je fais très vite savoir que je n'ai aucune intention de me retirer.

16

UNE AMBITION POUR PARIS

Ministre de l'Agriculture, je n'ai jamais pris, en deux ans, une seule décision qui n'ait obtenu l'accord des quatre grandes organisations agricoles. Parfois, les négociations s'éternisaient et je piaffais d'impatience. Mais, en fin de compte, que de temps gagné et de déceptions évitées!

Devenu maire de Paris, j'entends rester fidèle à cette méthode. Tenu de régler, dès mon entrée en fonctions, le dossier très controversé, dans le XIVe arrondissement, de la voie express entre la porte de Vanves et Maine-Montparnasse – la fameuse radiale Vercingétorix, dont une quarantaine d'organisations réclament l'abandon –, je veille aussitôt à réunir écologistes et techniciens. Les premiers auront vite raison des seconds. De mon côté, en me rendant sur le terrain, je constate que cette radiale, si bien conçue soit-elle, risque de concentrer, dans cette partie de la capitale, un flot d'automobiles insupportable. Je décide donc d'y renoncer, au grand dam des élus de l'arrondissement, et de Christian de La Malène en particulier, qui y était personnellement très attaché.

Cette première expérience m'a vite conduit à organiser un système de concertation fondé sur des commissions extramunicipales le plus largement représentatives de la population parisienne. Ce système va se révéler fort utile dans un autre cas : celui d'un projet urbanistique, parfaitement élaboré, lui aussi, et en apparence tout à fait justifié, qui prévoit la suppression du célèbre carreau du Temple et son remplacement par un ensemble d'équipements sociaux. Soucieux d'en vérifier l'utilité, je décide d'aller sur place pour y rencontrer les habitants. En les interrogeant, je perçois un malaise qu'on s'est refusé de prendre en considération. J'incite tous mes interlocuteurs à m'adresser une pétition pour me faire part officiellement de leurs réactions. Quinze jours plus tard, à la lecture de leurs doléances, mon opinion est faite : ce projet ne peut être qu'une erreur dans la mesure où il heurte profondément la sensibilité de toute une population sous le prétexte de faire son bonheur.

Autre dossier sensible, celui du marché Secrétan, en plein cœur du XIXe arrondissement. J'avais remarqué, en y passant au cours de la campagne électorale, que les marchands s'y trouvaient mal installés et à la merci des intempéries. Il y faisait froid, les étals n'étaient pas assez protégés. J'y reviens donc pour m'entretenir avec chaque commerçant, connaître l'opinion de leurs clients et celle des agents chargés du stationnement. Tous me répondent avec franchise et sympathie. Pour finir, j'entraîne quelques-uns d'entre eux dans le café le plus proche. Certains souhaitent que le marché soit démoli, d'autres qu'il soit maintenu en l'état. D'autres, enfin, sont partisans de le moderniser, malgré l'inconfort qui en résulterait durant les travaux.

Deux heures plus tard, après avoir longuement écouté les avis de ceux qui vivent et travaillent dans le quartier, j'acquiers la conviction qu'il est temps de restaurer le marché Secrétan. Contre l'avis des techniciens, je fais adopter par le conseil municipal toute une série de dispositions en ce sens. Si rien n'avait été fait, l'édifice en question se serait tout bonnement effondré un jour ou l'autre. Et personne, naturellement, n'aurait été responsable de cette catastrophe.

Le dernier exemple dont je me souviens concerne la construction du parking proche de l'Hôtel de Ville. Celle-ci faisait l'objet, là encore, d'un dossier techniquement si irréprochable que je n'ai pas hésité, peu après mon élection, à ordonner le lancement des travaux. À peine la nouvelle annoncée, le quartier entre en ébullition. Il est pourtant de l'intérêt de tous qu'un parking se crée à cet endroit où toutes les rues sont encombrées et la circulation devient impossible à certaines heures du jour. Étonné par une telle bronca, j'entreprends d'aller moi-même consulter les intéressés. Sur les lieux, je découvre près d'une centaine de commerçants que le projet, tel qu'il est prévu, condamne littéralement à disparaître. À mon retour à l'Hôtel de Ville, je convoque aussitôt les experts en charge du dossier. En deux heures, et sans trop de difficultés, ceux-ci trouveront, à ma demande, une solution conciliable avec la survie du commerce environnant. Personne, jusque-là, ne s'était seulement préoccupé de demander leur avis aux présumés bénéficiaires d'une opération tenue pour intelligente, utile, sérieusement menée, à laquelle manquait toutefois une pièce essentielle : la prise en compte des problèmes humains qu'elle pouvait engendrer...

Placée depuis 1871, par décision politique, sous la tutelle de l'État et administrée par le préfet de la Seine, la capitale retrouve, pour la première fois depuis Jules Ferry, un maire et une autorité municipale dotés des mêmes pouvoirs que ceux des autres communes de France pour répondre aux attentes des habitants.

La situation de Paris, telle que je la découvre au début de mon premier mandat, est celle d'une ville vieillissante, en plein déclin démographique, et sans véritable politique en matière de logement, d'urbanisme ou d'environnement.

En vingt ans, Paris a perdu un cinquième de sa population, le plus souvent au profit de la banlieue. Cette baisse démographique, devenue inquiétante par son ampleur et sa persistance, est en partie due à la spéculation immobilière qui a contribué, sans conteste, à éloigner les classes les moins aisées. Mais elle est liée plus encore à l'hémorragie d'emplois industriels, que les activités tertiaires n'ont pas suffi à compenser. À cela s'ajoutent la situation du logement dans la capitale, où trop de familles vivent dans des locaux insalubres; celle des transports, de la circulation et du stationnement, totalement inadaptée aux exigences de la vie moderne; celle, tout aussi flagrante, de l'urbanisme où, sous prétexte de rénovation, des quartiers entiers ont été rasés pour laisser place à une prolifération de tours à l'architecture souvent médiocre et détestable. En outre, Paris ne répond plus aux nouvelles aspirations de ses habitants en termes d'espaces verts, de propreté des rues, de traitement des ordures ménagères ou de qualité de l'eau…

Pour assurer la mise en œuvre d'une politique municipale plus ambitieuse, conforme aux besoins de la population et digne d'une grande métropole internationale, le nouveau maire de Paris dispose de moyens d'action considérables : un budget de 5,5 milliards de francs, une administration dont les effectifs s'élèvent à 38 500 agents. Ses pouvoirs ne sont limités que dans un seul secteur : celui de la sécurité, dont la responsabilité revient au seul préfet de police. L'impulsion que j'entends donner à la gestion de la ville peut s'appuyer, d'emblée, sur des élus compétents, efficaces et dynamiques. Instruit de longue date des dossiers de la capitale, mon premier adjoint, Christian de La Malène, ancien rapporteur du budget de la ville, est une des pièces maîtresses, avec entre autres Jacques Dominati, Jean Chérioux et Jean Tiberi, du dispositif qui se met en place. Je confie les commandes administratives à deux fonctionnaires de premier ordre : Camille Cabana, qui devient le premier secrétaire général de la ville de Paris, et l'ancien préfet Maurice Doublet, auquel je fais appel pour diriger mon cabinet.

Le 12 décembre 1977, lors de la première discussion budgétaire, j'annonce les grandes priorités de mon début de mandature : « la solidarité entre les habitants, l'équilibre sociologique et professionnel de la population, enfin le rayonnement national et international de la capitale ».

La politique en faveur des personnes âgées et des plus déshérités est une de celles, naturellement, qui me tient le plus à cœur. Elle s'exerce dans trois directions essentielles : l'amélioration des ressources garanties, la lutte contre l'isolement et le développement d'équipements collectifs, résidences et foyers construits à l'intention des plus démunis.

La deuxième de ces priorités est la lutte contre la dépopulation croissante de la capitale. Les difficultés qu'éprouvent, en particulier, les jeunes et les familles à résider dans Paris rendent plus que jamais nécessaire une politique active de logements sociaux, axée sur un programme à long terme de réhabilitation d'immeubles et d'achat de terrains désaffectés. Peu après mon élection, j'adresse un signal fort en ce sens avec la mise aux enchères de luxueuses habitations possédées par la Ville, boulevard Suchet, dans le XVIe arrondissement, pour financer la construction de logements sociaux. En 1980, 35 % du budget d'investissement de la Ville seront consacrés aux acquisitions foncières, destinées aux mêmes objectifs.

Confiée à un directeur de grand renom, Marcel Landowski, ami personnel de Georges et Claude Pompidou, l'action culturelle reste le meilleur garant du rayonnement de Paris en France et à l'étranger. Pour lui apporter un nouvel essor, le budget des affaires culturelles de la capitale sera doublé au cours des deux premières années de mon mandat. Il s'agit de poursuivre et d'amplifier le soutien apporté par la Ville à une douzaine de manifestations prestigieuses, telles que le Festival du Marais, le Festival d'automne ou le Festival international de la danse. La rénovation de la salle du Châtelet, ainsi que du musée d'Art moderne, l'impulsion donnée à de grandes institutions comme le Théâtre de la Ville, l'Orchestre de

Paris ou l'Ensemble orchestral, avant la création de la Vidéothèque de Paris et de la Maison européenne de la photographie, témoignent d'une même ambition : refaire de Paris une capitale culturelle internationale de premier plan. Ambition qui va de pair avec une politique de décentralisation de la vie culturelle, visant à assurer, dans tous les arrondissements, une meilleure diffusion de l'enseignement artistique.

L'œuvre la plus visible d'un maire, c'est la marque qu'il imprime au visage de sa ville. À peine installé à la tête de la municipalité parisienne, je décide d'en finir avec la politique d'urbanisme qui a prévalu depuis les années cinquante : celle des grands ensembles de tours et de barres, témoins d'une « rénovation bulldozer » en rupture totale avec la véritable physionomie de la capitale, modelée par l'Histoire. Concilier le respect du patrimoine et de l'environnement traditionnel avec la libre expression d'une architecture contemporaine plus humaine, tel est l'esprit de la nouvelle politique d'aménagement que je souhaite réaliser.

Pour la mener à bien, je fais appel au meilleur urbaniste du moment, Pierre-Yves Ligen. La construction, à l'est de Paris, du Palais omnisports de Bercy et la mise en chantier, à l'ouest, de la ZAC Citroën participent d'un même objectif : la renaissance d'une cité plus équilibrée dans ses activités, sa population et son architecture.

L'opération la plus spectaculaire à cet égard est celle, au cœur même de la capitale, de l'aménagement du quartier des Halles. Parmi les dossiers dont j'hérite en devenant maire de Paris, celui-ci est, de loin, le plus difficile à démêler. Depuis le transfert du marché des Halles à Rungis, sept ans auparavant, et la démolition des pavillons de Baltard qui l'abritaient, le secteur n'est plus qu'un immense terrain vague, une énorme excavation de près de trente mètres gorgée d'eau et entourée de palissades. Devenu tristement célèbre, le fameux « trou des Halles » est aussi devenu pour les Parisiens symbole de gabegie et d'impuissance, à force de projets sans lendemain et de chantiers interrompus. Je dois agir vite afin de limiter les déficits déjà occasionnés et redonner vie à tout un quartier laissé à l'abandon.

L'équipe d'architectes et de techniciens que je mobilise aussitôt travaillera d'arrache-pied pour concevoir un projet définitif, conformément aux orientations générales que je leur ai données. À l'opposé de tout gigantisme, ce projet devra rester à taille humaine, assurer la rénovation des lieux et leur apporter les équipements nécessaires, tout en respectant l'identité du quartier et en mettant en valeur son patrimoine historique. Ce qui me conduit à interrompre sine die, dans sa partie nord, la construction, naguère décidée par l'État, d'un ensemble monumental conçu par Ricardo Bofill, qui présente, entre autres inconvénients, celui de couper, au débouché de la rue Rambuteau, la très belle perspective sur l'église Saint-Eustache.

Au début des années quatre-vingt, le dossier des Halles sera en passe d'être réglé, avec l'installation, en sous-sol, de la gare RER Châtelet-Les Halles et d'un forum de commerces et de loisirs, ainsi que la mise au point, en surface, d'un nouveau plan d'aménagement. Ce dernier prévoit la réalisation d'une grande zone piétonnière allant jusqu'au Centre

Georges-Pompidou, ainsi que la création d'un jardin destiné à devenir tout à la fois un lieu de promenade et d'animation.

En dépit des vicissitudes que le site subira au fil du temps, l'opération des Halles, fruit d'une concertation exemplaire entre les élus et la population, résulte alors d'une politique d'urbanisme soucieuse, pour la première fois, d'environnement et de qualité de vie des habitants. Tout comme le « Plan vert » lancé à la même époque, le projet « Seine propre » initié dès 1977 et la modernisation, engagée simultanément, de la collecte des ordures ménagères, cette réalisation reflète mon souci de faire de Paris, dans tous les domaines, un laboratoire d'idées et de projets susceptibles d'intéresser le pays tout entier.

Il en est de même des relations internationales qui participent, elles aussi, des préoccupations du maire de Paris et de sa réflexion politique. C'est à mon initiative que sera créée l'AIVF (Association des villes francophones) et que se développeront les échanges avec les autres grandes capitales de la planète. Et chaque réception de chef d'État et de gouvernement va devenir pour moi un moyen de mieux affirmer la place et l'influence de Paris dans le monde.

*

La tradition républicaine veut que les dirigeants étrangers, hôtes de la France, se rendent à l'Hôtel de Ville pour saluer le peuple de Paris et ses représentants. Cette étape fait partie, depuis toujours, du programme de leur visite officielle. Il en sera ainsi jusqu'au jour où, sous je ne sais plus quel prétexte, les collaborateurs du président Giscard d'Estaing décideront sans me prévenir de la retirer dudit programme, jugeant qu'elle ne s'imposait plus. Ce qui ne m'empêchera pas d'inviter à l'Hôtel de Ville les chefs d'État que j'estime devoir y accueillir. Et rares sont ceux, même à cette époque, qui n'ont pas répondu à mon invitation...

J'attache une grande importance, il va sans dire, à la plupart de ces rencontres. Par-delà leur aspect protocolaire, elles permettent au maire de Paris non seulement de nouer des relations personnelles avec la plupart de ces dirigeants, mais aussi d'exprimer son opinion sur l'évolution du monde et celle, notamment, de pays ou de continents qu'unissent à Paris, de longue date, des liens particuliers.

En juin 1978, la venue de Léopold Sédar Senghor m'offre l'occasion de célébrer une des plus nobles figures du continent africain, et de l'humanité tout entière. À travers lui, qui a lancé dans les années trente le grand mouvement de réhabilitation d'une culture méprisée par l'Occident, c'est d'abord à l'Afrique que je tiens au nom de Paris à rendre hommage. Cette Afrique dont l'âme profonde, comme celle de l'Asie, m'a été révélée dans ma jeunesse, non par la politique, mais à travers l'art.

Comment mieux pénétrer la véritable histoire d'un peuple qu'en s'intéressant aux œuvres d'art qu'il a léguées à la postérité ? J'ai ressenti dès la fin de mon adolescence la grandeur du peuple africain, grandeur qui tient probablement au fait, comme je l'apprendrai plus tard, que les premiers hommes ont vu le jour dans cette partie du monde. Au tout début des années cinquante, je fréquentais épisodiquement à

Paris, rue Notre-Dame-des-Champs, l'atelier du peintre Fernand Léger, dont l'œuvre s'était beaucoup inspirée de l'art nègre. J'y entendais souvent parler de la culture des Dogons du Mali, sans en mesurer encore toute l'importance. Cette fascinante découverte de l'Afrique s'est poursuivie à travers les années jusqu'à me permettre de mieux percevoir l'ampleur de toutes ses richesses souvent spoliées par l'Occident. Aujourd'hui, quand je vais admirer la grande statue de bois Djennenké au musée du quai Branly, je me dis toujours que ce chef-d'œuvre absolu n'a rien à envier, esthétiquement, à la Vénus de Milo.

Dans le discours que je prononce à l'Hôtel de Ville en l'honneur de Léopold Sédar Senghor, je salue le génie précurseur de celui qui, débarquant à Paris au lendemain de la Grande Guerre, où fermentaient tant d'idées neuves, puissantes et prophétiques, a pressenti que la civilisation européenne, si excellente soit-elle, ne serait qu'une civilisation mutilée tant que lui feraient défaut les énergies dormantes de l'Afrique et de l'Asie. Senghor a été l'un des premiers à prendre conscience qu'au rendez-vous du monde manquaient les deux tiers de l'humanité. « Le miracle, lui dis-je, c'est que, dans votre quête ardente de l'Africanité, vous n'avez pas rejeté l'apport à l'Universel de notre vieille civilisation occidentale. Vous êtes l'homme des convergences. Ainsi votre retour aux sources de l'Afrique, au lieu de vous détourner de l'Europe, de la latinité, de la francité, vous a, au contraire, donné une plus juste et pertinente notion de ce qui nous unit dans les profondeurs de nos deux continents. »

Je me sens en pleine communion de cœur et d'esprit avec ce poète et homme d'État qui, transcendant toutes les frontières, a su démontrer tout ce qu'il y a de complémentaire entre les caractères originaux de chaque peuple et de chaque civilisation, et que, loin d'en être diminuée, leur personnalité propre s'en trouve tout au contraire exaltée.

Évoquant, dans sa réponse, le « Mois de la Poésie », que je viens de créer avec mon ami Pierre Seghers, Léopold Sédar Senghor exprimera, en quelques phrases inoubliables, son amour de Paris, « ville poétique » dont le génie s'est nourri de « tout être et de toute chose, du brin d'herbe et de l'ouragan, pour en faire un monde nouveau ». Ce n'est pas sans émotion que j'entendrai cette grande voix de l'Afrique déclarer que « la première poésie » qu'il avait trouvée à Paris, en y arrivant pour la première fois, c'était « le souci de respecter, dans sa singularité et son intégralité, d'honorer tout homme ou femme de tout continent, de toute race, de toute couleur, de tout pays ». Paroles qui semblaient faire écho à celles de Félix Houphouët-Boigny, lorsqu'il m'avait reçu à Abidjan en tant que Premier ministre : « L'Afrique, m'avait-il dit, il faut la respecter en raison de tout ce qu'elle a apporté à l'évolution du monde. »

Houphouët, qui deviendra pour moi plus qu'un ami, une sorte de père, avait été très sensible au fait que je réserve à un pays africain mon premier voyage officiel à l'étranger. L'accueil extrêmement chaleureux que je reçus alors du peuple ivoirien, massé le long de l'immense avenue qui relie l'aéroport à la ville, était un témoignage bouleversant d'amitié et de confiance envers la France. Ce qui me frappa ce jour-là, ce fut l'enthousiasme indescriptible de la multitude des jeunes qui se pressaient autour de nous, leurs cris de joie en nous voyant passer côte à côte, Houphouët et moi, debout dans une magnifique voiture décapotable. Les Africains savent d'instinct si on les aime ou non. Ils ne se trompent jamais à ce sujet. Et je crois pouvoir dire qu'ils n'ont jamais douté de la sincérité de mon attachement à leur égard, comme le prouve l'accueil qu'ils continuent de me réserver chaque fois que j'ai encore l'occasion, aujourd'hui, de leur rendre visite.

Il m'a toujours paru évident que l'aide au développement de l'Afrique devait être une des grandes causes de la France. C'est pourquoi j'ai appelé, en 1977, lors d'un déplacement à Marseille, notre pays et ses partenaires européens à mettre en place, en faveur du continent africain, le même plan d'aide et de soutien que celui apporté par les États-Unis, trente ans auparavant, pour la reconstruction de l'Europe. Reste que la première question à régler, parce qu'elle conditionne en grande partie toutes les autres, est celle de la situation politique de chacun des États africains. Sujet délicat, tant les notions mêmes de pouvoir et d'autorité dépendent encore étroitement à cette époque de traditions et de coutumes qui se prêtent mal à une pratique démocratique immédiate.

Au nom de quels critères la France doit-elle ou non coopérer avec les chefs d'État africains tels qu'ils sont? Il serait hypocrite de nier que leur loyauté à l'égard de ses propres intérêts sur le continent constitue un élément déterminant. Mais il importe tout autant que ces chefs d'État soient, pour leurs pays respectifs, des facteurs durables d'unité et de stabilité politiques. Tel sera le cas, pendant près de quarante ans, et si décrié qu'il ait été dans certains milieux parisiens, du président du Gabon, Omar Bongo, que je reçois pour la première fois à l'Hôtel de Ville en octobre 1980 et qui restera mon ami jusqu'à sa mort.

Plus hasardeuse et discutable me paraît être, à ce moment-là, l'attitude abusivement complaisante du gouvernement français vis-à-vis d'un autre régime, celui de la République centrafricaine, et de son chef, le général Bokassa. Le personnage ne m'était pas inconnu, bien que je l'aie toujours tenu à distance. Je l'avais rencontré dans le bureau de Jacques Foccart lors de son voyage à Paris en 1968. Je ne sais plus pour quelle raison j'assistai à l'entretien que Foccart, peu avant la réception à l'Élysée, avait demandé à Bokassa pour le dissuader de citer, dans son discours officiel, le général de Gaulle en l'appelant « papa », selon son habitude. « Vous êtes reçu par le général de Gaulle en tant que chef d'État, le sermonnait Foccart, vous devez donc l'appeler “Monsieur le Président”. Si vous l'appelez “papa” en public, il le prendra très mal ! » Bokassa promit, en repartant, de se montrer obéissant.

J'étais présent au dîner qui suivit. Après les propos de bienvenue du Général, Bokassa, se levant pour lui répondre, commença son discours en disant : « Monsieur le Président, vous qui êtes notre père à tous… » La trouvaille était astucieuse. Sous ses airs de rustre se révélait un homme moins sommaire qu'il ne le laissait croire, habile à se jouer de ses interlocuteurs, et n'en faisant jamais qu'à sa tête, en définitive.

Au tout début des années quatre-vingt, cette anecdote me reviendra en mémoire lorsque Bokassa, se faisant proclamer empereur au prix d'une mascarade jugée dégradante par l'ensemble des dirigeants africains qui s'abstiendront d'y assister, réussira à entraîner dans son jeu le dernier pays à le tenir pour encore fréquentable : la France, à travers son Président. Il ne me fut pas difficile de pressentir qui, dans cette affaire, risquait le plus d'être la dupe de l'autre, et ne sortirait pas indemne du piège centrafricain...

Sensible aux problèmes de l'Afrique, le maire de Paris l'est tout autant, comme on s'en doute, à ceux du continent asiatique et tout spécialement de la Chine, où je me suis rendu avec mon épouse, pour la première fois, en 1978.

Ce voyage, entrepris à l'invitation des autorités chinoises, n'a fait que renforcer l'admiration et le respect que m'inspirent, de longue date, la hardiesse et l'ingéniosité de ce peuple, héritier d'une culture et d'une histoire exceptionnelles.

La vision de la Grande Muraille, même pour un visiteur initié, est saisissante, non seulement par son gigantisme architectural, mais par l'incroyable mobilisation de moyens et d'énergie qu'elle représente sur tous les plans. Un défi militaire et politique de cette ampleur est sans équivalent dans l'histoire de l'humanité. Il révèle à lui seul l'immensité des ressources, tant humaines que matérielles, dont dispose un pays capable de telles réalisations.

C'est la même impression vertigineuse que j'ai éprouvée à Xian, qui fut, pendant plusieurs siècles, l'une des villes les plus peuplées du monde et le centre d'une vie intellectuelle et artistique prestigieuse. Le premier empereur qui ait unifié la Chine, à laquelle il donna son nom, le Grand Tsin, est enterré à Xian, avec toute son armée qui protégeait son tombeau. Ce mausolée n'a jamais été ouvert, malgré les nombreuses discussions qui ont eu lieu à ce sujet. Je suis de ceux qui ont toujours plaidé pour qu'on le laisse en l'état, sous peine de le détériorer. D'après ce que l'on sait, ce mausolée est, en réalité, une sorte de ville en terre cuite, traversée par une rivière de mercure et surmontée d'une voûte céleste illustrant toutes les connaissances que les Chinois de l'époque, déjà plus avertis que tout autre en matière d'astronomie, possédaient à ce sujet. Mais le lieu conserve aujourd'hui une grande part de son mystère…

L'autre temps fort de ce périple est ma rencontre à Pékin avec Deng Xiaoping, qui me réserve l'accueil le plus amical. Je garde en mémoire cette réflexion qu'il me livra au cours de notre entretien : « Dans les vingt années à venir, il n'y aura pas de problème politique entre la Chine et la France. C'est une certitude liée à l'histoire. Sur le plan culturel, il n'y a point d'inquiétude également à avoir, car la France est fascinée par la Chine et les Chinois sont très intéressés par la France. En revanche, sur le plan économique, s'il n'y a pas de problème aujourd'hui, il risque d'y en avoir dans quelques années car les échanges économiques sont insuffisants et c'est là que doit s'appliquer en priorité l'effort des deux pays. En effet, si la relation économique diminuait, par voie de conséquence, les relations politiques se dégraderaient également. »

Un an après ce premier voyage, le 16 octobre 1979, j'accueille à l'Hôtel de Ville le successeur de Mao, Hua Guofeng, en visite officielle en France. Je ne retrouve chez lui ni la lucidité malicieuse, ni la vivacité d'esprit de Deng Xiaoping, ni, bien sûr, le génie visionnaire du Grand Timonier. À l'évidence, cet homme d'appareil a d'abord été choisi en raison de son aptitude à assurer paisiblement, et sans éclat, la transition entre la fin du tumultueux règne maoïste et l'avènement d'une nouvelle direction chinoise minutieusement peaufinée dans l'ombre par Deng Xiaoping.

Confiant en ce qu'une Chine puissante, active et prospère peut apporter à l'équilibre du monde, je souligne, dans mon discours de bienvenue, en des termes qui n'ont rien, dans ma bouche, de propos de circonstance, « l'exceptionnelle convergence » d'intérêts et de devoirs entre nos deux pays, leur vocation commune à s'affirmer indépendamment des deux Blocs, américain et soviétique. Bref, à inventer le visage d'un autre monde. J'ajoute que « la grande leçon de la coopération franco-chinoise, c'est que nous avons pu nous rejoindre et nous comprendre en approfondissant chacun nos racines, en nous appuyant sur les vertus ancestrales de nos deux peuples, qui sont des vertus paysannes, comme l'avait rappelé Georges Pompidou à Pékin. »

La Chine n'a alors rien à craindre de l'épuisement, déjà si manifeste en URSS et dans les pays de l'Est, d'un système communiste dont elle seule a su se servir pour retrouver son énergie et se hisser de nouveau au premier rang des grandes nations du monde.

Tout autre est l'impression que je retire, durant la même période, de mes contacts avec les dirigeants roumain, polonais et hongrois, de passage à Paris. Qu'il s'agisse de Nicolae Ceauşescu, d'Edward

Gierek ou de Janos Kadar, tous m'apparaissent comme les ultimes vestiges d'un modèle à bout de souffle et d'une idéologie sans avenir. En les recevant à l'Hôtel de Ville, je m'attache toujours à souligner que toutes les nations européennes, sans exception, appartiennent à une même civilisation, et que chacune d'elles puise ses raisons de vivre aux mêmes sources morales et spirituelles.

On sait le rôle capital joué, dans la déstabilisation définitive des régimes communistes européens, par l'élection, en octobre 1978, d'un pape d'origine polonaise. Le début du pontificat de Jean-Paul II est alors marqué par le voyage retentissant que le nouveau souverain pontife effectue en Pologne et dont je salue aussitôt, dans une déclaration que je veux ici rappeler, l'importance exceptionnelle pour l'Église comme pour l'Europe tout entière :

Pour l'Église : Qui pourrait méconnaître en effet les retombées que ne manquera pas d'avoir, pour ce qui concerne l'exercice authentique de la liberté religieuse dans les pays de l'Est, la présence physique du chef de l'Église catholique rassemblant tout un peuple autour de sa personne ? Après ce voyage, rien ne pourra plus être comme avant ; l'Église et, avec elle, les valeurs de liberté et de dignité de l'homme viennent de remporter une victoire décisive.

Pour l'Europe : La présence du pape en Pologne nous rappelle opportunément que l'Europe ne s'arrête ni à l'Elbe, ni à l'Oder, ni même à la Vistule. À Varsovie, à Gniezno, à Cracovie bat le cœur de l'Europe immémoriale, celle qui, comme le pape ose le proclamer, est l'Europe chrétienne de l'Atlantique à l'Oural. Il était urgent que, nous arrachant à nos querelles politiciennes, une voix s'élève pour faire prendre conscience que l'Europe existe depuis deux millénaires, que son ciment a été le christianisme et que la civilisation qu'elle incarne demeure, dans ses finalités, profondément spirituelle.

Jamais encore je n'avais manifesté aussi fortement qu'en cette circonstance mon attachement personnel à l'Église catholique. Par souci de laïcité, j'ai toujours estimé qu'un certain devoir de réserve ou de discrétion s'impose aux responsables politiques s'agissant de leurs convictions religieuses. Pour autant, je n'ai jamais fait mystère de ma propre foi, ni du respect que je porte à toutes les formes de croyance.

Un des moments les plus marquants de ma vie est celui que j'ai passé le 12 octobre 1976, quelques semaines après mon départ de Matignon, à l'abbaye de Solesmes pour la fête de la Dédicace, célébrée en souvenir du jour où l'abbatiale a été consacrée. Bouleversé par l'extraordinaire beauté du chant grégorien, captivé par une liturgie admirable, je ne laissais pas d'être fasciné par l'atmosphère de ce lieu voué tout entier à l'étude des Écritures, au silence et au recueillement.

J'éprouve infiniment de déférence et d'admiration envers les hommes et les femmes qui consacrent leur vie à la prière et à la contemplation. Voilà pourquoi je serai heureux, une dizaine d'années plus tard, de favoriser l'installation à Meymac, en Corrèze, d'un monastère de religieuses cisterciennes dans le domaine du Jassonneix que sa propriétaire, une vieille dame sans descendance, souhaitait léguer à des religieuses. Restaurée et agrandie grâce à des fonds que je suis parvenu à mobiliser, l'ancienne bergerie accueille depuis 1985 une fondation de trappistines venues de l'abbaye de la Coudre, à Laval, dans la Mayenne. Aujourd'hui, ce lieu à l'architecture épurée, conçue selon l'esprit même de dépouillement et de simplicité propre à l'idéal cistercien, permet de concilier les règles de la vie monastique et le séjour de personnes souhaitant y faire retraite. Cinq religieuses, bientôt six, y vivent en permanence, que j'ai toujours plaisir à aller saluer lors de mes séjours en Corrèze.

Mais une autre vocation que la vocation monastique correspond mieux, je dois bien l'avouer, à mon caractère et mon tempérament : celle qui trouve dans l'action son accomplissement. L'action, non pour se divertir, mais pour donner du sens à la vie et s'efforcer de réaliser un même idéal de justice, de paix et de fraternité… Toute politique implique une idée de l'homme. Et toute idée de l'homme a un fondement religieux, avoué ou inavoué. La mienne est issue de deux mille ans de christianisme et se nourrit des préceptes qu'on m'a enseignés durant mon enfance. Mais cette foi ne m'éloigne pas des autres croyants, quelle que soit leur religion, ni même des incroyants, dès lors que nous partageons la même recherche d'un monde plus juste et plus pacifique. Un monde que nous forgeons dès à présent de nos mains.

Peu d'hommes de Dieu m'ont autant impressionné que Jean-Paul II. Outre la force de son engagement pastoral, si saisissante pour moi comme pour tous les chrétiens du monde, dès son premier déplacement en Pologne, ce qui me frappe plus que tout lorsque je l'accueille à Paris en mai 1980, c'est l'intensité de sa présence, de son regard, le mélange de détermination et d'extrême bonté qui émane de sa personne comme du message qu'il a entrepris de délivrer, sans relâche, aux hommes de son temps.

Un peu moins de deux ans auparavant, par l'intermédiaire de mon directeur de cabinet, Bernard Billaud, ami du philosophe Jean Guitton et familier des autorités vaticanes, j'avais été reçu à Rome, en audience privée, par le pape Paul VI. C'était un mois à peine avant sa disparition. Bien que déjà très affaibli, le souverain pontife, impressionnant lui aussi par son allure austère, réservée, et la fermeté de son jugement, m'avait accordé un long entretien, d'une durée inhabituelle selon son entourage. L'air détendu, relançant la conversation comme pour en différer l'issue malgré le peu de temps dont il disposait, Paul VI paraissait heureux de rencontrer le maire d'une ville restée chère à son cœur depuis que, jeune prêtre, il y avait passé tout un été, au milieu des années vingt, pour suivre des cours à l'Alliance française. Après avoir rendu à Paris l'hommage le plus chaleureux, Paul VI, se tournant vers moi, m'avait adressé d'une voix émue ces quelques mots restés pour moi ineffaçables : « Monsieur le Maire, nous vous avons tant attendu ! Nous n'espérions plus votre venue ! »

En janvier 1980, apprenant que Jean-Paul II doit accomplir une visite en France au cours des mois suivants, je décide de tout mettre en œuvre pour obtenir qu'il fasse halte à l'Hôtel de Ville. Je charge aussitôt Bernard Billaud de préparer un nouveau séjour à Rome pour rencontrer le Saint-Père, d'autant que les organisateurs du voyage pontifical se montrent plutôt défavorables à l'idée que le pape se rende à la Mairie de Paris, par crainte de créer un précédent vis-à-vis d'autres municipalités. En réalité, ces résistances sont activées, sinon inspirées directement par l'Élysée, hostile comme toujours à l'idée de trop valoriser le nouveau maire de Paris. Face à cette situation, je n'ai plus d'autre choix que d'aller directement plaider la cause des Parisiens auprès de Jean-Paul II. Ce dernier me reçoit durant une vingtaine de minutes, le 26 avril, mais sans me donner d'assurances formelles malgré son accueil attentif et bienveillant. Puis, après l'avoir quitté, j'entreprends de faire la tournée des cardinaux les plus influents, du secrétaire d'État au doyen du Sacré-Collège, le vieux cardinal Confalonieri, qui me paraît le mieux disposé à intercéder en faveur de Paris. Une semaine plus tard, un coup de téléphone du nonce m'informera de l'accord du pape pour venir à l'Hôtel de Ville et s'y adresser au peuple parisien.

Pour les habitants de sa capitale, cette visite, la première depuis celle de Pie VII près de deux siècles auparavant, revêt aussitôt une dimension historique, encore renforcée par l'immense popularité qui entoure déjà celui qu'on surnomme « l'homme vêtu de blanc ». Des personnalités de tous bords, du comte de Paris jusqu'au secrétaire général du Parti communiste, Georges Marchais, sollicitent d'être présentés à ce pape hors normes, en train de bouleverser, au-delà même de l'Église, toute l'histoire de cette fin de siècle.

À l'Hôtel de Ville, chacun se mobilise, sous l'autorité de Bernard Billaud, pour prendre soin de la disposition des lieux, s'occuper du décor à mettre en place, régler dans le moindre détail le déroulement d'un cérémonial surveillé de près par le grand organisateur des déplacements pontificaux, Mgr Marcinkus.

Le 30 mai 1980, alors que la nuit descend peu à peu sur la capitale, plusieurs dizaines de milliers de personnes envahissent la place de l'Hôtel de Ville. La partie centrale de la façade est recouverte d'une immense tenture blanche sur laquelle se détachent, illuminées par les projecteurs, les armes du Vatican et celles de la capitale. Le cortège papal, arrivant de Notre-Dame, traverse lentement cette marée humaine et s'arrête au pied de l'estrade où j'attends le souverain pontife.

À l'apparition de Jean-Paul II, une ovation immense s'élève de la foule. Le pape salue longuement le flot des fidèles qui se pressent vers lui. Son visage est empreint d'une joie paisible et fraternelle. Après avoir échangé quelques mots, nous montons côte à côte les marches revêtues d'un tapis rouge, qui mènent au podium où a été installé le trône pontifical.

Sur la place règne maintenant une atmosphère de ferveur et de retenue saisissantes. Rarement la présence d'un hôte étranger m'a paru à ce point intimidante. C'est d'une voix lente, comme pour mieux contenir l'émotion qui est la mienne, que j'exprime au pape notre fierté de le recevoir « *en ce lieu où ont été célébrés les plus grands événements de l'histoire de notre pays et d'où jusqu'aux quatre coins du monde ont été portées les idées généreuses qui ont enflammé tant d'hommes en quête de dignité, de liberté et d'honneur.*

Ceux qui croient et ceux qui ne croient pas sont venus pour vous dire les espérances que nous portons en vous, témoin vigilant et infatigable de la conscience et de l'esprit, en ces temps difficiles où il faut avec la culture et la civilisation sauver la vocation de l'homme.

Comment en ce jour pourrais-je oublier la longue fidélité qui unit la France à Rome? Comment pourrais-je oublier que la ville de Paris et la ville de Rome sont des villes sœurs heureusement jumelées? Une même lumière les enveloppe, plus douce et blanche à Paris, plus éclatante et dorée à Rome. Mais c'est la même lumière : elle figure la lumière de l'esprit qui nous unit en ce jour historique où Votre Sainteté est venue visiter le peuple de Paris ».

Lorsqu'il prend la parole à son tour, Jean-Paul II commence par adresser à la population parisienne et à ses élus un témoignage de gratitude et d'affection : « Dans ma patrie d'origine, tient-il à rappeler, on sait ce que l'on doit à Paris. » Puis il met très vite l'accent sur les « questions concrètes » du présent et celles de « l'avenir à préparer ». Évoquant les « multiples problèmes d'aménagement et d'organisation qui sont le lot des grandes métropoles », le pape souligne que ceux-ci ne sont « jamais dépourvus d'une composante humaine » :

Paris, c'est d'abord des hommes, des femmes, des personnes entraînées par le rythme rapide du travail dans les bureaux, les lieux de recherche, les magasins, les usines; une jeunesse en quête de formation et d'emploi; des pauvres aussi, qui vivent souvent leur détresse, ou même leur indigence, avec une dignité émouvante, et que nous ne pouvons jamais oublier; un va-et-vient incessant de population souvent déracinée; des visages anonymes où se lit la soif de bonheur, du mieux-être et, je le crois aussi, la soif du spirituel, la soif de Dieu.

En écoutant la voix vibrante et chaleureuse de Jean-Paul II, je pense à ma propre mission au service de ces millions de Parisiens dont il parle, et me sens conforté dans l'idée que la gestion d'une ville, comme celle d'un pays, doit plus que jamais prendre en compte, en effet, sa « composante humaine ». Admirable formule, dont je mesure, ce soir-là, la vérité profonde avec une acuité toute particulière.

17

LE TOURNANT DE 81

Le 3 février 1981, j'annonce ma décision d'être candidat à l'élection présidentielle qui doit avoir lieu deux mois plus tard. Un communiqué, mis au point dans mon bureau de l'Hôtel de Ville, précise les raisons de cette candidature :

La France est riche d'histoire et de culture. Elle a les moyens de la grandeur, et pourtant elle s'affaiblit. Son économie vacille, ses positions dans le monde s'effritent. La lassitude et le doute s'insinuent au cœur des Françaises et des Français. Il faut arrêter ce processus de dégradation. Aucune fatalité ne condamne notre pays au repliement. Seules lui manquent aujourd'hui l'ambition du rang et la volonté de l'effort.

À condition de le vouloir, la France peut, en libérant son économie, assurer du travail à tous et créer la solidarité agissante qui fera d'une collectivité d'individus une vraie communauté d'hommes et de femmes, et redonnera l'espoir aux familles de notre pays.

À condition de le vouloir, la France peut renforcer sa sécurité et sa présence dans le monde, et porter son message de dignité et de paix à tous les peuples qui veulent continuer à disposer d'eux-mêmes.

À condition de le vouloir, la France peut montrer l'exemple de la vraie démocratie en refusant toute complaisance à ceux qui bafouent la loi par la violence, en exerçant sans faiblesse l'autorité républicaine qui garantit la liberté et la sécurité du citoyen.

C'est pour engager la nation sur ce chemin que j'ai décidé d'être candidat à la présidence de la République...

C'est en solitaire, et contre l'avis d'une partie de mes proches, que j'ai résolu de m'engager dans ce nouveau combat. Aujourd'hui, je ne me souviens pas d'avoir longtemps hésité, tant cette décision me semblait aller de soi. Valait-il mieux, comme me le conseillait, entre autres, Édouard Balladur, que je me réserve pour d'autres échéances, afin de laisser toutes ses chances au Président sortant et ne pas risquer, en cas d'échec, d'en être tenu pour responsable ? À ce raisonnement, censé servir mes intérêts, j'oppose la conviction que les Français, faute d'une alternative venant de notre propre camp, préféreraient le candidat socialiste à un chef de l'État que j'estime largement discrédité. De plus, je ne vois rien d'illégitime à ce que les gaullistes, compte tenu du rôle qu'ils ont joué dans son histoire, puissent aspirer de nouveau à diriger le pays.

Cette aspiration est d'autant plus forte, chez eux comme chez moi, sept ans après l'élection de Valéry Giscard d'Estaing, que ce dernier n'a rien fait, malgré mes appels réitérés, pour mériter leur soutien ni s'attirer leur sympathie. Les raisons de mon départ de Matignon, en août 1976, puis celles de la bataille de Paris, dans les mois suivants, ont contribué à dresser durablement contre l'Élysée nombre d'électeurs et de militants RPR. À ces motifs d'irritation se sont ajoutés des désaccords plus profonds. La quête obstinée du « juste milieu », le projet timide d'une croissance douce, le rappel lancinant de l'insignifiance numérique de la France et des Français dans le monde ont été vécus par les gaullistes comme autant de tentatives de déstabilisation politique à leur encontre et de volonté d'affaiblissement de la conscience nationale.

C'est en vain que j'adresse à Giscard, lorsqu'il m'arrive de le rencontrer, des mises en garde du genre : « Il ne faut pas blesser une bête. On la tue ou on la caresse. » Ou que je lui rappelle ce proverbe arabe, qu'il ne prend pas davantage au sérieux : « Ne poussez jamais le chat dans les recoins. » La communication a toujours été difficile entre Giscard et moi, avant de devenir quasi impossible à la fin de son septennat, tant j'ai du mal à comprendre ses réactions, ses façons d'être et sa psychologie.

Alors que j'étais Premier ministre, un épisode m'avait déjà éclairé sur certains aspects déconcertants de sa personnalité. Invoquant le fait qu'un de ses lointains aïeux aurait pris part à la guerre de l'Indépendance américaine, Giscard s'était mis en tête d'intégrer, avec toute sa famille, le prestigieux ordre des Cincinnati. Après avoir remué ciel et terre pour y parvenir, il finit par me demander d'intervenir auprès de l'association, en tant que chef de gouvernement. J'effectuai cette démarche du mieux que je pus, mais celle-ci se heurta à une fin de non-recevoir catégorique. L'ordre avait estimé, après examen de la requête, que le postulant ne réunissait pas toutes les conditions pour être reconnu comme le descendant d'un des « Fils de la Révolution ». Les règles d'entrée y étant très strictes, le cas de l'ancêtre avait été jugé définitivement irrecevable. Giscard en fut meurtri, atteint dans son orgueil et son amour-propre dans des proportions qui me semblèrent démesurées.

Ce n'est pourtant pas le revers le plus sérieux qu'il ait subi sur le plan international. En mai 1980, le chef de l'État a pris l'une de ses initiatives diplomatiques les plus contestables en acceptant de se rendre à Varsovie pour y rencontrer Leonid Brejnev, cinq mois à peine après que l'URSS eut envahi l'Afghanistan. Officiellement, cette démarche, effectuée à la demande pressante des autorités polonaises, visait à protéger leur pays, alors en proie à une agitation syndicale grandissante, d'une intervention soviétique semblable à celle qui avait abouti, douze ans auparavant, à la reprise en main par Moscou de la Tchécoslovaquie. Mais une telle rencontre, dans le contexte de l'affaire afghane, ne pouvait qu'être sujette à caution et sa portée symbolique servir avant tout les intérêts de l'URSS, en paraissant dédouaner ses dirigeants de leur forfait contre la vague promesse de retirer les troupes soviétiques de Kaboul « dès que cela serait possible ». C'est l'esprit de Munich qui flottait, ce jour-là, sur Varsovie.

L'autre point faible du bilan présidentiel concerne sa politique économique. Les plans d'austérité échafaudés et mis en place par le gouvernement Barre n'ont pas suffi, comme je l'ai toujours pensé et affirmé, à enrayer la montée du chômage ni même à maîtriser l'inflation, pourtant cheval de bataille du Premier ministre. Le redressement de notre économie ne pouvait s'opérer, à mon sens, sans une relance massive de l'investissement. C'est là, depuis 1975, une de mes sources de désaccord les plus profondes et les plus constantes avec Valéry Giscard d'Estaing. Et l'une des raisons majeures, six ans plus tard, de ma propre candidature à l'élection présidentielle...

La France battant désormais des records en matière de prélèvements obligatoires, au risque de nuire à l'essor et à la compétitivité des entreprises, j'insiste sur la nécessité de « libérer » notre économie. Formule aussitôt interprétée comme une conversion opportuniste au libéralisme en vogue aux États-Unis depuis l'élection de Ronald Reagan. Un de ces revirements dont je serais coutumier, selon mes détracteurs...

Il leur eût suffi de me lire pour constater que ce que je préconise en 1981 n'est en rien contradictoire avec les idées que je défendais, trois ans auparavant, dans mon livre, *La Lueur de l'espérance.* Si j'estimais nocif et illusoire de s'en remettre au seul jeu du libéralisme, je n'en soulignais pas moins dès ce moment-là « le rôle irremplaçable de la liberté et de la concurrence », mis en danger par l'excès de bureaucratie :

Les entreprises françaises étouffent littéralement sous la réglementation administrative. Elles ne peuvent rien faire sans autorisation préalable, accordée généralement au petit bonheur, mais après de longues tracasseries et avant un bon lot supplémentaire de formalités consécutives. Leurs dirigeants consacrent beaucoup plus de temps à se battre contre l'inertie des bureaux qu'à réfléchir aux problèmes de la production et du marché. Des masses d'employés s'occupent en permanence à répondre aux flots de questionnaires et de paperasses qu'en face des masses de fonctionnaires engendrent consciencieusement, sans que personne ne puisse dire, dans la plupart des cas, à quoi le tout sert au juste.

C'est toujours ce même fléau que je dénonce lorsque j'en appelle, au début des années quatre-vingt, à une libération de notre économie, tout en souhaitant que l'État demeure fidèle à ses véritables missions s'agissant, notamment, des questions de l'emploi et de la solidarité. Expression d'une troisième voie entre modèle socialiste et projet d'une « société libérale avancée ».

*

Un jour d'octobre 1980, un de mes proches au sein du mouvement gaulliste, Jean de Lipkowski, député-maire RPR de Royan, me propose de rencontrer François Mitterrand, à l'occasion d'un dîner qu'il prévoit d'organiser chez son amie Édith Cresson. Je connais aussi cette dernière et l'apprécie, ce qui m'encourage à accepter spontanément une telle invitation.

Apparenté sous la IVe République à l'UDSR, le petit groupe parlementaire alors présidé par celui qui est devenu le premier secrétaire du Parti socialiste, « Lip », comme on l'appelle dans le milieu politique, a gardé des liens étroits avec diverses personnalités de gauche. Proche depuis toujours d'Édith Cresson, il continue d'entretenir des relations avec François

Mitterrand. En 1976, sa fidélité à mon égard, jugée par Giscard impardonnable, a coûté à Jean de Lipkowski son poste de ministre de la Coopération lors du changement de gouvernement. Autant dire qu'il ne compte pas parmi les partisans les plus empressés de la réélection du chef de l'État.

C'est à son instigation et à celle d'Édith Cresson qu'a été organisée cette rencontre avec François Mitterrand. Je n'en ai pris, à aucun moment, l'initiative. Convaincu du contraire et soucieux de démontrer que j'en étais l'inspirateur, Valéry Giscard d'Estaing attribuera, dans un de ses livres, à François Mitterrand, qu'il affirme être allé interroger dans les derniers instants de sa vie, la confirmation qu'il souhaitait obtenir de lui à ce propos. Ceci explique probablement pourquoi Giscard n'a jamais cherché à me questionner, à mon tour, sur le même sujet... La vérité est que, convié par Lipkowski à dîner en compagnie du chef de l'opposition, je lui ai donné mon accord sans hésiter. Ce qui, selon moi, n'a rien d'anormal ni de choquant dans une démocratie. L'anomalie eût été de refuser une telle rencontre. Même si le contexte électoral du moment, propice à toutes les interprétations, m'imposera de la tenir secrète le plus longtemps possible...

Je ne connais pas personnellement François Mitterrand. L'idée que je me fais de lui à cette époque est celle, assez banale le concernant, d'un personnage sans foi ni loi, flou, ambigu, foncièrement machiavélique. Georges Pompidou, qui ne l'aimait pas, m'en parlait comme d'un « aventurier », expert en « coups tordus ». D'un point de vue strictement politique, François Mitterrand est d'abord l'incarnation de tout ce que je combats : non cette gauche humaniste dont je ne me suis jamais senti éloigné, mais une gauche idéologique, dont le programme est à l'opposé de tout ce que je souhaite et espère pour notre pays.

Pour autant, cette divergence d'opinions, si catégorique soit-elle, ne me paraît pas devoir interdire tout échange entre responsables politiques partageant, de surcroît, les mêmes valeurs républicaines. En dehors des extrémistes qui ne se réfèrent pas à ces valeurs, j'ai toujours eu pour règle, dans mes fonctions d'élu de Corrèze, de maire de Paris ou de chef de gouvernement, de dialoguer en toute occasion avec mes adversaires quels qu'ils soient. Il n'y a donc, à mes yeux, rien d'extraordinaire ni de particulièrement scandaleux à rencontrer François Mitterrand, en privé, six mois avant une élection présidentielle à laquelle aucun de nous deux ne s'est encore déclaré candidat.

Cette rencontre se produit, il est vrai, à un moment où les désaccords sont devenus tels, entre le RPR et l'Élysée, qu'ils m'ont conduit à déclarer, le 22 octobre 1980, que « si l'on veut changer de politique, ou il faut changer de Président, ou il faut que le Président fasse l'effort de changer lui-même ». Ce qui ne signifie pas, comme on peut l'imaginer, que, dans la première hypothèse, je pense à François Mitterrand comme successeur possible du président sortant…

C'est parce qu'il n'eut rien de mémorable que je me suis longtemps abstenu d'évoquer le dîner qui nous réunit peu après, au domicile d'Edith Cresson, en présence de Jean de Lipkowski. Et probablement n'en aurais-je jamais parlé, si le président de la République de l'époque ne s'était laissé aller, vingt-six ans plus tard, à publier un témoignage posthume, prétendument obtenu de son successeur, François Mitterrand, selon lequel je lui aurais livré, ce soir-là, le message suivant : « Il faut nous débarrasser de Giscard ! » Scandalisé par le procédé, autant qu'indigné par les propos qui m'étaient ainsi attribués, je ne pouvais manquer, cette fois, de réagir, en récusant fermement une version des faits inspirée à l'évidence, commc souvent chez Giscard, par ses seuls ressentiment à mon égard.

Je garde de cette première rencontre avec François Mitterrand le souvenir d'un échange courtois et détendu, mais, en définitive, sans réel intérêt, hormis celui de tenter de mieux se connaître et de se jauger mutuellement, en quête d'éventuelles affinités. Je savais François Mitterrand amoureux de l'Afrique et très lié, comme je l'étais moi-même, à Félix Houphouët-Boigny, qu'il avait jadis convaincu, comme il tint à me le rappeler, de rompre avec le communisme. Mais j'ignorais tout, en revanche, de sa fascination pour le continent asiatique et la Chine en particulier, et il ne me parut pas moins surpris de découvrir tout l'intérêt que je porte à l'histoire de ce peuple. De la brève conversation que nous eûmes à ce propos, je retirai l'impression d'un homme bien plus fin et subtil que celui qu'on m'avait décrit, et d'une culture plus étendue que je ne l'avais soupçonné. Quant à la politique française, ce n'est pas à ce sujet que nous avions le plus à apprendre l'un de l'autre, tant nous savions à quoi nous en tenir sur nos opinions respectives et les ambitions qui nous opposaient.

C'est sur la suggestion d'Édith Cresson, et d'un commun accord, que nous avons décidé, à l'issue du dîner, d'évoquer en tête à tête la situation du pays et les échéances électorales qui s'annonçaient. L'entretien dura environ une heure, et non deux comme on l'a raconté. Il y fut question, naturellement, du chef de l'État, à propos duquel François Mitterrand, comme c'était son intérêt, m'indiqua toutes les raisons que j'avais, selon lui, de le faire battre. La réélection de Giscard, me dit-il en bref, serait « catastrophique » pour le RPR comme pour la France... De mon côté, soucieux de ne pas entrer dans son jeu, je me suis borné à faire état de mes propres critiques, connues de tous au demeurant, sur l'action du président de la République et de son gouvernement. Mais sans aller, comme on a voulu le laisser croire par la suite, jusqu'à me tromper d'adversaire en souhaitant, devant François Mitterrand, qui n'eût pas manqué d'en tirer parti, qu'« on se débarrasse » de qui vous savez...

Telle est la véritable histoire de ce dîner qui n'eut rien de décisif et ne méritait pas tant de commentaires. C'est ailleurs, de toute évidence, qu'il faut chercher les raisons profondes de la défaite de mai 1981.

*

Le Rassemblement pour la République n'a pas attendu l'annonce officielle de ma candidature, le 3 février 1981, pour se mobiliser. Programme, locaux, affiches, comités de soutien, équipes opérationnelles, tout est prêt depuis plusieurs mois, sous l'impulsion de Charles Pasqua. Et très vite la campagne bat son plein, portée, à travers tout le pays, par l'enthousiasme de centaines de milliers de militants et de sympathisants. Je sillonne la France d'un bout à l'autre, tiens meeting de ville en ville, multiplie, selon mon habitude, les contacts directs avec la population. Sur le terrain, mes chances de l'emporter semblent chaque jour plus réelles.

Pour être élu, j'ai conscience de devoir m'imposer comme la seule alternative au Président sortant, et donc éliminer François Mitterrand dès le premier tour. J'adresserai aux Français un appel en ce sens, le 22 avril. Mais pour atteindre cet objectif, encore faudrait-il que toute la famille gaulliste fasse bloc autour de ma candidature. Ce qui n'est pas le cas, deux autres candidats issus de nos rangs ayant décidé de se présenter de leur côté.

Le premier est Michel Debré, que certains « barons » inféodés au gouvernement ont hélas ! encouragé, avec la bénédiction de l'Élysée, à se lancer dans la bataille pour son propre compte. J'éprouve beaucoup d'admiration et de respect pour Michel Debré, et ai tout tenté, sans succès, afin de le dissuader de s'engager dans un combat que je savais perdu d'avance. Le second de ces candidats est Marie-France Garaud, poussée par l'ambition, encore inassouvie, d'exister par elle-même et de délivrer seule au pays le message dont elle s'estime porteuse depuis toujours.

Michel Debré et Marie-France Garaud totaliseront, à l'issue du premier tour, à peine 3 % des suffrages, mais en affaiblissant d'autant mon propre score. Le 26 avril, j'arrive en troisième position derrière François Mitterrand et Valéry Giscard d'Estaing. Ce dernier, avec 28,31 % des voix contre 25,84 % à son challenger, est loin d'avoir obtenu le résultat qu'il escomptait pour affronter le second tour en position de force. Seul peut lui permettre de l'emporter un ralliement massif de ces électeurs RPR qu'il a cru bon, si longtemps, de mépriser.

Au soir du premier tour, c'est d'abord leur déception que je mesure autour de moi. Rares sont ceux, au sein de mon équipe, qui se déclarent prêts à soutenir un président dont ils n'ont pas apprécié la politique et, encore moins, le comportement à leur égard. Et ce n'est pas la proposition, transmise peu après par l'Élysée, d'inviter à déjeuner les parlementaires et les cadres du Rassemblement, qui sera de nature à les rassurer… Sauf à m'exprimer à titre personnel – ce que je fais, dès le lendemain, en annonçant que je voterai, quant à moi, pour M. Giscard d'Estaing – il ne m'appartient pas d'engager la position du mouvement sans l'approbation de ses membres. Or, celle-ci est loin d'être acquise, comme le confirme, dans les jours suivants, la décision du comité central de laisser la liberté de vote à nos adhérents. Tandis que quelques personnalités gaullistes comme Philippe Dechartre ou Christian Poncelet n'hésitent pas à se déclarer favorables au candidat de la gauche.

Plus que sur un choix de politique, cette élection se jouera sur une question de confiance. C'est de la capacité ou non du Président sortant à restaurer son crédit auprès d'une partie des électeurs de sa majorité que dépendra l'issue du scrutin. Au fond de moi, je crains qu'il ne soit déjà trop tard pour que Giscard y parvienne, tant ses mauvaises relations avec le RPR me semblent irrémédiables. Giscard ne fera d'ailleurs aucun effort spectaculaire entre les deux tours pour se rapprocher de ses dirigeants, qu'il ne cherchera pas même à rencontrer, par crainte sans doute de paraître s'abaisser.

Lorsqu'il m'appelle au téléphone, le 28 avril, c'est tout au plus pour me demander de participer au grand meeting qu'il prévoit d'organiser porte de Pantin. Je lui réponds que, n'étant pas mandaté par les militants du RPR pour m'exprimer en leur nom, je ne vois pas l'utilité d'y être présent. Après quoi, Giscard m'adressera, le 1er mai 1981, une lettre officielle d'invitation au meeting qui doit se tenir le surlendemain. Comme j'en demande la raison au secrétaire général de l'Élysée, Jacques Wahl, celui-ci me répond : « Pour que ça reste… »

Le 4 mai, Giscard m'écrit de nouveau, et sans doute avec la même arrière-pensée, pour m'annoncer son intention de « prendre en compte les sensibilités et les suggestions qui se sont exprimées ces dernières semaines ». La démarche est à l'évidence trop tardive pour avoir le moindre effet, d'autant qu'elle s'accompagne d'une promesse qui peut prêter à sourire quand on connaît l'histoire des dernières années : « C'est pourquoi, annonce Giscard, je chargerai le nouveau Premier ministre d'organiser, sans délai, les États généraux de la majorité, qui permettront aux diverses familles qui la composent de retrouver leur unité, en tirant ensemble les enseignements de la campagne pour les traduire dans l'action. » On ne saurait être moins convaincant.

Je ne souhaite pas la victoire de François Mitterrand et le fais savoir on ne peut plus clairement dans un texte que je publie, le 6 mai 1981, appelant à faire barrage au candidat socialiste. Mais je n'ai plus aucun moyen, désormais, d'endiguer le processus, engagé de longue date, qui entraîne une minorité des militants gaullistes à rejeter ouvertement Giscard au profit de son concurrent. Y serais-je parvenu que cet effort n'eût d'ailleurs pas suffi à inverser le cours des choses, comme le prouveront les résultats du second tour de l'élection présidentielle.

Le soir du 10 mai 1981, chacun pourra vérifier, chiffres en main, que le Président a fait le plein des voix de droite, et même gagné trois cent mille voix supplémentaires. Ce n'est donc pas le vote des électeurs RPR qui a creusé l'écart de 1,2 million de voix qui le séparent de son challenger socialiste, mais la mobilisation massive, en faveur de François Mitterrand, des abstentionnistes du premier tour. Preuve que l'arithmétique d'une telle élection échappe, en réalité, à la seule logique partisane.

Je n'ai pas le cœur à me réjouir d'un échec aussi retentissant, qui rejaillit, au-delà du candidat, sur l'ensemble de la majorité. En politique, on ne construit pas une victoire sur la défaite de son propre camp. Mais cette défaite, qui est aussi la mienne, comment ne pas en imputer la responsabilité à celui qui s'est employé, d'un bout à l'autre de son septennat, à diviser sa majorité au lieu de la rassembler, et à gouverner sans tenir le moindre compte de l'opinion de ses alliés ? Giscard préférera en rejeter la faute sur d'autres – c'est-à-dire, moi – en parlant de « trahisons préméditées » quand il eût été plus honnête de reconnaître, au moins, des torts partagés.

Il n'aura plus de cesse, désormais, que de remâcher ses griefs et de me désigner comme le seul coupable de son renvoi de l'Élysée. Un jour, Giscard assurera avoir « jeté la rancune à la rivière ». Mais ce jour-là, la rivière devait être à sec, tant cette rancune est demeurée chez lui tenace et comme inépuisable.

Pour néfaste qu'elle fût à mes yeux, l'arrivée de la gauche au pouvoir ne signifiait pas la fin de la République, ni celle de ses institutions. Tout au plus était-ce le prix de l'alternance souhaitée par les Français. En démocratie, la défaite d'un homme n'est jamais, ou rarement, une perte irréparable.

18

À LA TÊTE DE L'OPPOSITION

Écartés du pouvoir pour la première fois depuis 1958, les partis de l'ancienne majorité doivent apprendre, du jour au lendemain, à changer de rôle et à s'organiser comme forces d'opposition. Le 21 juin 1981, les résultats des élections législatives ont été conformes à ce qu'on pouvait en attendre : 269 sièges au Parti socialiste contre 83 pour le RPR et 61 à l'UDF. Une nouvelle fois, j'ai été réélu dès le premier tour député de Corrèze, mais en franchissant de justesse la barre des 50 % face à un jeune candidat socialiste, du nom de François Hollande.

À l'issue du scrutin, je dresse publiquement le bilan des deux échecs successifs que nous venons de subir : « Reconnaissons-le, la majorité des Français s'est détournée des idées qui ont inspiré durant vingt ans notre action pour la France. Une autre période commence, mais, dans cette situation nouvelle, nous saurons surmonter l'épreuve en demeurant soucieux, avant tout, du bien de notre pays... Nous devrons bien tirer les leçons de l'événement, nous en chercherons les causes en nous-mêmes et pas ailleurs, comme certains pourraient être tentés de le faire. Nous n'avons pas su convaincre les Français que nous étions en mesure d'assurer le changement qu'ils espèrent. Tout nous incite donc à la réflexion et aussi à un profond renouvellement. »

Ce profond renouvellement est à mes yeux la condition même de nos succès futurs. Il ne suppose pas seulement d'apaiser les différends au sein de l'ancienne majorité – ce à quoi je me suis employé dès le 14 mai, en signant avec l'UDF un protocole d'accord en prévision des élections législatives. Il implique aussi que s'engage, au sein de chaque formation, une période de réflexion permettant de faire émerger un nouveau projet politique.

L'erreur serait de se réfugier, en attendant des jours meilleurs, dans une critique systématique de tout ce que peut entreprendre le gouvernement socialiste. Considérant que l'alternance n'a rien en soi de tragique ni d'irréversible, il m'arrive à plusieurs reprises, durant cette période d'extrêmes tensions, de plaider publiquement pour davantage de tolérance envers les différents acteurs de la vie politique. Sans grand succès, de part et d'autre. Je n'en demeure pas moins convaincu que l'opposition n'a aucun intérêt à rivaliser de sectarisme avec une majorité si prompte à caricaturer l'œuvre de ses prédécesseurs. Et en ce qui me concerne, c'est sans esprit doctrinaire ou manichéen que j'entends juger l'action du nouveau gouvernement…

Je n'ai pas attendu leur mise en application pour m'inquiéter des mesures économiques et financières prévues dans les « cent dix propositions » du programme socialiste. Il suffira de quelques mois pour que l'accroissement massif de la dépense publique, et celui des impôts par voie de conséquence, ainsi que la nationalisation, à tous égards inopportune, de plusieurs groupes industriels importants, dont celui de Marcel Dassault, et d'une grande partie des établissements bancaires, précipitent le pays dans une situation alarmante. L'endettement extérieur bat des records, tandis que les déficits se creusent, et que la montée du chômage ne cesse de s'aggraver. Ni la diminution du temps de travail à trente-neuf heures, sans diminution de salaire, ni l'instauration de la cinquième semaine de congés payés, n'ont eu les effets escomptés par le pouvoir. Le 4 octobre 1981, l'expérience socialiste se solde par une première dévaluation, suivie d'une deuxième après l'adoption, en juin 1982, d'un plan de rigueur qui se traduira par le blocage des salaires et des prix et une tentative, encore modeste, de restriction des dépenses.

Il était inévitable que l'emprise idéologique conduise les vainqueurs du 10 mai à se lancer dans une aventure sans issue, porteuse de nouvelles désillusions pour tous ceux qui rêvaient d'un changement plus efficace. Alors que le pays avait besoin de plus de souplesse et moins de bureaucratie dans l'organisation économique, de plus de discernement et de rigueur dans la gestion de l'argent public, et d'un nouveau partage des responsabilités entre l'État et la société, la politique mise en place n'a abouti, à force d'archaïsme, qu'au renforcement des blocages antérieurs.

Ce constat ne m'empêche pas de juger positives certaines actions gouvernementales en faveur de la culture et de la recherche, et d'approuver, dans ses grandes lignes, la politique de défense suivie par le gouvernement Mauroy, au sein duquel je ne compte pas que des ennemis. Du Premier ministre lui-même, que je tiens pour un homme de qualité, à Michel Rocard, Charles Hernu ou Édith Cresson, devenue ministre de l'Agriculture, mes relations personnelles avec certains membres de l'équipe en charge des affaires du pays échappent à la seule logique de l'affrontement partisan.

Quant au chef de l'État, je ne suis pas de ceux, au sein de l'opposition, qui lui dénient sa légitimité au nom des résultats de son action. « Allez-vous contester mon pouvoir ? » m'a-t-il demandé, lorsqu'il m'a reçu à l'Élysée peu après sa prise de fonctions. « Sûrement pas, lui ai-je répondu, puisque j'ai bien l'intention de vous succéder. » Contrairement à ce qu'on pouvait craindre, et bien qu'il les ait longtemps combattues, François Mitterrand n'a nullement remis en cause les institutions de la Ve République, ni cherché, si peu que ce soit, à se priver d'aucun des pouvoirs qu'elles lui procurent. Et je ne doute pas qu'il veille, dans ce domaine, à rester, jusqu'au terme de son mandat, le garant vigilant de la continuité gaullienne.

Le 17 septembre 1981, je fais partie des seize députés d'opposition, avec, entre autres, Philippe Séguin, Michel Noir et Jacques Toubon, qui votent l'abolition de la peine de mort. J'ai toujours été hostile à la peine de mort, estimant qu'en aucun cas elle ne saurait constituer un acte de justice. Personne, selon moi, n'est en droit de porter atteinte à la vie humaine. J'ai beaucoup regretté qu'on ait tant tardé à prendre une telle décision. Mais celle-ci ne pouvait venir que du chef de l'État, seul détenteur du pouvoir de gracier ou non un condamné.

Si j'avais été élu président de la République en mai 1981, c'est une des premières mesures que j'aurais tenté de faire adopter, mais avec moins de facilité, sans doute, que François Mitterrand. Peut-être n'aurais-je pas été suivi par ma propre majorité, si j'en juge par le grand nombre de parlementaires de droite et du centre à s'être prononcés, le 17 septembre 1981, contre l'abolition. Un sondage paru ce jour-là indique que 62 % des Français restent favorables à la peine capitale, et parmi eux, beaucoup de nos électeurs. Mais il n'était pas question pour moi de prendre en compte dans cette affaire, ni l'opinion du pays, ni celle de la formation que je préside. J'ai voté contre la peine de mort indépendamment de toute considération électorale, en n'écoutant que mes convictions intimes. Le respect de la personne humaine est de ces valeurs sur lesquelles je refuserai toujours de transiger, quelles qu'en soient les conséquences pour ma carrière ou celle de mes amis.

D'un point de vue strictement politique, la suppression de la peine de mort a été l'un de mes rares sujets de convergence avec le pouvoir en place, alors que, durant cette même période, l'affrontement droite-gauche redouble d'intensité. Exaspérés par nos tentatives de faire barrage, dans le cadre parlementaire, à l'adoption de leur programme, les socialistes, réunis en congrès à Valence, du 23 au 25 octobre 1981, vont jusqu'à menacer de « sanctions » tous ceux qui « s'opposent à la volonté populaire, au changement voulu par la majorité ». Huit mois plus tard, cette menace se traduit par une agression directe contre celui qui apparaît désormais comme le leader de l'opposition : le maire de Paris.

J'en suis surpris, d'autant que les relations entre l'Élysée et l'Hôtel de Ville semblaient s'être améliorées depuis l'arrivée de François Mitterrand. Mais peut-être aurais-je dû voir un mauvais présage dans cette déclaration du nouveau chef de l'État lorsque je l'ai accueilli à la Mairie, peu après son élection « Premier contre-pouvoir face au château du seigneur, l'Hôtel de Ville s'affirme comme la maison commune : vieux face-à-face du roi et du prévôt. »

En février 1982, François Mitterrand me convie à une réunion à l'Élysée pour me consulter sur les « grands chantiers » qu'il souhaite mettre en œuvre dans la capitale. Je lui indique mon accord de principe quant à la réalisation de ces projets, qui me paraissent répondre aux préoccupations des Parisiens, même si je lui avoue que le coût de ce programme ambitieux me fait quelque peu frémir en tant que contribuable et ancien Premier ministre. Il s'agit, dans l'immédiat, du projet de la Villette, initié par Valéry Giscard d'Estaing et repris et modifié par son successeur, de ceux de l'Opéra Bastille, de l'Arche de la Défense, de l'Institut du monde arabe et du transfert du ministère des Finances à Bercy, afin de procéder à l'aménagement du Grand Louvre, auquel je suis d'emblée favorable. Autant de « grands chantiers » qui ne pourraient voir le jour sans une parfaite collaboration entre l'État et la Ville.

Le 30 juin 1982, c'est par une dépêche de l'AFP que j'apprends, avec stupéfaction, la décision du ministre de l'Intérieur, Gaston Defferre, de remettre en cause, au nom de sa politique de décentralisation, le statut de Paris. Le but est de créer, au niveau de chaque arrondissement, une municipalité de plein exercice. Ces municipalités désigneraient ensuite leurs représentants au Conseil de Paris, lesquels éliraient à leur tour le maire de la capitale. Celui-ci ne serait plus maire que de nom, ses fonctions devenant celles, tout au plus, d'un président de communauté urbaine. Le 6 juillet au matin, le premier secrétaire du Parti socialiste, Lionel Jospin, reconnaît dans une déclaration que son parti a été l'inspirateur du projet. La manœuvre politique ne fait donc plus aucun doute.

L'affaire est d'autant plus scandaleuse que le statut de Paris, mis en place cinq ans auparavant, a fait ses preuves et permis une gestion plus efficace de la ville dans tous les domaines. Sur le plan financier, la gestion est saine, la ville très peu endettée et les impôts locaux restent parmi les moins élevés des grandes communes françaises. Pour tenter de justifier ce véritable coup de force, le gouvernement brandit deux arguments qui ne résistent pas à l'examen.

Le premier est la démographie. Paris serait devenu une trop grande ville, ce qui nécessiterait son découpage en municipalités autonomes. Or, la population de Paris ne cesse de diminuer, malgré nos efforts pour enrayer ce phénomène. Au recensement de 1975, elle ne comptait plus que deux millions trois cent mille personnes, contre trois millions entre les deux guerres. En 1982, ce chiffre est encore en baisse de cent trente mille.

Le deuxième argument, non moins absurde, est l'éloignement de l'administration municipale, prétendument inaccessible pour les habitants, alors que les principaux services administratifs ont été déconcentrés au niveau de chaque arrondissement. Quant aux élus, leur proximité avec les citoyens n'a jamais été aussi réelle que depuis mon élection, renforcée par des structures de concertation sans équivalent dans les grandes villes de province : commissions d'arrondissement, spécifiques à la capitale, qui jouent un rôle consultatif essentiel, et commissions extra-municipales, créées à ma demande en 1977, qui permettent à la population de se prononcer directement sur tous les sujets municipaux la concernant.

Mon indignation est telle, face à tant de mauvaise foi, que je refuse toute négociation avec les responsables gouvernementaux que je qualifie publiquement d'« incompétents », d'« irresponsables » et de « tricheurs ». Lors d'une conférence de presse organisée exceptionnellement dans le salon des Tapisseries de l'Hôtel de Ville, j'en appelle aux Parisiens pour qu'ils exigent du gouvernement une consultation populaire. Près de 250 000 personnes répondent à cet appel, ainsi que nombre d'associations réputées favorables à la gauche.

C'est une levée de boucliers générale qui s'organise dans la capitale, tandis qu'une stratégie commune est échafaudée par mon adjoint Roger Romani avec le maire de Lyon, Francisque Colomb, pour exiger du ministre de l'Intérieur et maire de Marseille la révision de son projet de loi. Cette offensive portera ses fruits. Contraint de battre en retraite, le gouvernement finira par renoncer à ce qui constituait l'objectif essentiel de sa réforme : retirer au maire de Paris tout pouvoir de décision. La loi dite PLM, concernant les trois grandes métropoles nationales, aboutit à la création de mairies d'arrondissement, à Paris comme dans chacune des deux autres. Mais en reconnaissant la pleine autorité du maire de la ville dans la gestion globale des affaires municipales.

En ce qui concerne Paris, cette autorité se verra encore renforcée, l'année suivante, par notre réélection triomphale lors du scrutin municipal de mars 1983. L'équipe sortante remporte la majorité dans la totalité des vingt arrondissements de la capitale. Chacun d'eux, désormais doté de pouvoirs spécifiques, sera administré par un maire issu de nos rangs. Cette victoire est pour moi d'autant plus satisfaisante qu'elle me permet de faire émerger, dans des fiefs traditionnels de la gauche, une nouvelle génération de responsables politiques, parmi lesquels Alain Devaquet, Jacques Toubon et Didier Bariani dans le XIe, le XIIIe et le XXe arrondissement.

C'est au développement de ces secteurs, souvent les plus délaissés de la capitale, que j'entends consacrer l'une des grandes ambitions de ma nouvelle mandature. Le 23 novembre 1983, je présente un plan d'aménagement de l'Est parisien qui prévoit la construction, sur des terrains appartenant à la ville ou à d'autres collectivités publiques, d'un très grand nombre de nouveaux équipements. Il me faut fournir ici quelques chiffres pour donner une idée de l'ampleur de ces objectifs, qui portent sur la réalisation, notamment, de 20 000 logements neufs, de 38 hectares d'espaces verts, de 300 000 mètres carrés de bureaux et 180 000 mètres carrés de locaux industriels, de 300 classes maternelles et élémentaires, d'une trentaine de crèches, de quatre conservatoires, d'une quinzaine de gymnases et de 45 000 mètres carrés de terrains de sport.

La rénovation du quartier de la Goutte-d'Or, dans le XVIIIe arrondissement, comme les transformations spectaculaires opérées, dans le XIXe, au nord du site de la Villette, pour y installer la Cité des sciences et de l'industrie, et porte de Pantin la Cité de la musique, sont autant d'illustrations de cette volonté de rééquilibrer Paris vers l'est. C'est la même métamorphose qui se produit dans le XIIe arrondissement, entre le bassin de l'Arsenal, la place de la Bastille, le parc de Bercy et jusqu'aux abords de la gare de Lyon, témoins de la plus vaste entreprise lancée, en matière d'urbanisme, depuis le baron Haussmann. Mais d'un urbanisme humanisé et répondant au souci d'une plus grande harmonie entre toutes les fractions du territoire parisien.

Pour illustrer cette ambition, j'aime à citer ce savoureux échange épistolaire entre François Miron, prévôt des marchands, et Henri IV auquel il offre sa démission :

« Cher Sire,

Permettez que je me retire : en jurant fidélité au Roi, j'ai promis de soutenir la Royauté. Or votre Majesté me commande un acte pernicieux à la Royauté. Je refuse. Je le répète à mon cher Maître et souverain bien-aimé. C'est une malheureuse idée de bâtir des quartiers à l'usage exclusif d'artisans et d'ouvriers. Dans une capitale où se trouve le souverain, il ne faut pas que les petits soient d'un côté et les gros et dodus de l'autre. C'est beaucoup mieux quand tout est mélangé. Je ne veux pas, Sire, être le complice de cette mesure. »

Et le Roi de lui répondre :

« Vous êtes vif comme un hanneton, mais à la fin du compte, un brave et loyal sujet. Soyez content, on fera vos volontés. Et le Roi de France ira longtemps à votre école de sagesse et de prud'homie. Je vous attends à souper et je vous embrasse. »

Belle époque que celle où le souverain savait parler ainsi à ses sujets les plus récalcitrants.

*

Après l'affaire de la mairie de Paris, qui s'est dénouée comme on sait au cours de l'été 1982, c'est la question de l'école libre qui ravive les hostilités entre la majorité socialiste et l'opposition dont je suis devenu le principal chef de file.

Parmi les « cent dix propositions » électorales de la gauche figurait la création d'« un grand service public unifié et laïc de l'éducation nationale » – formule qui contenait une menace évidente pour l'enseignement privé. Du moins fut-elle perçue comme telle par l'épiscopat français qui, s'en étant inquiété ouvertement, obtint du ministre de l'Éducation nationale, Alain Savary, après une large concertation, la révision du texte dans un sens jugé plus acceptable. Jusqu'à ce que cet apparent consensus vole en éclats sous la pression des députés socialistes, déterminés à limiter le plus possible l'aide financière aux écoles libres.

Bref, la guerre scolaire est rallumée, qu'on pouvait croire définitivement éteinte après tant d'années de querelles et de controverses. C'était compter sans l'anticléricalisme resté vivace des nouveaux dirigeants du pays et sans les motivations ambiguës d'un chef de l'État lui-même issu de l'enseignement confessionnel. Formé à l'école publique, contrairement à François Mitterrand, et élevé dans le respect de la laïcité, je n'en suis pas moins attaché, en ce qui me concerne, à la préservation des établissements privés et, plus encore, à la liberté de choix des familles en matière d'éducation.

Convaincu que seule une épreuve de force peut contraindre le pouvoir à reculer, comme je l'ai vérifié deux ans auparavant, à propos de la réforme du statut de Paris, j'ai peine à croire que les négociations plus ou moins secrètes menées par l'épiscopat suffisent à régler le problème. C'est un discours assez catégorique que je tiens à Mgr Vilnet, président des évêques de France, et à l'archevêque de Paris, Mgr Lustiger, lorsque je les reçois à l'Hôtel de Ville, les mettant en garde contre l'illusion d'une possible conciliation avec le gouvernement. Encore persuadés du contraire, mes interlocuteurs me demandent de tout faire pour empêcher la récupération par l'opposition d'un débat pourtant déjà amplement politisé par nos adversaires.

Les relations parfois difficiles que j'ai entretenues avec Mgr Lustiger datent de cette affaire. Après m'avoir suggéré d'aller rencontrer François Mitterrand pour l'assurer des intentions pacifiques du RPR – ce qui aiderait le Président, selon lui, à calmer le jeu auprès des siens –, l'archevêque de Paris me fera adresser, sans plus de succès, une seconde requête en février 1984 : celle de ne pas participer à la grande manifestation organisée à Versailles, le 4 mars, en faveur de l'école libre. Mon absence, ce jour-là, d'un défilé rassemblant quelque 800 000 personnes aurait eu d'autant moins de sens et d'intérêt que le conflit revêt désormais, pour tous les Français, un caractère évidemment politique. Je déciderai donc de me rendre à Versailles, comme je serai présent, le 24 juin, au côté des deux millions de manifestants qui défileront dans les rues de Paris.

Le 12 juillet, François Mitterrand annonce le retrait de la loi Savary, provoquant la démission du ministre, suivie, cinq jours plus tard, de celle du chef du gouvernement, Pierre Mauroy, également désavoué. Notre combat n'a pas été vain – même si les socialistes n'entendent pas en rester là de l'offensive engagée contre l'opposition.

L'étape suivante sera l'instauration de la proportionnelle, le 3 avril 1985. Comptant, elle aussi, parmi les promesses du candidat socialiste, elle vise d'abord, quatre ans plus tard, à favoriser l'émergence du Front national, qui vient d'obtenir plus de 10 % des voix aux élections européennes de juin 1984.

Je suis hostile à la réforme du mode de scrutin, considérant qu'elle ne peut que rendre difficile l'émergence d'une véritable majorité au Parlement. Mais cette réforme n'a qu'un but, en réalité, dans l'esprit de François Mitterrand : institutionnaliser l'extrême droite, lui permettre d'acquérir suffisamment de poids de manière à gêner l'opposition. Ce qui revient à faire la promotion du racisme et de la xénophobie à des fins strictement électorales.

Instrumentalisé contre nous par le chef de l'État, le Front national est, au demeurant, l'une des résultantes directes de la politique suivie depuis 1981. La décision prise par le gouvernement, cette année-là, de régulariser massivement la situation des travailleurs clandestins a eu des effets désastreux. Légaliser la présence sur notre sol de 120 000 sans-papiers, c'était non seulement prendre le risque de déclencher une nouvelle vague d'immigration clandestine, alors que la crise de l'emploi s'était elle-même intensifiée entre-temps. C'était aussi provoquer et alimenter chez beaucoup de nos compatriotes des réactions virulentes face à cet afflux de population étrangère. Réactions exploitées sans limites par le Front national qui en a tiré parti avec d'autant plus de facilité que la question de l'immigration, longtemps refoulée du débat politique, se pose au grand jour, désormais, avec une acuité retentissante.

La percée du Front national s'est opérée dès l'automne 1983, à l'occasion des élections municipales partielles de Dreux, en Eure-et-Loir, sans que j'y aie alors prêté suffisamment d'attention. C'est ainsi que j'ai laissé, sans m'y opposer, la droite locale faire alliance au second tour avec le candidat du parti de Le Pen et remporter l'élection dans ces conditions. Je n'ai mesuré qu'après coup la gravité de ce qui venait de se produire.

Je coupai court aussitôt à toute idée d'entente ou de stratégie commune avec le Front national, parti de la haine et du rejet de l'autre, à l'opposé de toutes mes convictions. Pour moi, le patriotisme, c'est l'amour des siens, et le nationalisme, la haine des autres. Résolu, non seulement à proscrire, pour l'avenir, toute alliance avec le FN, mais à dénoncer surtout les thèses qu'il véhicule, je me trouvai du même coup confronté à une situation politique difficile, pris en tenaille entre une extrême droite en pleine progression et une gauche qui a tout intérêt à encourager l'essor de celle-ci à nos dépens et ne s'en prive d'ailleurs pas.

En instaurant la proportionnelle, François Mitterrand et les responsables du Parti socialiste ont façonné de leurs mains le destin du Front national. L'existence de ce dernier ne saurait être qu'un moindre mal pour le chef de l'État dès lors qu'elle l'aiderait à se maintenir au pouvoir. Telle était d'ailleurs bien son intention, quels que fussent les résultats des élections législatives à venir.

*

C'est bien parce qu'elle a déjà intégré cette dernière donnée que l'opposition a commencé, dès 1983, à envisager l'hypothèse d'une cohabitation entre le président de la République et un Premier ministre venu de ses rangs.

Valéry Giscard d'Estaing a été, on l'a vu, le premier, dans son discours de Verdun-sur-le-Doubs, peu avant les élections législatives de mars 1978, à évoquer, en cas de victoire de la gauche, la perspective d'un pouvoir à deux têtes, le chef de l'exécutif laissant s'accomplir une politique contraire à ses vues, mais qu'il n'aurait aucun moyen d'entraver. Je m'étais élevé à cette époque contre cette idée d'un « arbitre impartial », ou plutôt passif et résigné, quelle que soit la politique mise en place sous sa présidence. En décembre 1983, c'est une hypothèse plus fidèle à l'esprit de la Constitution que formule Édouard Balladur dans un article du *Monde* alors très commenté : celle d'une cohabitation conçue dans le respect des pouvoirs conférés à chacun par cette même Constitution.

Je ne suis pas spontanément favorable à cette idée, prévoyant la somme de conflits que son application risque d'entraîner et la paralysie qui peut en résulter dans le fonctionnement de l'État. Mais le fait est que la Constitution de la Ve République, même si on n'y avait pas expressément pensé à l'origine, permet une telle coexistence, du moins ne l'interdit pas. L'opinion peut varier au gré des circonstances, mais les institutions ne sauraient varier au gré de l'opinion. Il faut donc que celles-ci soient assez fortes pour résister et assez souples pour s'adapter. Ce qui est heureusement le cas de notre système constitutionnel.

Si l'on imagine mal de Gaulle cohabitant, compte tenu de sa personnalité, de sa place dans l'Histoire et de la conception qu'il avait de sa légitimité, il me paraît probable que Georges Pompidou eût accepté de rester en fonctions, bien que contraint à désigner un Premier ministre du bord adverse. Quant à Giscard, il s'y était préparé avant même de savoir si cette éventualité se présenterait, et en semblant regretter que les électeurs ne lui imposent pas finalement de changer de majorité.

Contrairement à ce qu'on a parfois affirmé, ce n'est pas Édouard Balladur qui a inventé l'idée de la cohabitation : tout au plus l'a-t-il conceptualisée. Et il n'est pas davantage exact qu'il m'ait converti à cette idée, même si nous en avons souvent parlé en tête à tête dans mon bureau de l'Hôtel de Ville. Personne ne pouvait douter sérieusement de la détermination de François Mitterrand à aller, quoi qu'il advienne, jusqu'au bout de son mandat. La question se posait donc ouvertement dès cette époque, au sein de l'opposition, d'une possible coexistence avec le chef de l'État. Raymond Barre l'avait abordée le premier directement lors d'une réunion publique à Bourg-en-Bresse, en juin 1983, pour stigmatiser, en cas de cohabitation, « le retour aux jeux, aux délices et aux poisons de la IVe République ». Ce qui signifiait, à moins d'imposer par on ne sait quels moyens la démission du Président, que l'opposition devrait se refuser à assumer la responsabilité du gouvernement, et donc provoquer une crise de régime. Je n'en voyais pas la nécessité, ni dans l'intérêt du pays, ni au regard de nos institutions. Dès lors, je ne pouvais que me rallier à la seule solution qui me paraissait raisonnable dans l'hypothèse où nous serions amenés à former le gouvernement.

Encore nous faut-il regagner la confiance des électeurs et dans des conditions telles que nous soyons en mesure, cette confiance retrouvée, de déterminer et de conduire la politique de la Nation, selon les termes de l'article 20 de la Constitution. C'est à quoi je ne cesserai de m'employer au cours des années précédant les élections législatives de mars 1986.

Il s'agit en premier lieu de fédérer les diverses composantes de l'opposition. En juin 1984, la présentation, à mon initiative, d'une liste commune RPR-UDF aux élections européennes, conduite par Simone Veil, a permis, non de gommer les différences d'appréciation, mais de rapprocher les points de vue entre les deux formations à propos d'un sujet censé nous diviser. Un accord de gouvernement est conclu l'année suivante, préalable à la plate-forme commune qui sera signée peu avant les élections législatives. Fût-elle de façade en ce qui le concerne, une réconciliation publique parvient même à s'opérer entre Giscard et moi. Quant à la question du leadership, celle-ci se trouve en partie réglée au lendemain du débat télévisé qui m'oppose au Premier ministre, Laurent Fabius, le 27 octobre 1985. Arrogant, méprisant, refusant de me serrer la main, le chef du gouvernement m'offre sans le vouloir l'opportunité d'apparaître comme l'adversaire le plus crédible pour assurer son éventuelle succession à Matignon.

Le programme sur lequel le RPR et l'UDF s'entendent le 16 janvier 1986 contient de multiples projets de réforme – dénationalisation des banques et des grands groupes industriels, suppression de l'impôt sur les grandes fortunes, instauration de la liberté des changes, du crédit et de la concurrence… – qui visent essentiellement à réintroduire plus de souplesse et de dynamisme dans le fonctionnement de l'économie nationale. Est-ce là pour autant un programme strictement libéral, semblable à ceux mis en place par Ronald Reagan aux États-Unis et Margaret Thatcher en Grande-Bretagne ? Il faut d'abord y voir le fruit d'une synthèse entre les aspirations des différents courants de l'opposition, gaulliste, centriste et proprement libéral. Et comme pour toute synthèse, sa mise en œuvre n'ira pas elle-même, en cours d'exercice, sans concessions ni ajustements de part et d'autre.

Le seul modèle économique qui vaille à mes yeux n'a pas changé, quoi qu'il y paraisse. C'est toujours celui d'une économie humaniste, qui tend à un meilleur équilibre entre les missions de l'État et la responsabilité des citoyens. L'humanisme se fonde sur la conviction que rien de bon ni de grand ne peut se faire en dehors de l'homme et du respect total des libertés et des droits individuels, eux-mêmes justifiés par les devoirs qui incombent à chacun. L'humanisme, c'est l'affirmation de la dignité absolue de tout être humain. En fonction de cela, l'État doit être garant et non gérant. Son rôle n'est pas de se substituer à la société civile, mais de répondre à ses aspirations en fonction des pouvoirs qui lui sont reconnus.

Mais la question qui se pose, à la veille des élections législatives de mars 1986, n'est pas seulement celle de la politique que nous devrons engager, en cas de victoire, mais celle, aussi, des moyens que nous aurons de la réaliser dans le cadre, jamais expérimenté à ce jour, de la cohabitation.

19

COEXISTER

L'opposition l'emporte d'extrême justesse au second tour des élections législatives, le 16 mars 1986. Avec seulement trois sièges de plus que la majorité absolue, sa victoire n'est pas celle qu'elle espérait. La proportionnelle a porté ses fruits. Instituée à cette seule fin, elle permet au Front national de faire son entrée au Palais-Bourbon, y obtenant 35 sièges. De quoi constituer son propre groupe et exercer pleinement ce pouvoir de nuisance pour lequel il a été programmé. Le RPR et l'UDF auront certes les moyens de gouverner. Mais avec une marge de manœuvre plus limitée que prévue pour assumer la direction du pays dans le contexte, qui plus est difficile, de la cohabitation.

En réalité, le vainqueur du scrutin du 16 mars n'est autre que François Mitterrand, désavoué dans les urnes mais conforté par l'étroitesse des résultats dans sa volonté de se maintenir à l'Élysée. C'est toute l'équivoque de la nouvelle configuration politique, habilement orchestrée à son profit par le chef de l'État. Bien que perdant, ce dernier ne l'est pas dans des proportions telles qu'il puisse être contraint de démissionner. Et, quoique gagnante, la nouvelle majorité ne l'est pas dans des conditions telles qu'elle puisse prétendre régner sans partage.

Que faire face à cette situation, sinon s'en tenir au strict respect de la Constitution ? Celle-ci garantit au futur Premier ministre la maîtrise du gouvernement et, par voie de conséquence, lui permet d'appliquer son programme. S'agissant du président de la République, son autorité reste acquise en ce qui concerne la défense et les affaires étrangères, ses domaines réservés, mais non exclusifs. Que les deux détenteurs de l'exécutif n'appartiennent pas à la même famille politique change évidemment la donne. Mais j'ai eu l'occasion de vérifier, dans le passé, que la liberté d'action du Premier ministre ne dépend pas forcément de ses convictions communes avec le chef de l'État.

En des circonstances aussi particulières, le choix du Premier ministre ne saurait être dicté par le seul bon vouloir de l'Élysée. Le fonctionnement même de la cohabitation impose que soit désigné le chef du parti le plus puissant de la majorité, ou l'un des siens qu'il mandaterait à sa place.

Le lendemain de l'élection, une réunion se tient au domicile du sénateur centriste Pierre Schiele, où se retrouvent les chefs de file de la majorité : Claude Labbé, Charles Pasqua, Édouard Balladur, Jacques Toubon et moi-même pour le RPR ; Jean Lecanuet, Jean-Claude Gaudin, André Rossinot, Pierre Méhaignerie et François Léotard pour l'UDF. Il s'agit de s'entendre sur le nom du futur Premier ministre, alors que des rumeurs font état d'une possible nomination de Simone Veil, de Jacques Chaban-Delmas ou même de Valéry Giscard d'Estaing. L'unanimité se fait sur mon nom. Plébiscité par nos alliés de l'UDF, à travers François Léotard, je le suis tout autant par Pierre Méhaignerie et André Rossinot, au titre du CDS et du Parti radical. Un tel accord entre ces divers courants ne s'était pas vu depuis longtemps.

J'accepte de prendre la tête du gouvernement à condition que tous les partis présents s'engagent à y participer, ce que j'obtiens sans difficulté. La stabilité de la prochaine équipe ministérielle exige, au vu de la faible majorité dont nous disposons au Parlement, que tous, sans exception, soient associés à la gestion du pays. Quitte, pour le Premier ministre, à devoir tenir compte en permanence des aspirations de chacun des groupes qui le soutiennent…

À l'issue de la réunion, un communiqué commun est adopté, indiquant que « toute personnalité appartenant à la nouvelle majorité, qui serait sollicitée par le président de la République pour assurer la fonction de Premier ministre, s'assurera, avant d'accepter, que la mise en œuvre de la politique nouvelle voulue par le pays bénéficiera du soutien nécessaire de l'ensemble des forces politiques composant la majorité ». Cette personnalité, est-il encore précisé, se doit de figurer parmi les élus du dernier scrutin – ce qui n'est pas le cas de Simone Veil – et d'avoir pris part, en outre, à l'élaboration de la plate-forme UDF – RPR –, à laquelle ni Giscard ni Chaban n'ont accepté de collaborer. Le but ici est d'éviter que le chef de l'État ne choisisse un Premier ministre à sa convenance – d'autant plus malléable qu'il n'aurait pas obtenu au préalable la caution de la nouvelle majorité.

Le 18 mars, après avoir envisagé toutes les hypothèses et laissé planer le doute sur ses intentions, François Mitterrand me fait savoir officiellement, par le secrétaire général de l'Élysée, Jean-Louis Bianco, son souhait de me rencontrer, le même jour, en fin d'après-midi.

L'entretien dure un peu plus de deux heures. Invoquant la tradition républicaine qui veut qu'on fasse appel au représentant du parti le plus important à l'Assemblée nationale, ainsi que son souhait personnel, le chef de l'État m'annonce très vite son intention de me nommer Premier ministre. Je lui réponds que je suis prêt à accepter sa proposition, si nous sommes d'accord, lui et moi, pour respecter la Constitution au pied de la lettre. Le Président m'assure que « le gouvernement gouvernera, comme le stipule l'article 20 » et s'engage à signer toutes les lois votées par le Parlement, y compris les ordonnances prévues pour opérer au plus vite les privatisations… pour peu qu'elles soient « conformes à la légalité républicaine ». Ce qui ne me paraît guère discutable, même si cette précision n'est probablement pas dénuée, chez lui, d'arrière-pensées, comme j'aurai vite fait de le vérifier. Lorsque je lui confirme mon intention de rétablir au plus vite le scrutin majoritaire, François Mitterrand me précise qu'il n'entend pas s'y opposer, tout en feignant de s'étonner de ma précipitation : « Pourquoi êtes-vous si pressé ? » me demande-t-il. Je lui réponds qu'il s'agit d'un engagement pris devant les Français : « Si on ne le fait pas maintenant, on ne le fera jamais… »

Puis le Président me fait part de trois conditions, auxquelles je n'ai aucune raison de m'opposer : que le gouvernement se montre respectueux à son égard ; qu'il ne remette pas en cause l'abolition de la peine de mort ; enfin, qu'il laisse au chef de l'État son droit de regard sur la politique étrangère et la défense nationale. Ce qui suppose, ajoute-t-il, que les ministres concernés « soient des gens avec lesquels je puisse parler en confiance », manière de me rappeler qu'il aura naturellement son mot à dire sur la composition du gouvernement.

François Mitterrand ne tarde d'ailleurs pas à entrer dans le vif du sujet. Il me prévient qu'il serait contraint d'exprimer « les plus expresses réserves » au cas où je lui demanderais, comme il l'a entendu dire, de nommer Jean Lecanuet au Quai d'Orsay et François Léotard à la Défense. Le premier, parce qu'il le juge trop « atlantiste » et qu'il ne partage pas sa conception de la politique étrangère. Le second, parce qu'il ne le croit pas digne d'occuper d'aussi hautes fonctions. « Un matin, me déclare-t-il en riant, on apprendra que Léotard a déclaré la guerre sans qu'il nous ait mis au courant, ni vous ni moi. » Habile façon de me tester, d'autant que je ne suis guère enclin à lui donner tort dans l'un et l'autre cas.

Sachant mon intention de confier à Charles Pasqua le ministère de l'Intérieur, François Mitterrand se montre assez dubitatif : « Je n'ai rien contre, me dit-il. Mais il risque de nous faire écouter l'un et l'autre vingt-quatre heures sur vingt-quatre. Moi, cela ne me dérangera pas beaucoup, ajoute-t-il malicieusement. Il y a longtemps que je ne dis plus rien au téléphone. Mais vous ? » Je me porte garant de Charles Pasqua, dont je l'assure que nous n'avons, ni l'un ni l'autre, rien à redouter. Ce qui n'a pas l'air de le convaincre, pour ce qui me concerne…

Je sors de ce premier entretien plutôt confiant quant aux chances de cohabiter sans trop de heurts avec François Mitterrand. Non que je sous-estime les différends qui peuvent nous opposer, ni l'application que le chef de l'État mettra à guetter le moindre de nos faux pas, et son empressement à en tirer parti. J'ai appris, depuis l'affaire de la mairie de Paris, à me méfier de la pugnacité de François Mitterrand, comme de son art de la dissimulation. « Ne vous laissez jamais impressionner par Mitterrand, m'avait dit un jour Georges Pompidou. Vous ne devez jamais croire ce qu'il vous dit, quoi qu'il raconte. »

De mon côté, je ne me sens nullement désarmé pour affronter un tel partenaire et lui imposer, dans tous les cas, le respect de mes propres prérogatives. Mais je ne doute pas que notre intérêt commun soit de rechercher, le plus longtemps possible, les voies de l'apaisement et de la conciliation – même si la cohabitation ne saurait être, en elle-même, qu'un rapport de forces permanent…

Dès mon retour à l'Hôtel de Ville, je me consacre à la formation de mon gouvernement. Édouard Balladur m'apporte son concours dans les choix de ceux qui composeront la nouvelle équipe ministérielle. Devenu l'un de mes plus proches conseillers depuis le départ de Pierre Juillet et de Marie-France Garaud, il fait figure à mes côtés, sous des apparences peut-être un peu trompeuses, de sage et de pondérateur. J'ai de l'estime et du respect pour son intelligence, sa culture et son grand sens de l'État. Si j'avais dû m'effacer pour Matignon au profit de quelqu'un d'autre, sans doute aurais-je pensé à lui en priorité. Probablement ai-je eu tort de le lui dire dès ce moment-là – ce qui ne pouvait manquer de lui donner quelques idées pour la suite...

Sceptique par nature et libéral par conviction, Édouard Balladur est un calculateur froid, qui répugne aux emballements et aux coups d'éclat, comme à toute forme de conflit ouvert. Il me livre son appréciation des hommes et des situations avec une sorte de raffinement acéré, rarement exempt d'ironie ou de causticité. Pleinement conscient de sa valeur intellectuelle, il ne fait pas mystère auprès de moi de se sentir supérieur à tous ceux qui m'entourent et d'espérer désormais, après avoir longtemps occupé dans l'ombre les seconds rôles, se voir octroyer la place éminente qu'il estime mériter.

Celle-ci lui est d'autant plus acquise, au sein du futur gouvernement, qu'il est en grande partie l'auteur de son programme économique et donc le plus qualifié, à mes yeux, pour le mettre en place. Mais, après que je lui ai proposé, comme prévu depuis plusieurs mois, de devenir ministre de l'Économie et des Finances, Édouard Balladur, visiblement insatisfait, ne peut s'empêcher de me faire comprendre qu'il attend une promotion supplémentaire : « Jacques, finit-il par m'avouer, je voudrais être ministre d'État. » Ce que je lui accorde bien volontiers, quoiqu'un peu étonné par la démarche...

C'est Édouard Balladur qui me suggérera le nom de Jean-Bernard Raimond, ex-conseiller diplomatique de Georges Pompidou et alors ambassadeur de France à Moscou, pour prendre la tête du ministère des Affaires étrangères, que j'ai d'abord offert à Valéry Giscard d'Estaing, mais que ce dernier a refusé. Le choix d'André Giraud, ancien ministre de l'Industrie du gouvernement Barre, pour la Défense nationale, sera aussi son idée.

Pour le reste, je veille à ce que les responsabilités ministérielles soient réparties le plus équitablement possible entre les différents courants de la majorité. L'aile libérale sera représentée par Alain Madelin et François Léotard, auxquels sont attribuées respectivement l'Industrie et la Culture. La famille centriste, par René Monory et Pierre Méhaignerie, qui prendront en charge, l'un l'Éducation nationale, l'autre l'Équipement et les Transports. Quant au RPR, il occupera quelques postes clés dans la future sphère gouvernementale : outre l'Économie et les Finances, dévolues à Édouard Balladur, le ministère du Budget est confié à Alain Juppé et celui des Affaires sociales et de l'Emploi à Philippe Séguin, deux hommes qui passent déjà pour mes héritiers présomptifs. Charles Pasqua ayant vocation, plus que tout autre, à devenir ministre de l'Intérieur, sa nomination ne sera une surprise pour personne. Plus difficile à pourvoir, en revanche, est le ministère de la Justice, que j'ai envisagé, dans un premier temps, de proposer au sénateur Étienne Dailly – ce dont François Mitterrand m'a aussitôt dissuadé en me disant : « Vous n'y pensez pas. Il serait obligé de se faire arrêter lui-même, dès le lendemain. » Le poste échoit finalement à une personnalité moins discutée, gaulliste éminent de surcroît : Albin Chalandon.

Telle est l'équipe qui s'apprête à prendre en main, sous mon autorité, les destinées du pays.

Une autre se met en place au même moment, qui m'assistera quotidiennement dans ma tâche de Premier ministre, tout en assurant la liaison avec celle qui entoure, à l'Élysée, le chef de l'État. La direction de mon cabinet à Matignon ne peut revenir qu'à un homme en qui, cela va de soi, j'ai non seulement toute confiance, mais dont les qualités personnelles se prêtent le mieux à une coopération efficace et la plus apaisée possible avec l'entourage présidentiel. Nul, à cet égard, ne me paraît mieux à même d'occuper cette fonction que Maurice Ulrich, diplomate dans l'âme, conseiller avisé, perspicace et d'un calme à toute épreuve, dont j'apprécie la force de conviction autant que l'aptitude à considérer chaque situation avec sagesse et pragmatisme.

J'ai fait la connaissance de Maurice Ulrich en 1974, au temps de mon premier gouvernement. Alors directeur de cabinet du ministre des Affaires étrangères, Jean Sauvagnargues, avec lequel je n'entretenais pas les relations les plus chaleureuses, il lui arrivait souvent de représenter le Quai d'Orsay durant les réunions ministérielles consacrées, entre autres, aux négociations européennes. J'eus l'occasion d'éprouver son sang-froid à cette époque, lors de la prise d'otages perpétrée contre notre ambassade à La Haye par un commando de l'Armée rouge japonaise pour exiger la libération de plusieurs de ses militants détenus en France. Chargé du dossier au nom du ministère des Affaires étrangères, Maurice Ulrich fit preuve de ses qualités de négociateur dans des circonstances d'autant plus difficiles que le président Giscard d'Estaing avait tenu à s'impliquer personnellement dans le règlement de cette affaire, toute décision dépendant exclusivement de lui.

Maurice Ulrich étant devenu président d'Antenne 2 à la fin des années soixante-dix, je fis appel à lui en 1985 pour diriger la communication de l'Hôtel de Ville, en tandem avec Denis Baudouin. C'est à ce moment-là que j'ai décidé de l'associer, par-delà ses fonctions municipales, à mon action à la tête du RPR en l'intégrant au groupe de réflexion chargé de la préparation des futures élections législatives. Un comité très restreint, au sein duquel Maurice Ulrich est alors un des rares, sinon le seul, à n'avoir aucune ambition politique. D'un dévouement et d'une loyauté sans faille, étranger aux luttes des clans, il me fournit ce dont j'ai le plus besoin, en réalité : des notes de synthèse, des suggestions concernant l'organisation de la campagne, les sujets à traiter et la façon de les traiter…

En mars 1986, c'est tout naturellement que je demanderai à Maurice Ulrich de m'accompagner à Matignon. Résistant à l'euphorie ambiante, il prend très vite la juste mesure des problèmes auxquels nous allons être confrontés, s'agissant aussi bien de la gestion du pays que du fonctionnement même de la cohabitation.

*

Le premier Conseil des ministres de la nouvelle législature se tient à l'Élysée le samedi 22 mars 1986. Comme pour mieux marquer, sans plus attendre, tout ce qui le sépare de ce nouveau gouvernement rassemblé autour de lui – trente-huit personnes qui ont été, jusqu'à ce jour, autant d'adversaires politiques, souvent féroces à son endroit –, le chef de l'État apparaît en début de réunion, devant les caméras de télévision, le visage tendu, fermé, le regard fixe, comme captif d'une cohorte d'ennemis irréductibles. Mais la réalité de ce qui s'est passé ce jour-là est loin d'avoir été aussi dramatique.

La règle du jeu étant fixée depuis notre premier entretien, il n'y avait rien à craindre, ni pour lui, ni pour nous, du déroulement de cette séance d'intronisation, avant tout destinée à normaliser publiquement les relations entre les deux faces de l'exécutif. De surcroît, il n'était pas question pour moi de chercher à blesser ou humilier, si peu que ce soit, l'homme qui incarne la continuité de l'État et qui m'a témoigné, d'entrée de jeu, plus de respect, de considération et même de cordialité que je n'en avais trouvés, dans les responsabilités similaires, auprès de son prédécesseur. Il en ira ainsi de nos rapports personnels jusqu'au terme de la cohabitation, nonobstant les turbulences qui ont émaillé cette traversée commune.

Comme il se doit, le chef de l'État prend le premier la parole pour rappeler, en quelques mots, le partage des rôles prévu par la Constitution : « C'est ici, au Conseil des ministres, que se décident les affaires du pays... La responsabilité entière de la conduite de la politique gouvernementale est la vôtre, comme l'a voulu la Constitution. La responsabilité est encore la mienne dans un certain nombre de domaines. Pour assurer l'avenir du pays, c'est la nôtre... »

Je réponds à cette mise au point par une déclaration qui se veut tout aussi conciliante : « Le Président a fait appel à un Premier ministre de la nouvelle majorité. Il nous faut assumer le gouvernement dans la dignité, en nous fondant sur deux principes :

le respect du verdict populaire et le respect de la Constitution, en particulier le respect des prérogatives du Président. Nous avons deux priorités : l'emploi et la sécurité. La campagne électorale est terminée : je ne veux pas de polémique… »

Il ne fait aucun doute, pour François Mitterrand comme pour moi, que la cohabitation nous place tous deux dans une situation délicate où, sans être condamnés à s'entendre, nous n'en serons pas moins contraints à agir de concert pour le bien de la Nation. Dans cette période d'observation mutuelle – « je ne cesserai de vous surveiller », m'avait glissé François Mitterrand, d'un ton badin, lors de notre premier échange –, le plus vulnérable serait à coup sûr celui des deux auquel il reviendrait d'assumer seul la responsabilité de la politique engagée. Telle allait être, pour la première fois depuis la fondation de la Vᵉ République, la vocation exclusive du Premier ministre. Ce qui ne signifiait pas, pour autant, que celle du chef de l'État lui impose de se tenir en retrait. Il suffira d'ailleurs de quelques semaines pour que je sois définitivement fixé à ce sujet.

20

L'AFFAIRE DES ORDONNANCES

L'ambition de mon gouvernement est claire : il s'agit de libérer notre économie, avec un objectif prioritaire : la lutte pour l'emploi.

Alors que la reprise est perceptible un peu partout dans le monde, depuis le milieu des années quatre-vingt, notamment aux États-Unis, l'économie française ne suit pas. Si l'inflation a reculé chez nous comme ailleurs, le PIB n'a augmenté que dans de faibles proportions, le commerce extérieur reste déficitaire, malgré la baisse du dollar et celle du prix du pétrole, et les investissements demeurent insuffisants, tandis que le chômage est le plus élevé d'Europe s'agissant des jeunes, un quart d'entre eux se trouvant en recherche d'emploi.

Tout ceci tient largement au fait que loin d'aider à la compétitivité de nos entreprises, comme l'ont fait la plupart des pays en allégeant les contrôles et les réglementations, le gouvernement français a pris le parti inverse. Il n'a eu de cesse que d'accroître l'emprise de l'État, sans que ce dernier remplisse par ailleurs ses véritables missions. Les impôts et charges de tous ordres se sont multipliés, le contrôle des prix et des échanges extérieurs a été maintenu et le pouvoir de la bureaucratie a augmenté d'autant. Le secteur public, considérablement renforcé depuis 1981, emploie désormais près du tiers des actifs, en comptant les salariés des entreprises nationalisées.

Pour remédier à cette situation, j'ai le devoir d'agir vite. J'y suis d'ailleurs fortement incité par une partie de la majorité, impatiente de voir s'accomplir ce que certains intellectuels de droite appellent une « révolution conservatrice », par référence au modèle reaganien ou thatchérien. Je tiens toujours à rappeler, pour ma part, que l'émancipation de notre économie doit aller de pair, dans une période de crise, avec le maintien, si ce n'est le renforcement, de notre système de protection sociale et conduire, en priorité, à la réduction des inégalités. Ce n'est sans doute pas le discours que souhaitent entendre les tenants de l'ultralibéralisme, mais tel est bien, globalement, le sens de la politique que j'ai résolu de mettre en place dans les plus brefs délais.

Le recours aux ordonnances, qui exige au préalable le vote par le Parlement d'une loi d'habilitation, nous paraît s'imposer ici comme dans tous les cas d'urgence. Nous ne sommes pas les premiers, depuis le début de la Ve République, à user de ce type de procédure. Les derniers à s'en être servis sont les socialistes, peu après leur arrivée au pouvoir, pour hâter la réalisation de leur programme de réformes, en particulier celui des nationalisations, qui menaçait de s'enliser dans le débat parlementaire. Ce sont les mêmes raisons qui nous poussent à utiliser les mêmes méthodes – à ceci près que le chef de l'État n'entend pas, cette fois-ci, faciliter le travail du gouvernement…

Malgré sa promesse, il est vrai assortie de quelques conditions, de ne pas s'opposer aux ordonnances que je lui présenterais, François Mitterrand ne tarde pas à en entraver le processus. Le 26 mars, il annonce en Conseil des ministres son refus de signer une première ordonnance : celle révisant la procédure administrative de licenciement installée en 1975 par mon gouvernement précédent. Il s'agit, onze ans plus tard, pour faciliter la mobilité de l'emploi dans un contexte économique plus difficile, de supprimer tout contrôle d'opportunité sur les licenciements de moins de dix salariés. C'est une des mesures emblématiques, bien qu'une des moins bien comprises par l'opinion, du plan d'action économique que nous souhaitons mettre en application. À défaut de pouvoir être installée par ordonnance, cette réforme le sera par une loi votée le 8 juin 1986.

Après cette première tentative d'obstruction, François Mitterrand fait savoir au gouvernement, par le porte-parole de l'Élysée, qu'il n'acceptera de signer des ordonnances qu'« en nombre limité » et essentiellement celles « qui représenteraient un progrès par rapport aux acquis ». Il est clair dès ce moment-là que, s'il n'a aucun moyen de nous empêcher de gouverner, le chef de l'État est déterminé à tout faire pour nous compliquer la tâche.

Le 7 avril, après que je lui ai présenté les deux projets de loi d'habilitation concernant la privatisation, par ordonnances, d'un grand nombre d'entreprises publiques, et la modification du mode de scrutin, le Président m'indique, dans un courrier adressé le jour même, qu'il n'entend pas souscrire à la remise en cause des nationalisations décrétées par le général de Gaulle à la Libération, ni de celles décidées depuis 1981 par le gouvernement Mauroy. Le chef de l'État s'inquiète notamment de « l'éviction collective et immédiate – qui apparaîtra comme une épuration – de tous les présidents de toutes les entreprises visées » par le texte. Quant à la réforme de la loi électorale, le chef de l'État souhaite que l'Assemblée nationale soit « mise en mesure d'apprécier en temps utile les règles de son propre renouvellement ».

Je lui fais parvenir, dès le lendemain, la réponse suivante :

Monsieur le Président de la République,

Je ne reviendrai pas sur les motifs qui me conduisent à recourir à la procédure des ordonnances, ni sur l'utilité de prendre rapidement les mesures qu'attendent les Français et dont ils ont approuvé les lignes générales en choisissant une nouvelle majorité qui a ainsi reçu le mandat de mener une nouvelle politique. […]

En ce qui concerne tout d'abord la privatisation, je crois essentiel, conformément à ce que la nouvelle majorité a toujours affirmé devant le pays, que la plupart des entreprises du secteur concurrentiel entrent dans son champ d'application. Les temps ont changé, la France n'est plus dans la situation de l'après-guerre, des aspirations nouvelles sont nées. Je crois que nous devons les satisfaire. […]

Une fois la privatisation décidée, il est normal de désigner ou de redésigner les dirigeants. Il ne s'agit nullement d'une éviction collective et immédiate, à l'image de ce qui a été fait en 1982, mais d'investir les dirigeants d'une mission nouvelle qu'ils devront accomplir dans un cadre nouveau. Je n'ai aucune intention de décapiter l'ensemble des entreprises considérées, mais au contraire de prendre en compte la capacité des personnes concernées.

Quant au projet de réforme de la loi électorale, je suis tout disposé à donner les précisions souhaitables à l'Assemblée nationale et à publier, avant la signature des ordonnances, les avis de la Commission consultative que je souhaite instituer.

Telles sont les règles qui inspireront mon action, tout entière orientée, vous le savez, par le souci de respecter nos institutions et de respecter le suffrage populaire. Les principes fixés dans les lois d'habilitation devront nécessairement, et comme il est normal, être traduits de façon précise et complète dans les ordonnances qui ne peuvent être que l'application de ces deux lois.

Les privatisations prévues concernent quarante-deux grandes banques et treize compagnies d'assurances, parmi lesquelles la Société Générale, le Crédit Commercial de France, Paribas, la Compagnie Financière de Suez et le groupe mutualiste d'assurances MGF, ainsi que d'importantes entreprises comme la société Matra, l'Agence Havas, la Compagnie Générale d'Électricité, et l'une des trois chaînes publiques de télévision, TF1… C'est à l'évidence un des grands chantiers de la nouvelle législature, aussi nécessaire au redressement de notre économie qu'à la réduction du déficit public, multiplié par cinq entre 1981 et 1985.

Le 23 avril, François Mitterrand dénonce, cette fois, plusieurs dispositions des projets dits « sécuritaires » présentés par le ministre de l'Intérieur,

Charles Pasqua. La sécurité étant devenue une préoccupation constante pour les Français, j'attache beaucoup d'importance à ce que l'État remplisse dans ce domaine les missions qui lui incombent. Notre politique en la matière se traduit par une série de projets de lois destinées à lutter contre la délinquance et la criminalité, en vue d'une meilleure application des peines et d'un renforcement des contrôles d'identité. Elle prévoit également un durcissement du contrôle de l'immigration, en redéfinissant les conditions d'entrée et de séjour des étrangers, par des restrictions d'accès à la carte de séjour de longue durée et des possibilités d'expulsion par décision préfectorale.

Face à la montée du terrorisme, vérifiée dès mon entrée en fonctions avec l'attentat perpétré, le 20 mars, dans la galerie Point Show des Champs-Élysées, je décide la création immédiate d'un Conseil national de la sécurité, rattaché à Matignon et comprenant des fonctionnaires du ministère de l'Intérieur, de ceux de la Justice, de la Défense et des Affaires étrangères, ainsi que de divers organismes spécialisés dans la lutte antiterroriste. Cet effort de coordination est d'autant plus urgent que notre pays apparaît dramatiquement désarmé et donc vulnérable dans ce domaine, faute de disposer d'informations et de renseignements suffisants à propos des auteurs présumés d'attentats terroristes, et d'une véritable coopération internationale.

Sur tous ces sujets – privatisations, sécurité, immigration, action antiterroriste –, François Mitterrand fait connaître au jour le jour ses critiques, ses réserves, ses mouvements d'humeur, mettant au point une tactique de harcèlement qui vise à marquer son territoire en vue d'une probable nouvelle candidature à l'élection présidentielle. Le 18 mai, dimanche de la Pentecôte, le Président peaufine encore son jeu, à l'occasion de sa traditionnelle escalade de la roche de Solutré. Entouré d'une nuée de journalistes, il dresse l'inventaire de tous ses désaccords avec le gouvernement, et laisse planer l'éventualité d'une démission, tout en se félicitant de son nouveau statut d'arbitre qu'il entend bien conserver et enrichir, semble-t-il, tant il ne comporte pour lui que des avantages.

Au sein de la majorité et parmi les membres du gouvernement, beaucoup s'irritent d'un tel comportement qu'ils jugent intolérable. Certains m'exhortent à réagir, voire à quitter le navire sans trop tarder. Je laisse dire, de part et d'autre, considérant que l'erreur fatale serait de prendre la responsabilité d'une rupture que, de son côté, le chef de l'État se garde soigneusement de provoquer. Je connais assez bien François Mitterrand, désormais, pour savoir qu'il ne se risquera pas à dépasser les limites qu'il s'est lui-même fixées. Avec le secret espoir, naturellement, que nous les franchissions à sa place…

Paradoxalement, j'ai moins de raisons de quitter mes fonctions en 1986 que je n'en avais dix ans auparavant. Les moyens dont je dispose pour gouverner sont bien supérieurs, sous la cohabitation, à ceux qui m'étaient octroyés à ce moment-là. La suprématie du chef de l'État n'est plus la même, par la force des choses, même si ce dernier n'entend rien céder de l'autorité que lui confère la Constitution. Avec ou sans le consentement de l'Élysée, le travail accompli au cours des premiers mois qui suivent ma nomination est déjà considérable. À l'exception de celles prévues par ordonnances, la plupart des grandes mesures destinées à encourager l'investissement et la création d'emplois seront votées et engagées durant cette période.

Outre la réforme, déjà évoquée, de la procédure d'autorisation administrative de licenciement, mon gouvernement procède coup sur coup à la suppression de l'impôt sur les grandes fortunes, du contrôle des prix, des changes et du crédit, à l'exonération de l'impôt sur le revenu de deux millions de petits contribuables, au lancement d'un plan d'urgence en faveur de l'emploi des jeunes, fondé sur une exonération totale ou partielle des charges sociales, à la mise en place d'un nouveau dispositif concernant la participation et l'actionnariat des salariés...

Dans le même temps, nous avons eu le souci de sauvegarder et de conforter les acquis de la Sécutité sociale. À notre arrivée, le régime perdait environ vingt milliards de francs chaque année. Ne rien faire eût abouti à l'éclatement de la Sécurité sociale, à laquelle les Français sont très légitimement attachés. Mon gouvernement a non seulement assuré sans rupture le paiement des pensions de retraite et des allocations familiales, mais il a aussi entrepris de lutter contre les abus qui vont à l'encontre même des principes qui fondent notre Sécurité sociale, en lançant un plan de rationalisation des dépenses d'assurance maladie et en engageant une concertation approfondie avec les médecins, les professions de santé et les assurés en vue de responsabiliser chacun. C'est ainsi que des recettes nouvelles ont pu être apportées à la Sécurité sociale ; un effort exceptionnel ayant été demandé à tous en n'excluant aucune caté-

Au cœur de la tourmente, le 20 mai 1968, je quitte l'Élysée à l'issue d'un entretien avec le général de Gaulle. J'étais alors secrétaire d'État à l'Emploi.

© Christian Boyer

© Seine-Quiquere/Leemage

À la table
du Conseil des
ministres, dans
le salon Murat
de l'Élysée.
Ce sera le dernier
Conseil présidé
par Georges
Pompidou.

Avec Georges
Pompidou, qui
m'a tant appris
par son sens
de l'État, son
humanité et sa
passion exigeante
de la France.

Alors ministre de l'Agriculture avec Valéry Giscard d'Estaing, ministre de l'Économie et des Finances, et le Premier ministre Pierre Messmer, le 4 septembre 1972, à l'issue d'un déjeuner avec le président Georges Pompidou.

Avec mon amie Simone Veil, ministre de la Santé, lors d'une conférence de presse à Matignon en 1974.

© Keystone/Eyedea

1977, en campagne pour l'élection à la Mairie de Paris.

© Bonnotte/Sipa Press

À la tribune, devant les cadres nationaux du mouvement gaulliste en 1976.

En discussion avec Jacques Chaban-Delmas durant le Congrès des maires de France en 1978, qui se tient à l'Hôtel de Ville de Paris.

© Rue des Archives/AGIP

Avec le président François Mitterrand.

© Boccon-Gibod/Sipa Press

À l'occasion d'un sommet européen, lors de la première cohabitation, de 1986 à 1988.

Avec le pape Jean-Paul II.

En 1981, je remets le grand prix de la poésie Alfred-de-Vigny au président sénégalais Léopold Sédar Senghor.

J'accueille Deng Xiaoping à Paris, en mai 1975.

Saluant le champion sumo Takazawa à la japonaise, dans les salons de l'Hôtel de Ville, le 9 octobre 1986.

Le 26 septembre 1993, lors des Journées parlementaires du RPR à La Rochelle, avec le Premier ministre Édouard Balladur.

© Cham/Sipa Press

Le soir de la Victoire, le 7 mai 1995.

© Jobard/Sipa Press

gorie de Français ni aucune forme de revenus. Là où des économies étaient nécessaires, les adaptations nécessaires ont été prévues pour que les plus démunis ou les plus âgés ne soient pas pénalisés. Lors des États généraux qui se dérouleront dans tout le pays d'avril à novembre 1987, le gouvernement donnera pour la première fois la parole aux Français sur un sujet qui les intéresse tous individuellement et collectivement.

Tout cela, et quantité d'autres actions qu'il me faudrait citer[1], a pu être réalisé dans le cadre d'une cohabitation certes mouvementée – il ne pouvait en être autrement, sur un plan strictement politique – mais qui, dans son fonctionnement même, se passe le plus souvent en bonne intelligence entre les deux parties concernées.

Après une phase délicate d'adaptations et de mises au point, la coopération entre l'état-major de Matignon et celui de l'Élysée s'établit peu à peu dans un climat plus détendu. Celui-ci doit beaucoup à la relation de confiance qui s'est progressivement instaurée entre deux hommes faits pour s'entendre : mon directeur de cabinet, Maurice Ulrich, et le secrétaire général de l'Élysée, Jean-Louis Bianco. Et, aussi surprenant que cela puisse paraître, il en va de même, dans la pratique quotidienne, de mes rapports avec le chef de l'État.

J'ai tout entendu dire à ce sujet, mais la vérité est que, si elle ne fut pas de tout repos, cette période de coexistence avec François Mitterrand s'est passée, en définitive, sans éclats de voix d'un côté comme de

1. Le lecteur en trouvera la liste dans le *Bilan du gouvernement de Jacques Chirac (1986-1988)*, publié en annexe de ce livre.

l'autre, et dans une ambiance que nos différends, et l'agacement mutuel qui pouvait en résulter, n'ont jamais empêché d'être courtoise et respectueuse.

En dehors de nos entretiens courants, plusieurs fois par semaine, le plus important est celui que nous avons en tête à tête chaque mercredi matin avant le Conseil des ministres, durant environ une heure. Les questions dont nous débattons tiennent le plus souvent au fonctionnement normal de l'État : nominations, règlement des dossiers en cours, à propos desquels, de retour à Matignon, j'indiquerai à Maurice Ulrich, par de brèves notes manuscrites, la marche à suivre : « il est d'accord », « il veut qu'on en reparle », « il n'y tient pas »…

Mais ce colloque singulier entre le Président et son Premier ministre est aussi l'occasion d'échanges informels, plus utiles que tous autres à la compréhension mutuelle entre deux hommes que rien ne prédispose à s'entendre. Alors qu'on nous imagine, à l'extérieur, en train de nous quereller sur des problèmes politiques, il est fréquent que notre conversation porte sur des questions plus personnelles ou sur nos passions communes en matière d'art ou de poésie.

À la différence de son prédécesseur, dont les goûts littéraires et artistiques ne débordaient guère le XVIIIe siècle, François Mitterrand se montre curieux de toutes les formes de connaissance. Bien que centré sur les domaines traditionnels de la culture française et européenne, il témoigne d'un grand intérêt pour l'histoire des autres civilisations, comme celles de l'Extrême-Orient ou de l'Amérique précolombienne, dont il me sait plus familier.

Je n'ignore pas la complexité du personnage, ni les zones d'ombre qui jalonnent son parcours, mais l'homme que je découvre au fil de nos entretiens m'apparaît d'une finesse de jugement et d'une intelligence tactique que j'ai rarement rencontrées dans le monde politique. Son amour de la France est indiscutable, et il n'admet pas que celle-ci soit abaissée, même s'il tend, selon moi, à l'enfermer dans des perspectives archaïques et eût sans doute rêvé de la laisser vieillir comme un paysage qu'il aimait. Nos valeurs communes sont celles de deux provinciaux attachés aux traditions terriennes, comme aux idéaux de la République. Et si, pour le reste, nos convictions semblent à l'opposé l'une de l'autre, probablement l'un est-il moins à gauche qu'il ne le fait croire et l'autre moins à droite qu'il ne le laisse paraître.

Plus que ses idées, c'est la façon de les mettre en scène que la cohabitation m'a permis d'admirer chez François Mitterrand. « Salut l'artiste ! » m'est-il arrivé de penser en assistant à quelques-unes de ses prestations. Celle, notamment, d'un certain 14 juillet 1986.

*

Bien que la loi d'habilitation, âprement combattue par les députés de gauche, ait fini par être promulguée le 2 juillet, il est de plus en plus probable que le chef de l'État refusera de signer les ordonnances relatives aux privatisations. Je n'en suis pas surpris, tant cette question revêt une portée symbolique qu'il a tout intérêt à exploiter contre nous. À défaut de pouvoir empêcher les dénationalisations, il peut à tout le moins en retarder la mise en place en contraignant le gouvernement à renoncer aux ordonnances pour les faire appliquer – et par là marquer auprès de l'opinion, non seulement sa différence, mais son autorité. Ne vaut-il pas mieux, dans ce cas, prendre les devants et priver l'Élysée du bénéfice d'un coup d'éclat en choisissant de recourir à la voie parlementaire, comme nous aurions probablement dû le faire d'entrée de jeu ? Mais il est déjà trop tard, à cette date, pour rebrousser chemin – ce qui n'eût pas manqué d'être interprété comme un aveu de faiblesse…

Résolu à tenir bon tout autant qu'à dédramatiser une querelle en réalité purement formelle, je téléphone à François Mitterrand dans la soirée du 13 juillet, veille de la traditionnelle interview télévisée qu'il doit donner à Yves Mourousi, pour lui proposer une solution susceptible d'éviter tout affrontement public. Celle-ci consisterait à ce qu'il soit déchargé, par une déclaration conjointe des présidents des deux Assemblées, de toute responsabilité dans le processus des ordonnances. Il refuse, comme je m'y attendais. Mais cette ultime tentative de conciliation me permet au moins de tester le chef de l'État sur ses intentions réelles. « Ainsi, lui dis-je, vous voulez mettre un terme à la cohabitation… » Ce à quoi François Mitterrand me répond qu'il « ne souhaite pas en venir là », sachant qu'il ne lui servirait à rien d'être l'initiateur d'une rupture dont les Français ne veulent pas, dans leur grande majorité. Cette indication me sera précieuse quand il s'agira de déterminer, à mon tour, la conduite à tenir dans la crise qui s'annonce.

Le 14 juillet, François Mitterrand déclare, comme prévu, qu'il ne signera pas les ordonnances. En brandissant deux arguments. Le premier est un « problème d'évaluation » du « patrimoine national » dont il ne saurait être question de mettre en vente « une fraction, explique-t-il, moins cher qu'elle ne vaut ». La seconde question est le risque qu'il y aurait, selon lui, à « rétrocéder ces biens nationaux » à des « intérêts étrangers », sous couvert de les confier à des « intérêts privés ». Et François Mitterrand de se porter « garant » d'une indépendance nationale que les gaullistes seraient, selon lui, sur le point de menacer...

Cette prise de position suscite un tollé au sein de la majorité. De tous côtés, on me presse de riposter. Sous quelle forme? La réaction la plus spectaculaire serait de démissionner sur-le-champ. Mais au profit de qui? Cette affaire d'ordonnances, théâtralisée à l'extrême par François Mitterrand, mérite-t-elle que nous lui accordions, nous-mêmes, une importance aussi démesurée? D'autant que le véritable objet du litige, les privatisations, n'est en rien compromis par le veto présidentiel... C'est l'attitude la plus pragmatique qui me paraît s'imposer, celle qui évitera d'amplifier une crise dont nous serions les seuls, en fin de compte, à devoir assumer la responsabilité politique.

Les plus déterminés à en découdre me reprocheront de ne pas avoir engagé aussitôt l'épreuve de force avec le chef de l'État en interrompant toute cohabitation pour le contraindre soit à se soumettre, soit à se démettre. Mon intérêt, selon eux, eût été de provoquer ainsi une élection présidentielle anticipée que j'avais toutes chances de remporter... Mais c'est probablement un tout autre scénario qui se serait déroulé, François Mitterrand exploitant la faible majorité dont nous disposions au Parlement pour échafauder d'autres combinaisons et réussir à former un gouvernement plus accommodant.

Quoi qu'il en soit, je ne juge pas digne de jouer ainsi avec les institutions, dans la mesure même où mon propre gouvernement garde toute possibilité, avec ou sans ordonnances, de mener à bien la politique qu'il s'est fixée. Si la rupture est parfois nécessaire, encore faut-il qu'elle soit conforme à l'intérêt général et ne procède pas d'un simple mouvement d'humeur ou d'un calcul politique destiné tout au plus à satisfaire une ambition personnelle.

Le parti que je décide de prendre face à cette tourmente momentanée n'est peut-être pas, politiquement, le plus judicieux. Mais il répond, en tout cas, à l'idée que je me fais de l'exercice du pouvoir et des responsabilités qu'il impose. Le 17 juillet, après avoir pris acte de la position du chef de l'État, j'annonce au Conseil des ministres ma décision, afin de ne pas compromettre le redressement entrepris, de recourir à la voie parlementaire pour mettre en œuvre notre programme de privatisations. Ce qui sera fait dès le 31 juillet.

À cet égard, l'essentiel est sauf. Et notre tâche accomplie, par-delà les controverses.

21

LA FRANCE À DEUX VOIX

En temps de cohabitation, l'idée de « domaine réservé » devient une notion plus relative. S'il reste chef des armées et chargé de négocier et ratifier les traités, conformément à la Constitution, le président de la République peut difficilement s'arroger les mêmes pouvoirs sur les Affaires étrangères et la politique de défense que dans une pratique gouvernementale ordinaire. Il va de soi que la responsabilité du Premier ministre s'y trouve davantage engagée. Si bien que l'autorité, dans ces domaines, des deux têtes de l'exécutif se doit d'être mieux partagée, comme je m'efforce très vite de le faire comprendre au chef de l'État, si jaloux soit-il de ses propres prérogatives.

Deux incidents successifs survenus en avril 1986 vont me permettre d'indiquer publiquement le rôle que j'entends jouer dans la conduite de notre diplomatie, comme dans toute décision d'ordre stratégique et celle, en particulier, qui concerne la dissuasion nucléaire.

Le premier incident a trait à la demande d'autorisation, formulée par les États-Unis, du survol de notre territoire pour aller bombarder la capitale libyenne, Tripoli. Résolu à châtier le colonel Kadhafi, tenu pour le principal responsable des attentats terroristes en Europe, qui ont frappé quelques-uns de ses ressortissants, le gouvernement américain requiert le soutien de la France dans cette action de représailles. Le 11 avril, le président Reagan me téléphone à ce sujet. « Nous allons tuer Kadhafi, m'annonce-t-il. J'ai besoin pour cela que nos bombardiers puissent traverser votre territoire... » Choqué qu'on puisse ainsi vouloir impliquer la France dans une opération pour laquelle elle n'a même pas été consultée, je refuse aussitôt la demande américaine. « Il est tout à fait exclu, dis-je à Ronald Reagan, que la France soit mêlée à cette affaire. D'autant que vous avez toutes chances de rater Kadhafi... On réussit rarement ce genre d'opération. » De fait, les avions américains, contraints de contourner le territoire français, bombarderont en vain Tripoli et Benghazi quatre jours plus tard, parvenant tout au plus à tuer l'une des filles du leader libyen.

J'informe François Mitterrand de l'appel que j'ai reçu du président Reagan et du veto que je lui ai opposé. Sollicité de son côté, le chef de l'État m'indique qu'il a formulé la même réponse, sans que nous ayons eu besoin d'en parler. C'est donc tout naturellement que je déclarerai à la télévision, le lendemain, avoir pris une décision « approuvée par le Président », ce qui ne semble pas contraire à la vérité. Alors que nous avions pris cette décision conjointement, le chef de l'État ne tarde pas à me faire savoir qu'il est seul habilité à en revendiquer la paternité. Manière de me rappeler que ce qui constituait jusqu'ici son « domaine réservé » doit demeurer, en réalité, sa chasse gardée. La cohabitation, selon lui, n'y change rien.

Il faudra un deuxième incident pour l'amener à reconsidérer sa position. À admettre, du moins, que la diplomatie cesse d'être pour lui un secteur exclusif...

Un sommet des sept grandes puissances mondiales étant prévu à Tokyo au début de mai 1986, je fais part au chef de l'État de mon souhait d'y participer, d'autant qu'il y sera question, entre autres, de la lutte contre le terrorisme international. Le Président, qui comptait se rendre au Japon en la seule compagnie du ministre des Affaires étrangères, se montre surpris, pour ne pas dire irrité, que je cherche ainsi à m'imposer dans une réunion de chefs d'État où je n'ai aucune raison, selon lui, d'être convié. Tel n'est pas mon avis, compte tenu de notre statut de « cohabitants ». François Mitterrand, se résignant à ce que je l'accompagne, me demande de n'arriver à Tokyo qu'après lui, et non de l'y précéder, comme je l'avais annoncé publiquement pour m'entretenir avec le président Reagan avant l'ouverture de la conférence. Simple concession protocolaire... J'y consens après avoir obtenu que nous rencontrions ensemble le chef de la Maison-Blanche.

Notre présence commune à Tokyo ne passera pas inaperçue, où chacun comprendra que le Président ne dispose plus de la même prééminence sur le terrain diplomatique. Et nul ne s'étonnera de me voir assister, l'année suivante, au G7 de Venise, ni prendre part à toutes les réunions internationales qui se tiendront à Paris jusqu'au printemps 1988.

Même si cette diplomatie à deux voix continuera d'indisposer François Mitterrand, l'important pour moi est qu'elle finisse par n'en exprimer qu'une seule : celle de la France. En particulier, quand il s'agit de faire face à un problème aussi dramatique que celui du terrorisme.

*

Depuis l'enlèvement de deux fonctionnaires du Quai d'Orsay, Marcel Fontaine et Marcel Carton, à Beyrouth, en mars 1985, la France est devenue la cible privilégiée des réseaux islamistes et apparentés. En mai, deux autres de nos compatriotes, le sociologue Michel Seurat et le journaliste Jean-Paul Kauffmann, sont pris en otages à leur tour dans la capitale libanaise. L'année suivante, les attentats se succèdent sur notre sol. Les premiers ont été perpétrés dans deux grands magasins parisiens, le Printemps et les Galeries Lafayette, en décembre 1985, suivis le 17 mars 1986 par l'explosion d'une bombe dans le TGV Paris-Lyon, avant celle, trois jours plus tard, qui frappe la galerie Point Show des Champs-Élysées, faisant deux morts et vingt-huit blessés. Une nouvelle vague d'attentats aura lieu à la fin de l'été, dont le plus sanglant se produira rue de Rennes, le 17 septembre.

À la même période, le groupe extrémiste Action directe revendique plusieurs opérations terroristes : l'assassinat de l'ingénieur général Audran, le 25 janvier 1985, l'explosion d'une bombe à la préfecture de police de Paris, le 9 juillet 1986, enfin le meurtre du président de la Régie Renault, Georges Besse, abattu en pleine rue, le 17 novembre 1986.

Confronté à un tel déchaînement de violence, le gouvernement précédent a eu d'autant plus de mal à réagir qu'il ne s'est pas doté des moyens lui permettant de lutter efficacement contre le terrorisme. La gauche a même fait preuve d'un certain laxisme dans ce domaine, en libérant les deux principaux dirigeants d'Action directe, Jean-Marc Rouillan et Nathalie Ménigon, sous le prétexte, comme me l'expliquera François Mitterrand lors de notre débat télévisé du 28 avril 1988, que Rouillan, notamment, « n'était pas encore l'assassin qu'il est devenu ». Le chef de l'État, qui n'est plus, ce soir-là, que le candidat socialiste, s'indignera que je puisse lui reprocher d'avoir amnistié des terroristes. Mais le fait est que cette décision de justice, à laquelle il ne s'est pas opposé, fut pour le moins imprudente. Il faudra de longs mois pour que les services du nouveau ministre de l'Intérieur, Charles Pasqua, parviennent à arrêter et remettre en prison ceux qui, entre-temps, avaient tué le général Audran et Georges Besse.

La question du terrorisme international est, il va sans dire, plus délicate encore à résoudre.

Depuis l'incarcération, en juillet 1980, d'Anis Naccache, chef du commando qui a tenté d'assassiner l'ancien Premier ministre iranien, Chapour Bakhtiar, en exil à Paris, et dont la libération est réclamée, via l'OLP, par les Gardiens de la Révolution à Téhéran, en menaçant de propager la terreur sur notre territoire, l'origine des attentats parisiens ne fait guère de doute pour les autorités françaises. Le gouvernement iranien ou ses intermédiaires tenteront pendant quelque temps de faire diversion en laissant croire que ces opérations meurtrières seraient l'œuvre des Fractions armées révolutionnaires libanaises, dont le dirigeant, Georges Ibrahim Abdallah, est également emprisonné en France, accusé de l'assassinat de deux diplomates américain et israélien... Mais cette manipulation a été assez vite éventée : dès les premières prises d'otages, en mars 1985, il est clair que ces menées terroristes sont étroitement liées au régime des ayatollahs. Lequel exige de Paris la suspension de son aide militaire à l'Irak, alors en guerre contre la République islamique, et le règlement du contentieux Eurodif, qui porte d'une part sur le remboursement d'un prêt consenti à la France par le Shah d'Iran en 1975, de l'autre sur les accords nucléaires conclus à la même époque entre les deux pays et auxquels le gouvernement français refuse de donner suite depuis l'arrivée au pouvoir de l'ayatollah Khomeiny.

Excluant tout contact direct avec le pouvoir iranien, François Mitterrand a misé sans succès sur les promesses d'intervention des capitales arabes et le recours à des missions plus ou moins officieuses, pour obtenir la libération des otages. C'est une situation totalement bloquée que je trouve à mon arrivée à Matignon, le 20 mars 1986. L'attentat des Champs-Élysées, survenu le même jour, me conforte dans l'idée qu'il ne servirait à rien de négocier avec les organisations terroristes qui, le plus souvent, ne sont que des comparses. C'est une question de morale, mais aussi d'efficacité. Céder aux revendications des poseurs de bombes ne peut aboutir qu'à entretenir la surenchère.

Voilà pourquoi, en accord avec le chef de l'État, je m'oppose, dès ma nomination, à toute libération sans contrepartie immédiate des deux activistes réclamés par Téhéran : Georges Ibrahim Abdallah et Anis Naccache. Mais à la différence de François Mitterrand, persuadé qu'il n'y a rien à espérer des dirigeants iraniens, je crois à la nécessité de parler avec ceux-ci sans plus attendre.

Je ne suis pas de ceux qui pensent, en Occident, qu'on doit s'interdire tout dialogue avec l'Iran, étant donné la nature du régime. Un régime politique est une chose. L'histoire d'un peuple, de sa culture, de ses traditions, en est une autre, plus importante et déterminante. Ma philosophie en la matière est qu'on n'a jamais intérêt, ou rarement, à mettre un pays hors jeu de la communauté internationale. Au lieu de le convaincre de rentrer dans le rang, c'est en général l'effet inverse qui se produit : une radicalisation sans issue, de part et d'autre. S'agissant, qui plus est, d'une région du monde où tous les problèmes s'entremêlent, aucun d'eux, qu'il s'agisse du conflit israélo-palestinien, de la guerre Irak-Iran ou de la question libanaise, ne saurait être réglé sans tenir compte de toutes les parties en présence.

Telle est l'idée que je me fais de la politique française vis-à-vis de l'ensemble des nations du Proche- et du Moyen-Orient. Sans remettre en cause le soutien militaire que la France apporte à l'Irak, tout doit être tenté, selon moi, afin de parvenir à une normalisation de nos relations avec l'Iran. Il en va de même de la Syrie, dont nul ne peut ignorer qu'elle est en mesure de faire échouer toute solution politique au Liban. Ce qui me conduit à appeler le président Hafez el-Assad, peu après ma prise de fonctions, pour lui exprimer mon souhait d'améliorer les relations entre nos deux pays.

Mais le plus urgent reste les démarches à entreprendre vis-à-vis de Téhéran. Dès le mois d'avril 1986, deux diplomates de haut rang, André Ross et Marc Bonnefous, se rendent à ma demande, et avec l'assentiment du chef de l'État, dans la capitale iranienne. Le 21 mai, je reçois à Matignon le vice-Premier ministre d'Iran, Ali Reza Moayeri, en visite en France. Cette première rencontre se solde par des résultats déjà positifs, même si tout est loin d'être encore réglé.

Conformément aux demandes iraniennes, il est convenu, d'une part, que les Moudjahidin du peuple, le principal mouvement de résistance au régime des mollahs, et leur chef, Massoud Radjavi, seront expulsés de France ; d'autre part, que les négociations en vue de régler le contentieux financier s'ouvriront dès les semaines suivantes, confiées au directeur du Trésor, Jean-Claude Trichet. De son côté, le gouvernement iranien s'engage à user de son influence au Liban pour obtenir la libération soit des huit otages français détenus à cette date, en échange d'Anis Naccache, comme je l'ai proposé à mon interlocuteur, soit de deux d'entre eux sans contrepartie de cette sorte. Le 20 juin, les journalistes d'Antenne 2, Philippe Rochot et Georges Hansen, seront de retour en France. Anis Naccache restera donc en prison.

Le 24 juillet, mon conseiller diplomatique, François Bujon de L'Estang, rencontre en secret, à Genève, à la demande des autorités iraniennes, M. Farhad-Nia, le chargé des questions internationales au cabinet du Premier ministre, Hossein Moussavi. Cet entretien vise à dresser un premier bilan du processus de normalisation en cours. Le rapport établi à ma demande par François Bujon de L'Estang, dès son retour à Paris, m'incite à un optimisme mesuré. Deux obstacles surgissent, en dépit de notre volonté commune d'aboutir, dans les meilleurs délais, à un accord politique.

Le premier tient au contentieux financier et au refus par l'Iran d'accepter l'idée d'un système de garantie bancaire proposé par les négociateurs français, idée qui se heurte, selon l'émissaire de Téhéran, à « une vive opposition de la part des membres influents du Parlement et que l'opinion publique iranienne ne pourrait en aucun cas accepter ».

La deuxième pierre d'achoppement concerne une demande nouvelle de l'Iran : la reprise de la coopération avec la France dans tous les domaines, y compris dans le domaine militaire. Demande formulée, me signale Bujon de L'Estang, « avec une particulière insistance et sous toutes les formes » tout au long de l'entretien et qui « constitue, à l'évidence, l'essentiel de ce qui justifiait la rencontre aux yeux des Iraniens ». Pressé de conclure, leur représentant a proposé que soit organisée, « dans les quinze jours qui viennent, une rencontre discrète entre deux délégations d'experts militaires pour commencer à circonscrire ce que pourrait être une coopération en matière d'armements »...

Quant aux six otages encore en captivité au Liban, le chargé d'affaires iranien se montre plutôt évasif à leur sujet, évoquant la possibilité tout au plus de convaincre l'Organisation de la justice révolutionnaire, qui les détient, d'en libérer deux autres.

Si le contentieux financier, qui doit faire l'objet d'une nouvelle réunion d'experts, la semaine suivante, ne paraît pas insoluble, il est clair que les autres sujets constituent, en revanche, des entraves plus sérieuses et inquiétantes. Cet extrait du rapport de François Bujon de L'Estang témoigne de la position très ferme du gouvernement français sur l'un et l'autre point :

Sur la coopération militaire, j'ai tenu le langage suivant :

La normalisation des relations franco-iraniennes exige un effort continu et global. Elle semble en bonne voie, mais divers progrès restent à faire. Diverses étapes restent à franchir avant que nous puissions considérer les relations comme normalisées. Lorsque les différentes difficultés encore en discussion seront résolues, nous pourrons procéder à un échange d'ambassadeurs puis souligner la réconciliation par un échange de visites ministérielles. Alors, les relations pourraient se développer sur divers plans : politique, économique et culturel. Mais tant que le processus de normalisation n'était pas achevé, nous ne pouvions pas accepter d'organiser une rencontre consacrée spécifiquement à une coopération dans le domaine des armements.

Cette réponse n'a évidemment pas satisfait M. Farhad-Nia, qui est revenu à la charge avec une grande insistance et m'a demandé de manière appuyée si nous souhaitions, dans l'avenir, n'avoir avec l'Iran que des relations sélectives, qui se développeraient dans certains domaines, mais laisseraient à l'écart la coopération militaire. Je m'en suis tenu à ce que je lui avais indiqué précédemment et j'ai insisté sur le caractère prématuré de sa demande, qui n'était pas recevable tant que le processus de normalisation n'était pas arrivé à son terme.

Otages français au Liban

J'ai indiqué avec la plus grande clarté que la prolongation de la détention des otages français au Liban constituait un obstacle majeur à la normalisation. L'opinion publique française était très sensible au douloureux problème des otages. À tort ou à raison, elle pensait que l'Iran avait des liens avec les organisations terroristes et notamment avec les ravisseurs, et qu'à tout le moins ceux-ci seraient sensibles à l'influence de la République islamique. L'opinion ne comprendrait pas qu'une normalisation intervienne avec celle-ci sans le retour préalable des otages, de tous les otages.

Aussi, nous demandions au gouvernement de la République islamique de reprendre ses efforts pour que tous les otages français soient libérés et de tout mettre en œuvre pour parvenir à une libération rapide. J'ai ajouté que nous étions disposés à libérer Anis Naccache en échange du retour de tous nos otages encore détenus au Liban.

M. Farhad-Nia a indiqué, sur ce point, que le gouvernement iranien n'avait sans doute pas sur les ravisseurs le pouvoir que nous lui prêtions. Il a rappelé que c'était strictement sur le plan de la bonne volonté que l'Iran acceptait de s'entremettre. Mais il a indiqué que, puisque le gouvernement français le lui demandait, le gouvernement iranien était prêt à continuer ses efforts pour obtenir la libération de nos compatriotes.

L'insistance sur d'éventuelles relations militaires avec la France constitue évidemment l'élément principal et le plus nouveau de cette conversation. Il est difficile de déterminer si Téhéran nourrit vraiment des illusions sur ce point. Mais il ne fait pas de doute que les Iraniens reviendront à la charge.

Le plus grand élément d'inquiétude que je retire de ce contact provient de la conjonction entre cette demande nouvelle et le mutisme absolu sur nos quatre premiers otages. Je redoute de voir se développer dans les semaines qui viennent un processus tendant à nous soumettre à un véritable chantage, dans lequel la libération des deux derniers otages d'Antenne 2[1] *serait conditionnée par le règlement du contentieux financier, et celle des quatre premiers par l'obtention d'un geste de notre part sur la coopération militaire.*

Un tel développement serait à l'évidence tout à fait inacceptable, et il importe, dès les prochains contacts, de l'étouffer dans l'œuf, sans doute en conditionnant la conclusion d'un accord politique sur le règlement définitif du contentieux financier à la libération des six otages, et en confirmant notre refus de toute perspective de coopération militaire tant que la guerre Iran/Irak ne sera pas terminée.

Dans les mois qui suivent, il deviendra pratiquement impossible de savoir qui prend effectivement les décisions à Téhéran et à quelle bonne porte il s'agit de frapper. La guerre de succession est déjà engagée parmi les hiérarques iraniens, ce qui rend très compliqué l'exercice du pouvoir. Le poids de l'ayatollah Khomeiny est certes déterminant, mais si ce dernier se prononce sur les décisions importantes, il ne le fait pas tous les jours et pas sur tous les sujets.

Dès lors, et bien que quelques pas décisifs aient été accomplis sur la voie de la normalisation, les

1. Roger Auque et Jean-Louis Normandin.

contacts diplomatiques entre Paris et Téhéran tendent à s'estomper, pour laisser place à un autre mode de tractations, menées dans la coulisse par toutes sortes d'intermédiaires. Parmi eux, le cheikh Zein, au Sénégal, mis en relation avec Maurice Ulrich par Léopold Sédar Senghor, a probablement été l'un des plus efficaces pour régler le sort des derniers otages, en avril 1988, et permettre de parvenir à un accord global. Même si d'autres se sont attribué la paternité exclusive du dénouement final…

Je n'ai jamais très bien su, à cet égard, quel fut le rôle exact joué par Jean-Charles Marchiani, l'émissaire secret dépêché dans la région par le ministre de l'Intérieur, Charles Pasqua. Ce dernier, constatant l'impasse diplomatique dans laquelle nous nous trouvons, s'impliquera de plus en plus, à partir de l'été 1986, au titre de la lutte contre le terrorisme, dans la gestion du dossier iranien, après m'avoir demandé carte blanche pour opérer. C'est-à-dire sans avoir à rendre compte, ou le moins possible, au Premier ministre ni au président de la République, de ce qu'entreprendrait son homme de confiance avec qui je n'aurai, pour ma part, que des contacts épisodiques… Si je ne conteste pas que les efforts de Marchiani aient pu être déterminants, ma conviction est que celui-ci ne fut sans doute qu'un des rouages, parmi d'autres, d'une action collective destinée à faciliter le retour des otages.

En mars 1987, l'arrestation d'un « combattant de la cause islamique », Fouad Ali Saleh, un Tunisien qui fut l'élève et le disciple de Khomeiny au Centre théologique de Qom, achève de confirmer la véritable identité des auteurs des attentats commis en

France l'année précédente, et celle de leur commanditaire. La responsabilité de Téhéran est pleinement établie, d'autant que l'enquête fait apparaître certaines connexions entre le commando et un membre éminent de l'ambassade iranienne à Paris, Wahid Gordji, chef présumé des services secrets de son pays pour l'Europe. L'affaire, dès lors, prend une tout autre tournure...

Le juge Boulouque, magistrat chargé de la lutte antiterroriste, se saisit du dossier et décide de procéder à l'audition de l'intéressé. Lequel, s'étant aussitôt éclipsé de Paris, y revient au début de juillet pour tenir une conférence de presse à l'ambassade d'Iran, qui se veut menaçante vis-à-vis de la France. Aussitôt soucieux d'exploiter l'affaire pour faire pression sur Téhéran, le ministre de l'Intérieur préconise de recourir à la manière forte, en annonçant la rupture des relations diplomatiques. D'un commun accord, François Mitterrand et moi-même finissons par nous rallier à cette idée, bien que nous ignorions tout, l'un comme l'autre, des charges exactes pesant sur Wahid Gordji, dont Charles Pasqua nous assure, quant à lui, qu'elles sont « écrasantes ». Mais avec ou sans preuve, la déstabilisation psychologique peut se révéler une arme efficace contre nos interlocuteurs iraniens.

De fait, le blocus de leur ambassade, avenue d'Iéna, aussitôt décrété, portera ses premiers fruits quatre mois plus tard, avec la libération de deux autres otages, les journalistes Roger Auque et Jean-Louis Normandin. Quant à l'affaire Gordji proprement dite, elle se dénouera comme on pouvait s'y attendre : faute d'éléments probants, le diplomate sera libéré, par décision du juge Boulouque, le 29 novembre 1987, et pourra rejoindre son pays le soir même. Le travail du magistrat n'est pas en cause. Si manipulation il y a eu, ce n'est pas de son côté.

Lors du débat télévisé qui m'opposera à François Mitterrand le 28 avril 1988, cette affaire donnera lieu à un affrontement resté célèbre. Répondant aux critiques que je venais de formuler contre lui à propos d'Action directe, mon adversaire me lancera l'accusation suivante :

« *Je suis obligé de dire que je me souviens des conditions dans lesquelles vous avez renvoyé en Iran M. Gordji, après m'avoir expliqué, à moi, dans mon bureau, que son dossier était écrasant et que sa complicité était démontrée dans les assassinats qui avaient ensanglanté Paris à la fin de 1986.* »

À quoi je lui répondrai :

« *Est-ce que vous pouvez dire, monsieur Mitterrand, en me regardant dans les yeux, que je vous ai dit que Gordji, que nous avions les preuves que Gordji était coupable de complicité ou d'actions dans les actes précédents ? Alors que je vous ai toujours dit que cette affaire était du seul ressort du juge, que je n'arrivais pas à savoir, ce qui est normal compte tenu de la séparation des pouvoirs, ce qu'il y avait dans ce dossier, et que, par conséquent, il m'était impossible de dire si, véritablement, Gordji était ou non impliqué dans cette affaire et le juge, en bout de course, a dit que non. [...] Pouvez-vous vraiment contester ma vision des choses en me regardant dans les yeux.* »

François Mitterrand :

« *Dans les yeux, je la conteste. Car lorsque Gordji a été arrêté et lorsque s'est déroulée cette grave affaire du blocus de l'ambassade avec ses conséquences à Téhéran, c'est parce que le Gouvernement nous avait apporté ce que nous pensions être suffisamment sérieux comme quoi il était l'un des inspirateurs du terrorisme de la fin de 1986. Et cela, vous le savez fort bien...* »

Le chef de l'État reconnaîtra, après sa réélection, qu'il ne m'avait jamais entendu lui dire que le dossier Gordji était « écrasant », cette affirmation provenant du seul ministre de l'Intérieur, lors d'une réunion qui s'était tenue dans son bureau, au cours de l'été 1987, et à laquelle j'assistais, ainsi que Jean-Bernard Raimond, Robert Pandraud, le ministre délégué à la Sécurité, et le secrétaire général de l'Élysée, Jean-Louis Bianco. Mais la cohabitation pouvait prêter, il est vrai, à ce genre de malentendu...

*

C'est à propos de l'Europe et des questions de défense que s'est opéré, entre François Mitterrand et moi, le rapprochement le plus sensible, jusqu'à nous permettre, le plus souvent, de parler d'une seule voix lors des négociations internationales où nous défendons, au coude à coude, les intérêts de la France.

L'Europe n'est pas, à première vue, le sujet sur lequel nous pouvons le plus facilement nous accorder. Partisan d'une Europe fédérale, François Mitterrand se réclame de l'héritage de Jean Monnet et de Robert Schuman, les pères fondateurs. Bien que dans l'opposition, le premier secrétaire du Parti socialiste a approuvé sans beaucoup de réserves, jusqu'à son accession au pouvoir, la politique européenne de la France – politique que, de mon côté, en tant que leader du RPR et membre de la majorité, j'ai plus fréquemment critiquée au cours des dernières années. Attaché à l'idée de l'Europe des nations, je me réfère à la vision qui fut celle du général de Gaulle et de Georges Pompidou, et n'ai jamais fait mystère de mes réserves à l'égard du fonctionnement même de l'institution, comme de l'élargissement de la Communauté à de nouveaux pays qu'on ne s'est nullement préparé, selon moi, à accueillir.

Mais, quels que soient ses inconvénients, l'Europe est devenue non seulement une réalité, près de trente ans après la signature du traité de Rome, mais aussi un atout pour la France, dont je perçois chaque jour la nécessité au regard de l'évolution du monde.

C'est tout le sens de mon engagement, tel que je l'exprime à l'Assemblée nationale, le 20 novembre 1986, lors du débat sur l'Acte unique européen :

Dans un monde qui connaît de telles évolutions scientifique, technologique et industrielle, et où la compétition internationale se fait toujours plus rude, il est d'un intérêt vital, pour les États membres des Communautés européennes, d'associer étroitement leurs efforts et leurs capacités et de manifester leur solidarité et leur cohésion. [...]

La construction de l'Europe nous appelle à un nouvel effort. Il est justifié par la défense des valeurs qui sont les nôtres et qui n'ont aucune chance de survivre – et cela serait au détriment de l'ensemble de l'humanité – si nous restons obstinément divisés.

Elle éveille aussi de nouveaux espoirs. À la place qui est aujourd'hui la mienne, je veillerai avec la plus extrême attention à ce que la France, consciente de l'importance de l'enjeu, témoigne en l'occurrence de ce dont elle est capable lorsqu'elle est rassemblée autour d'une grande ambition et au service d'une grande cause.

C'est en fait le cas. Même si l'Acte unique n'est qu'un pas modeste dans cette direction, il indique une volonté, et c'est une volonté nationale que nous devons soutenir.

Signé par le gouvernement précédent et ratifié par la nouvelle majorité le 16 décembre 1986, cet Acte ouvre la voie à la réalisation du Marché unique européen, c'est-à-dire à la libre circulation des marchandises, des services, des capitaux et des personnes d'ici à la fin de 1992. La frange gaulliste la plus traditionnelle y est hostile, mais, après mûre réflexion, j'ai décidé d'apporter tout mon appui à cette étape décisive de la construction européenne, comme je le ferai, six ans plus tard, pour la ratification du traité de Maastricht.

Mon seul différend avec François Mitterrand porte sur l'adhésion de l'Espagne au Marché commun, acquise dans son principe, sans que tous les problèmes y afférant aient été encore réglés. Je conserve un si mauvais souvenir des conditions précipitées dans lesquelles l'Angleterre a fait son entrée dans l'Europe, me trouvant en première ligne à cette époque en tant que ministre de l'Agriculture, que je redoute toute nouvelle improvisation dans ce domaine. Or, l'arrivée de l'Espagne soulève beaucoup de difficultés encore non résolues, notamment pour les agriculteurs français menacés par la concurrence des produits espagnols, mais aussi à propos du terrorisme basque et de la manière de le traiter désormais dans le cadre européen.

Je me suis ouvert à plusieurs reprises au chef de l'État de cette double préoccupation, sans jamais obtenir de lui de réponse rassurante. Le 11 mars 1987, je saisis l'occasion du sommet franco-espagnol qui se tient à Madrid et où nous sommes présents l'un et l'autre, pour regretter publiquement, lors d'une conférence de presse, la légèreté avec laquelle mes prédécesseurs socialistes ont envisagé l'ensemble de ces questions. J'annonce que je me montrerai, quant à moi, aussi soucieux de la défense de nos intérêts économiques que de la sécurité de notre territoire en procédant à autant d'extraditions que nécessaire de militants basques suspects d'actes de terrorisme. Piqué au vif, François Mitterrand dénoncera le lendemain mon intervention, la jugeant déplacée dans le contexte d'une rencontre internationale qui se tient à l'étranger, où nous sommes, lui et moi, les représentants de la France. Mais il n'eût pas été honnête de laisser croire, ce jour-là, que nous parlions d'une même voix.

À ce sujet, comme sur la question des ressources communautaires, je me trouve souvent plus proche des positions affirmées par mon homologue britannique, Margaret Thatcher, avec la fougue et le tranchant qu'on lui connaît. Notre complicité n'est d'ailleurs pas sans irriter François Mitterrand, qui prendra ombrage, en novembre 1986, lors du sommet franco-anglais, de notre long tête-à-tête organisé, à la demande de Margaret Thatcher, en marge des entretiens officiels. J'ai déjà eu l'occasion, comme maire de Paris ou président du RPR, de la rencontrer depuis son arrivée au pouvoir en 1979. Mais c'est la première fois que je suis confronté à elle en tant que chef de gouvernement.

Ses positions inflexibles, intransigeantes ont fait d'elle une des personnalités les plus redoutées de la scène internationale. Chacun sait, depuis la guerre des Malouines, en 1982, où elle n'a pas hésité à intervenir militairement contre l'Argentine pour récupérer un territoire dont son pays revendique la souveraineté, que Margaret Thatcher ne reculera devant rien pour défendre les intérêts britanniques. Mais ce qui fait sa grandeur à mes yeux, c'est d'abord sa force de conviction. Je l'ai observée durant certaines réunions auxquelles il m'est arrivé d'assister à Londres, avec tel ou tel de ses ministres. Elle ne cherchait pas à imposer d'autorité son point de vue, mais employait toute son énergie à convaincre du bien-fondé de ses analyses et à faire partager ses idées, y réussissant d'autant mieux qu'elle ne doutait jamais d'avoir raison.

Après des années de contentieux entre Paris et Londres à propos de la politique agricole commune, dont Margaret Thatcher a été longtemps une adversaire acharnée, c'est une relation franco-britannique plus apaisée qui a commencé de s'établir depuis mon arrivée à Matignon en mars 1986. Cette sorte de lune de miel tient en grande partie au fait que nos deux gouvernements partagent la même inquiétude vis-à-vis du laxisme de la Commission européenne et de sa volonté de s'ériger en super-État, et le même souci de renforcer la discipline budgétaire à l'heure où les pays du Sud entrant dans la Communauté chercheront, selon la formule de Margaret Thatcher, à « soutirer le maximum d'argent des pays du Nord ». Alors que la France est prête malgré tout, conformément à la logique communautaire, à faire un effort important en faveur de l'Espagne et du Portugal, la Grande-Bretagne, par la voix de son Premier ministre, se déclare nettement plus réticente quant à sa propre contribution.

Je me souviens du coup de colère de Margaret Thatcher, lors d'une conversation à Matignon le 29 juillet 1987, au sujet du financement des dépenses agricoles communes. Elle s'en prit vivement, ce jour-là, à l'attitude des Allemands, qui n'attachaient pas suffisamment d'importance, selon elle, au montant de ces dépenses, tant ils tiraient avantage de la politique agricole européenne. « Les Allemands donnent l'impression de ne pas compter, s'écriait-elle. Ils se prononcent avec force en faveur de la discipline budgétaire, mais lorsqu'il s'agit d'agriculture, ils feraient n'importe quoi pour s'acquérir la sympathie de pays comme la Grèce, l'Espagne ou le Portugal, et sont toujours disposés à payer davantage. Cette attitude est inadmissible. La Communauté doit s'attacher à la discipline budgétaire. La Grande-Bretagne insistera avec force sur ce point, encore et toujours. La Communauté a pris des décisions difficiles et courageuses sur les produits laitiers, sur la réduction des excédents de lait, de beurre, de lait en poudre. Il reste à prendre des décisions du même ordre sur les céréales. Et il faut se préoccuper de la surproduction de matières grasses végétales. Si les pays du Sud ne veulent pas entendre raison, il suffira d'être ferme, de refuser de payer, de dire que la Communauté n'a plus d'argent. Il leur faudra bien être raisonnables, et ils doivent accepter que les prix baissent si la production augmente. »

Comme je lui faisais remarquer que ce n'était pas si simple, qu'il existait un document qui s'appelait le traité d'adhésion, et qu'il fallait bien observer ses dispositions, même si je ne m'étais pas fait faute de les dénoncer moi-même lorsque j'étais dans l'opposition, et que celles-ci permettaient aux pays du Sud, en tout état de cause, de disposer d'une minorité de blocage, Margaret Thatcher s'exclama qu'elle s'en moquait : « Minorité de blocage ou pas, il y a neuf pays qui prennent l'argent, trois seulement qui paient, et je n'accepte plus de remettre au pot ! Payez si vous voulez, je ne paierai pas. Les Allemands le feront, vous le ferez, je ne paierai pas ! D'ailleurs, il n'y a plus d'argent. »

Margaret Thatcher conclut sur un mode plus modéré, en concédant que la politique agricole commune, en soi, n'était pas mauvaise. Mais c'était la façon dont elle était mise en œuvre qui était répréhensible. Il y avait certainement des solutions, mais il fallait se mettre d'accord sur la tactique à suivre. Elle comprenait toutefois que le calendrier politique français ne se prêtait pas à un débat de fond dans les mois à venir. Elle ne voulait pas créer de problèmes au gouvernement que je dirigeais. Elle était disposée à « botter en touche » aussi souvent que nécessaire jusqu'au mois de mai 1988, date de la prochaine élection présidentielle.

Bien plus que sur les affaires agricoles, c'est à propos des relations Est-Ouest et de la question du désarmement que l'attitude de l'Allemagne me paraît inquiétante. Non que l'entente franco-allemande, pilier de la construction européenne, soit en elle-même menacée. J'ai une totale confiance dans la volonté du chancelier Helmut Kohl de perpétuer l'œuvre de son lointain prédécesseur, Konrad Adenauer. Profondément allemand et attaché à l'idée de la réunification de son peuple, Helmut Kohl est tout aussi profondément européen et soucieux de préserver l'accord scellé entre nos deux pays, dont François Mitterrand et lui ont donné au monde une image inoubliable en posant main dans la main devant l'ossuaire de Douaumont, le 22 septembre 1984. Mais Paris et Bonn ne s'avèrent plus tout à fait sur la même longueur d'onde, deux ans plus tard, s'agissant d'un problème toujours épineux entre les deux gouvernements : celui du désarmement nucléaire du continent européen, relancé par le nouveau maître du Kremlin, Mikhaïl Gorbatchev, lors de sa rencontre avec le président Reagan à Reykjavik, le 12 octobre 1986.

La France a toujours été favorable à l'« option zéro » touchant la réduction des arsenaux nucléaires des deux grandes puissances et de leurs alliés. À condition que cet objectif ne se traduise pas, en fin de compte, par la seule neutralisation de l'Europe, ce à quoi pourrait aboutir la proposition de Mikhaïl Gorbatchev, approuvée par Ronald Reagan, de supprimer toutes les forces nucléaires à portée intermédiaire américaines et soviétiques sur le continent. Proposition bien accueillie par les dirigeants allemands et une opinion publique de plus en plus acquise, outre-Rhin, aux thèses pacifistes, mais reçue avec une grande méfiance par la France et l'Angleterre qui y voient un risque de déstabilisation de l'Europe, au profit de l'URSS. Laquelle conserverait dans le même temps une supériorité militaire écrasante en termes d'armements conventionnels et de missiles balistiques. À terme, c'est tout le système de dissuasion français et britannique qui peut voir son existence menacée sous la pression de Moscou et avec l'assentiment de Washington, dont l'attitude à Reykjavik n'a pas été sans faiblesse ni ambiguïté.

Le comportement du président Reagan, prêt à consentir, si ses conseillers n'y avaient mis bon ordre, à une dénucléarisation généralisée au profit d'une défense spatiale non nucléaire – le projet IDS (Initiative de Défense Stratégique), popularisé sous l'appellation de « guerre des étoiles » –, n'est pas de nature à rassurer ses alliés occidentaux. Au début de décembre 1986, la visite à Paris du secrétaire à la Défense, Caspar Weinberger, permet de dissiper certains malentendus, même s'il subsiste beaucoup d'incertitudes sur les intentions américaines.

Lors de notre entretien à Matignon, je prends d'abord soin de rappeler à ce fervent défenseur du projet IDS que la France s'est dotée, depuis que je suis en charge du gouvernement, d'une nouvelle loi de programmation militaire, qui prévoit un important accroissement en valeur des crédits d'équipement affectés en priorité à tous les éléments de dissuasion. En attendant la mise au point d'un nouveau système de défense, dont les perspectives concrètes ne peuvent s'inscrire que sur le long terme, « il n'y a que la dissuasion nucléaire pour maintenir la paix », dis-je à mon interlocuteur américain, en insistant sur le fait que « les forces françaises et britanniques ne doivent pas être prises en compte dans les négociations générales américano-soviétiques ». J'ajoute que la France, favorable à une réduction de cinquante pour cent des arsenaux stratégiques, estime qu'« aller au-delà poserait des problèmes » et que « les efforts de désarmement doivent progresser du même pas dans tous les domaines et ne pas oublier la menace conventionnelle et chimique ».

Caspar Weinberger me fait une analyse plutôt rassurante de la conférence de Reykjavik où « les Soviétiques, me dit-il, ont avancé un grand nombre de propositions très importantes en apparence, mais, en fait, pas très sérieuses concernant l'élimination des armes nucléaires, pour amener les États-Unis à renoncer à l'IDS. Celle-ci, poursuit-il, semble effrayer Moscou autant que les Pershing il y a quelques années ». De leur côté, les États-Unis n'avanceront de propositions en termes de désarmement que si elles leur laissent, me dit-il, « les moyens d'une dissuasion efficace », n'entraînant pas « un découplage avec l'Europe » et contribuant surtout « à éliminer les armes soviétiques les plus menaçantes ». C'est dans ce contexte qu'il faut envisager, selon lui, la négociation en cours entre Moscou et Washington sur la destruction simultanée des FNI, les forces nucléaires à portée intermédiaire.

En fait, tout réside, à ses yeux, dans le degré de confiance qu'on peut accorder ou non au nouveau dirigeant de l'URSS. Je suis moins optimiste, à cet égard, que François Mitterrand, convaincu qu'il y a davantage à espérer qu'à redouter des intentions de Mikhaïl Gorbatchev. Ma propre conviction, à ce moment-là, est que ce dernier n'entend pas remettre en cause le système soviétique, mais le rendre plus moderne et efficace, et qu'en politique étrangère il poursuit l'objectif qui fut celui de tous ses prédécesseurs : faire en sorte que l'Europe devienne l'otage de l'URSS.

J'aurai à ce sujet un échange plutôt vif avec le chef du Kremlin lors de ma visite officielle à Moscou le 15 mai 1987. Mikhaïl Gorbatchev se mettra en colère lorsque je m'étonnerai devant lui que son objectif prioritaire soit la réduction du nombre de têtes nucléaires en Europe. Si son autre idée, en freinant la course aux armements, est d'augmenter les ressources consacrées au développement économique de l'URSS, il n'en demeure pas moins vrai, selon moi, que son but est toujours de neutraliser, de « finlandiser » l'Europe pour mieux la dominer. Alors que d'autres pays, l'Allemagne en particulier, se laissent un peu manœuvrer par la diplomatie soviétique, il me paraît salutaire que la France et l'Angleterre aient décidé de renforcer simultanément leur propre défense.

C'est la position que j'affirmerai de nouveau à Venise, le 6 juin 1987, au cours de l'entretien commun que nous aurons, François Mitterrand et moi, avec Ronald Reagan, à l'occasion de la nouvelle réunion du G7. Alors que le président de la République tient à indiquer que la France approuve sans réserve les efforts américains en matière de désarmement et souhaite le succès de la négociation entreprise avec l'URSS, je souligne, pour ma part, la nécessité de se prémunir contre une mise sous tutelle du continent européen : « Il y a aujourd'hui 12 000 têtes nucléaires en URSS, à peu près le même nombre aux États-Unis, et 600 seulement en Europe. Pourquoi, dans ces conditions, la priorité absolue serait-elle le désarmement nucléaire de l'Europe ? Nous ne pouvons évidemment pas souscrire à une telle logique. La France souhaite, quant à elle, moderniser ses forces pour pouvoir parer à toute éventualité. Elle s'inquiète, évidemment, que le désarmement soit d'abord conçu comme devant être celui de l'Europe. »

À quoi le président Reagan, qui ne cesse en nous parlant de consulter les fiches préparées par ses conseillers, me répond qu'il n'est pas question que son pays négocie pour le compte des États tiers : « Les forces françaises et britanniques ne sont pas et ne seront pas incluses dans la négociation. Les Soviétiques l'ont d'ailleurs admis et, pour le moment, ceci ne fait pas de problème. » Mikhaïl Gorbatchev lui paraît « sérieux » dans sa volonté d' « éliminer certains armements. Mais les choses ne doivent pas être faciles pour lui, ajoute-t-il, et il doit compter avec une certaine opposition ».

En novembre 1987, un mois avant la signature à Washington du traité sur les forces nucléaires à portée intermédiaire, Margaret Thatcher, en visite à Paris, me fera part de son inquiétude concernant ce nouveau sommet, Ronald Reagan ne lui paraissant pas en mesure, ni intellectuellement ni même physiquement, de « soutenir une longue négociation ». Pour elle, la dernière année de sa présidence « allait être très dangereuse pour la sécurité de l'Occident » et « la vigilance de la France et de la Grande-Bretagne ne devait pas se relâcher ».

Sans doute cette vigilance commune a-t-elle permis d'éviter que l'accord de Washington, signé à la Maison-Blanche le 8 décembre 1987, ne s'opère au détriment de l'Europe, en cherchant à remettre en cause les capacités militaires des deux seules nations susceptibles d'assurer sa stabilité.

Ce dossier, plus que tout autre peut-être, exigeait que du côté français s'exprime une unité de vue sans faille entre les deux têtes de l'exécutif. Tel a été le cas, à quelques nuances près. Tandis que François Mitterrand place les plus grands espoirs dans ce premier accord de désarmement, je reste persuadé que celui-ci, si positif soit-il, ne doit en aucune manière nous conduire à baisser la garde et qu'il s'agit de rester suffisamment dissuasif pour empêcher, à l'avenir, toute tentation d'aventure de la part des Russes ou de toute autre puissance étrangère. Mais cette différence d'analyse n'a pas été un facteur de mésentente avec le président de la République. Rares sont, en définitive, les sujets de politique étrangère sur lesquels nous n'ayons pas été complémentaires.

22

L'ÉCHEC

Parmi tous les projets de réformes prévus dans notre programme de gouvernement, celui des universités était à l'évidence un des plus risqués. Il touchait à un domaine extrêmement sensible et à un milieu toujours prompt à s'embraser. Personne pourtant, ni le président de la République, avant tout préoccupé par l'affaire des ordonnances, ni aucun syndicat étudiant, ne s'en était particulièrement ému lorsqu'il avait été présenté en Conseil des ministres le 11 juillet 1986. Élaboré sous l'autorité d'Alain Devaquet, professeur de grand renom, ministre chargé de la Recherche et de l'Enseignement supérieur auprès de celui de l'Éducation nationale, René Monory, le texte prévoit une autonomie renforcée des universités et l'instauration d'une plus grande sélection à l'entrée de chaque établissement. Il introduit tant de changements dans le système universitaire que je m'étonne presque de le voir si peu discuté.

Ce n'est qu'à la fin du mois de novembre, après avoir pris, j'imagine, le temps de la réflexion, que les opposants au projet de loi Devaquet ont commencé de se signaler. Je n'ai pas de preuves, mais des certitudes, quant au rôle joué par l'Élysée dans la naissance tardive de ce mouvement contestataire. Son apparition n'a rien de spontané. La manipulation politique ne fait aucun doute quand on sait que l'appel à la grève a été lancé par un comité d'étudiants socialistes de Villetaneuse (Paris XIII). D'ailleurs, certains de ses membres ne tarderont pas à être reçus officiellement à l'Élysée par le chef de l'État, toujours prêt à se déclarer solidaire de qui pourrait contribuer à déstabiliser le gouvernement.

Déjà approuvé par le Sénat, le projet Devaquet doit être présenté à l'Assemblée nationale le 27 novembre, quand les étudiants défilent en masse dans les rues de Paris et des grandes villes de province pour exiger son retrait. Leurs critiques portent sur la hausse des droits d'inscription et leur disparité selon les établissements, la valeur spécifique des diplômes en fonction de chaque université, et, bien entendu, sur le principe même, jugé sacrilège, de la sélection.

Contrairement aux prévisions du ministère de l'Intérieur, la première manifestation, le 23 novembre, a déjà rassemblé deux cent mille participants et non dix mille comme annoncé. Quatre jours plus tard, le mouvement a encore pris de l'ampleur. Dès lors, le spectre de Mai 68 commence à hanter, autour de moi, les esprits réputés les plus solides et les moins enclins au compromis.

Dois-je retirer sans tarder un projet de loi contesté non seulement par la gauche, qui le rejette en bloc, mais aussi par une partie de la droite, résolue à en durcir les dispositions contre l'avis du ministre ? À mon grand étonnement, Charles Pasqua est le premier à me conseiller d'abdiquer face aux réactions étudiantes. « On ne pourra pas tenir, il vaut mieux lâcher tout de suite », me dit-il en substance.

Mais qu'adviendra-t-il, dans ce cas, des autres réformes si nous renonçons à les mettre en œuvre dès que la rue s'y oppose ? Capituler ainsi en rase campagne, dans l'effroi et la précipitation, serait se condamner, pour la suite, à l'inertie et à l'immobilisme. C'est l'argument que me font valoir, de leur côté, les deux ministres concernés, Alain Devaquet et René Monory, lesquels menacent de démissionner si leur texte est ainsi désavoué.

Si je ne suis pas insensible aux craintes de Charles Pasqua, pour qui le pire serait de se couper de la jeunesse en maintenant un texte apparemment contraire à ses aspirations, je ne suis pas moins attentif aux arguments de ses collègues pour qui céder aux revendications des syndicats étudiants serait se déconsidérer auprès de l'opinion. C'est tout le dilemme, en pareil cas, d'un chef de gouvernement. Celui auquel Georges Pompidou a été confronté en Mai 68 et qu'il a tenté de résoudre en tenant le meilleur équilibre possible entre dialogue et fermeté.

Par expérience et par tempérament, je me méfie de toute attitude jusqu'au-boutiste dans la gestion des conflits sociaux. D'instinct et par respect de l'opinion, je suis davantage porté à la négociation qu'à l'affrontement. La France n'est plus un pays qu'on peut gouverner à coups de diktats. La volonté de réforme a peu de chances d'aboutir si elle ne bénéficie pas d'un minimum de consentement et de compréhension. Une saine pratique démocratique commande, selon moi, non de se résigner au statu quo, mais de faire en sorte que les évolutions nécessaires s'opèrent dans la concertation plutôt que dans l'épreuve de force. La première ayant fait défaut, à l'évidence, dans le cas du projet Devaquet, c'est à la seconde solution que nous paraissons condamnés, à moins d'abdiquer au risque de perdre la face.

Le 30 novembre, lors d'une intervention télévisée, je me déclare prêt au dialogue avec les différents protagonistes de la crise, en reconnaissant qu'il y a sans doute eu, dans cette affaire, « un certain nombre de malentendus, peut-être des maladresses ». À tort ou à raison, je veux croire qu'il subsiste une chance de sauver la réforme en remettant éventuellement en cause ses dispositions les plus controversées. En acceptant, en tout cas, d'ouvrir des négociations à leur sujet… Mais c'est de ma part une erreur d'appréciation, dans la mesure où nos opposants n'attendent qu'une chose, en réalité : le retrait pur et simple du projet de loi. Les principaux ministres et responsables de la majorité restent fortement divisés à ce propos, les uns me pressant d'en finir au plus vite, les autres de tenir bon, sous peine de ne plus avoir les moyens de gouverner. Cette dernière position, défendue entre autres par Pierre Messmer, le président du groupe RPR à l'Assemblée nationale, reste en grande partie la mienne, compte tenu de l'impossibilité de trouver, dans l'immédiat, un terrain d'entente avec le mouvement étudiant.

Le 5 décembre, j'accompagne François Mitterrand au sommet européen de Londres, chargeant Édouard Balladur, en tant que ministre d'État, de suivre le dossier Devaquet à ma place. Alors que les affrontements tendaient à s'envenimer depuis la veille, entre forces de l'ordre et manifestants les plus radicaux

– souvent de simples casseurs –, des incidents particulièrement violents éclatent ce soir-là, au Quartier latin. Vers 1 h 30 du matin, un étudiant, Malik Oussekine, est matraqué, dans le sas d'entrée d'un immeuble de la rue Monsieur-le-Prince, peu après l'évacuation de la Sorbonne, par trois policiers appartenant à l'escadron des voltigeurs motocyclistes. Déjà malade, et sous dialyse, le jeune homme décède de ses blessures. Édouard Balladur m'apprend la nouvelle, dans la nuit.

Je rentre à Paris aussitôt, choqué par ce qui vient de se produire et déterminé à en tirer les conséquences. Aucune réforme ne vaut la mort d'un homme. Tous ceux qui me connaissent savent que je n'ai pas grand-chose en commun, à cet égard, avec Margaret Thatcher, préférant laisser mourir de faim une douzaine de militants irlandais que de céder à leurs revendications. Il n'est pas question pour moi de passer outre à un drame de cet ordre. Ne fût-il qu'accidentel, c'est l'accident de trop, celui que rien ne saurait justifier à mes yeux. Le 8 décembre, j'annonce le retrait du projet Devaquet.

« C'est une sage décision », me déclare François Mitterrand, qui me l'a recommandée avec la bienveillance de celui qui ne doute pas du bénéfice qu'il pourra en retirer. « Comme vous le savez, j'ai moi-même renoncé à un projet de loi sur l'enseignement. Vous n'ignorez pas que je m'en suis bien porté ! »

Je n'en crois pas un mot naturellement, sachant surtout qu'il y a des échecs plus coûteux que d'autres, et que celui-là, en raison de la mort de Malik Oussekine, risque de ternir durablement le bilan de mon gouvernement, si positif soit-il par ailleurs. J'aurai beau faire valoir, le moment venu, chiffres à l'appui, que la situation économique du pays est meilleure, après deux années de pouvoir, que celle que nous avons trouvée à notre arrivée, que des résultats ont été obtenus, quoique insuffisants, dans la lutte contre le chômage, et des progrès accomplis en matière de sécurité comme de politique sociale, c'est sur un autre plan, moral et politique, que nous serons jugés, en définitive.

François Mitterrand ne s'y trompe d'ailleurs pas, qui, annonçant sa candidature à l'élection présidentielle, sur le plateau d'Antenne 2, le 22 mars 1988, se pose en garant de l'unité nationale, de la paix civile et de la cohésion sociale, en dénonçant, avec une virulence calculée, l'emprise exercée sur le pays par « des esprits intolérants, par des partis qui veulent tout, par des clans et par des bandes ».

Ces attaques m'ont indigné à l'époque, tant je les estimais injustes et excessives. Mais je dois bien reconnaître aujourd'hui que ses critiques sur l'État-RPR n'étaient pas toutes infondées et que je m'étais moi-même enfermé, sans toujours m'en rendre compte, dans un fonctionnement politique trop partisan et des schémas de pensée trop rigides. Ce n'est pas à la cohabitation proprement dite, si pervers soit ce système sous bien des aspects, que j'attribue mon échec électoral face au président sortant, mais au fait d'être devenu prisonnier d'une image politique qui ne me ressemblait pas, en réalité, celle d'un homme de droite au sens le plus limitatif du mot. Il était plus facile à mon adversaire, dans ces conditions, de se poser en homme d'ouverture…

Candidat déclaré à l'élection présidentielle dès le 16 janvier 1988, et aussitôt entré en campagne, je bénéficie, certes, d'un parti en ordre de marche, d'un réseau d'élus et de militants aussi efficaces qu'enthousiastes. Mais l'entrée en lice de Raymond Barre, pourfendeur acharné de la cohabitation dont il m'impute l'entière responsabilité, en même temps que de l'État-RPR dont il dénonce à son tour « l'esprit de clan », fait voler en éclats l'unité de la majorité que je suis parvenu à réaliser deux ans auparavant et à préserver depuis lors, non sans efforts ni concessions. Privé d'une partie des électeurs centristes, que François Mitterrand s'emploie de son côté à séduire en faisant miroiter aux dirigeants du CDS une possible alliance pour la suite, me voici réduit du même coup à ne pouvoir compter que sur le soutien d'un appareil politique puissant et solidement implanté, mais décrié de tous côtés et seul, désormais, à se réclamer d'un bilan gouvernemental forcément contesté.

À cela s'ajoute une donnée politique devenue incontournable depuis que François Mitterrand l'a instrumentalisée contre nous : la présence d'un Front national doté de son propre groupe parlementaire et dont les thèses n'ont cessé de gagner du terrain auprès de l'opinion. Le Pen sera de nouveau candidat à l'élection présidentielle, promis, cette fois, à un score important. Malgré les pressions d'une partie de mon entourage et le souhait manifeste d'un partie de notre électorat, je me suis toujours refusé à envisager toute alliance ou même amorce de dialogue avec le Front national depuis la déplorable affaire de Dreux, en 1983. De son côté, Le Pen a tout tenté pour m'attirer dans ses filets, allant jusqu'à me piéger, un jour d'août 1987, pour accréditer l'idée que nous serions en relation.

Alors en vacances, en famille, au cap d'Antibes, je rentre de la plage ce jour-là, en fin de matinée, quand je vois surgir devant moi, sur le petit chemin que j'ai l'habitude d'emprunter pour regagner mon hôtel, un homme qui me tend la main avec beaucoup d'insistance, en me lançant un « Bonjour, monsieur Chirac ! » sonore et appuyé. Comme je marchais la tête un peu baissée, je n'ai d'abord pas reconnu celui dont j'étais en train de serrer la main. C'était Le Pen souriant, empressé, manifestement ravi d'être parvenu à ses fins : me contraindre à le saluer.

Cette rencontre n'avait rien pour lui de fortuit, comme on peut l'imaginer. M'ayant repéré depuis plusieurs jours et sachant quel chemin j'empruntais quotidiennement, il s'était fait accompagner discrètement d'un photographe pour « immortaliser » la scène. Je ne m'en rends pas compte sur l'instant. Je ne l'apprendrai qu'à mon retour à Paris, par le patron de l'agence Sipa Press, Göksin Sipahioglu, qui, ayant acheté cette photo, vient aussitôt me voir à Matignon pour m'en restituer l'original. « Ce sont des méthodes scandaleuses, me dit-il. J'ai acquis cette photo parce que c'était mon devoir. Mais il n'est pas question que je l'utilise. Je vous la rends... » Je lui propose de le rembourser, mais il refuse. Le Pen en ayant probablement gardé un double, ce cliché sortira malgré tout dans la presse, quelque temps plus tard, mais sans produire sur l'opinion l'effet escompté.

Ce n'est qu'entre les deux tours de l'élection présidentielle que j'ai fini par me résigner à l'idée d'une rencontre secrète avec le leader du Front national. « Il faut que tu voies Le Pen », ne cessait de me répéter Charles Pasqua, convaincu que mon attitude était politiquement suicidaire. Mais mieux valait perdre une élection, selon moi, que de vendre son âme. Quelles qu'en soient les conséquences, je me refusais à transiger sur les valeurs auxquelles j'étais le plus attaché. À quoi bon discuter avec un homme à qui je n'avais, en fait, rien à dire, tant je détestais tout ce qu'il représentait ?

Au vu des résultats du premier tour, plutôt décevants, il faut bien le reconnaître – j'ai obtenu un peu moins de 20 % des suffrages, talonné par Raymond Barre avec 16,6 % et largement distancé par François Mitterrand qui a rassemblé plus de 34 % des voix –, la pression de Pasqua se fait plus forte pour que je pactise avec Le Pen, dont le score, 14,4 %, est loin d'être négligeable. « Il faut que tu le rencontres, insiste-t-il, tu ne peux plus l'ignorer totalement… » Il n'est plus le seul à me tenir ce langage. Beaucoup, autour de moi, sont désormais du même avis. Le plus inattendu est Édouard Balladur, lequel vient m'expliquer à son tour, en y mettant les formes avec sa subtilité coutumière, qu'il est devenu indispensable de s'entendre, d'une manière ou d'une autre, avec le Front national.

Je persiste à exclure toute éventualité de ce genre, mais consens malgré tout à me rendre au rendez-vous que Charles Pasqua se propose d'organiser discrètement avec Le Pen, dans un appartement de l'avenue Foch appartenant à un de ses amis. Pasqua m'y accueille, avant de me laisser seul, en tête à tête, avec Le Pen. L'entretien est très bref, quelques minutes à peine. Le temps de confirmer à Le Pen que je n'entends faire aucune concession aux idées du Front national, ni sceller la moindre alliance avec lui. Constatant qu'aucun accord n'est possible entre nous, Le Pen me répond qu'il n'a aucune raison, dans ces conditions, de lancer un appel en ma faveur.

Je n'en suis pas surpris et me sens soulagé, d'une certaine manière. Le pire eût été qu'il se mette en tête, malgré tout, de m'apporter son soutien. En lui signifiant une fin de non-recevoir, je suis au moins parvenu à l'en dissuader. Le 1er mai 1988, le leader du Front national demandera tout au plus à ses électeurs de n'apporter aucune voix à François Mitterrand, les laissant libres de choisir entre le vote blanc et celui qu'il qualifie de « candidat résiduel ». Un moindre mal…

Raymond Barre s'est rallié à ma candidature dès le 24 avril, au soir du premier tour. J'avais prévu de faire de même, au cas où il m'aurait devancé. Un solide report des voix centristes m'est nécessaire pour espérer l'emporter. En se présentant d'entrée de jeu comme un président d'ouverture et de rassemblement, François Mitterrand s'est positionné de telle manière qu'il réussira sans peine à capter une frange importante de cet électorat. J'en suis d'autant plus conscient que je ne parviens pas, dans le même temps, à m'affranchir de mon image un peu rebutante de chef de parti, d'homme d'ordre et de conservateur. « Facho-Chirac », comme certains se sont plu jadis à me surnommer, n'a pas encore disparu de tous les esprits. On ne se débarrasse pas facilement de ce genre d'étiquette.

L'affaire calédonienne, survenue en pleine campagne présidentielle, n'arrange rien à cet égard. Se fondant sur le constat irréfutable qu'une majorité d'habitants de ce territoire est favorable à son maintien au sein de la République – 98 % se sont prononcés en ce sens le 13 septembre 1987, lors du référendum sur l'autonomie de la Nouvelle-Calédonie, boycotté par les indépendantistes –, mon gouvernement a fait adopter un nouveau statut révisant celui élaboré par nos prédécesseurs sous l'angle d'une « indépendance-association » et devenu, de fait, illégitime.

Le ministre en charge du dossier, Bernard Pons, s'est efforcé depuis lors de maîtriser une situation restée explosive, après les premiers incidents intervenus en 1984 entre les militants indépendantistes du FLNKS de Jean-Marie Tjibaou et les membres du RPCR, l'antenne locale du RPR, de Jacques Lafleur.

Après plusieurs affrontements meurtriers entre activistes des deux bords, la tragédie qu'on redoutait se produit sur la petite île d'Ouvéa, le vendredi 22 avril, avant-veille du premier tour de l'élection présidentielle. Le poste de gendarmerie est pris d'assaut par un commando canaque : quatre gendarmes sont tués, vingt-trois autres pris en otages et conduits dans une grotte voisine. Je décide aussitôt que tout doit être mis en œuvre pour les libérer, au besoin par la force. Le chef de l'État souhaite dans un premier temps qu'on s'efforce de régler les choses par la négociation. Celle-ci se révélant sans issue, il finit par donner son accord, le 3 mai, à cinq jours du second tour, pour que les forces armées passent à l'action. L'opération, dans un premier temps déconseillée par les militaires, qui l'ont ensuite jugée réalisable, se solde par une tuerie épouvantable : deux soldats et dix-neuf Canaques y laissent la vie. On ne tarde pas à me soupçonner d'avoir utilisé la manière forte à des fins électorales. Soupçon misérable, que je ne prends pas la peine de réfuter, tant il va de soi qu'un tel drame résulte d'un engrenage devenu incontrôlable et d'une décision dont, en tout état de cause, je ne suis pas seul responsable...

Ce massacre, que personne ne pouvait souhaiter, éclipsera quelque peu une nouvelle dont tout le monde ne pouvait que se réjouir : la libération des derniers otages du Liban, Marcel Carton, Marcel Fontaine et Jean-Paul Kauffmann, obtenue la veille et, à travers elle, la fin désormais possible du contentieux avec l'Iran. Avant de quitter mes fonctions de Premier ministre, le 10 mai 1988, je serai en mesure de remettre à François Mitterrand et à mon successeur, Michel Rocard, le calendrier fixé avec Téhéran pour le rétablissement des relations diplomatiques avec la France.

Ironie du sort, c'est à propos du dossier iranien que s'est joué, à mon détriment, lors du débat télévisé qui m'a opposé à François Mitterrand, le 28 avril, le moment décisif de la campagne du second tour. Je n'attendais rien de bon de ce face-à-face, n'ayant jamais été très à mon aise, comme on sait, à la télévision. Est-ce chez moi une forme de timidité ou de stress que je ne parviens pas à dominer? Toujours est-il que je n'ai jamais réussi à être tout à fait naturel ni vraiment sympathique dans ce genre d'exercice... Mais ce qui a joué contre moi, ce soir-là, durant la fameuse séquence concernant l'affaire Gordji, ce n'est pas, de ma part, un quelconque embarras – je me sentais, au contraire, plutôt sûr de moi à ce moment-là –, mais le fait que les téléspectateurs n'aient pu constater celui de mon adversaire.

François Mitterrand avait obtenu, en effet, qu'il n'y ait aucun « plan de coupe » permettant de voir les réactions de l'autre candidat. Quand je lui ai demandé s'il pouvait réfuter ma « version des choses en me regardant dans les yeux » et qu'il a déclaré, en apparaissant seul à l'écran pour me répondre : « dans les yeux, je la conteste », je fus le seul à pouvoir observer que François Mitterrand n'en faisait rien, détournant plutôt son regard au lieu de le fixer dans le mien, comme je le lui demandais. C'est ainsi que notre confrontation s'est trouvée amputée d'un instant de vérité qui aurait pu être décisif en ma faveur. Mais c'est l'inverse qui s'est produit…

Le 8 mai 1988, François Mitterrand sera réélu président de la République avec un peu plus de 54 % des suffrages exprimés. Mon échec, le deuxième après celui de 1981, paraît cette fois sans appel. Je n'ai jamais pensé, cependant, ni à ce moment-là, ni plus tard, qu'il pouvait être définitif.

23

LA RECONQUÊTE

Sitôt quittées mes fonctions de Premier ministre, je me souviens d'avoir demandé à Maurice Ulrich, dans la voiture qui nous raccompagnait à l'Hôtel de Ville, d'organiser dès la semaine suivante une réunion de l'ensemble des directeurs pour préparer les futures élections municipales. Le combat continue. À cinquante-six ans, je ne me sens nullement disposé à lâcher prise, ni même à douter sérieusement de mon avenir.

Au lendemain de cette défaite, suis-je aussi abattu et désemparé que d'aucuns le racontent et qu'il m'arrive probablement de le laisser paraître ? Le coup est rude, à quoi bon le nier ? Mais pas au point de m'avoir fait sombrer dans cette dépression qu'on m'a prêtée en ce temps-là, et depuis lors, avec tant d'insistance. À force d'en entendre parler, je finirai par aller consulter mon médecin et ami, le professeur Steg, pour savoir s'il me trouve dans un état psychologique aussi inquiétant qu'on le dit. « Ady », comme je l'appelle, me rassurera aussitôt. « À ma connaissance, me répond-il, vous n'êtes pas sujet à ce genre de problème… »

Quelle que soit la lassitude ou même l'amertume que je puisse éprouver après deux longues et difficiles années de gouvernement et au terme d'une campagne épuisante, il n'est pas, de toute façon, dans ma nature d'y céder, ni de me plaindre de mon sort. J'appartiens, en outre, à une génération de responsables politiques qui n'a pas pour habitude d'afficher ses états d'âme.

Ceci ne m'empêche pas de m'interroger sur les raisons non seulement politiques, mais personnelles du désaveu que je viens de subir et les leçons que je dois en retirer. Pourquoi les Français m'ont-ils refusé, pour la deuxième fois, leur confiance ? Qu'est-ce qui, chez moi, les inquiète ou les déroute ? « Les Français n'aiment pas mon mari », estime alors Bernadette. Sans doute a-t-elle raison, mais je ne me résous pas à le croire. Ce n'est pas ce que je ressens lorsque je les côtoie. Mais peut-être n'ai-je pas su trouver les mots justes pour leur parler, les convaincre, incarner une ambition pour la France qui réponde à leurs attentes, leurs espoirs et leurs préoccupations... L'élection d'un président de la République, telle que l'a voulue et conçue le général de Gaulle, procède d'une alchimie particulière qui ne s'improvise pas. C'est toujours, dit-on, la rencontre mystérieuse d'un homme, d'un peuple et d'un moment de son histoire. Et celle-ci, à l'évidence, ne s'est pas produite.

Le débat auquel je suis confronté, dans la période qui suit ce rendez-vous manqué de mai 1988, n'a jamais été aussi crucial depuis le début de mon engagement politique. C'est d'abord à un retour sur moi-même qu'il me convie, dans la solitude inévitable des lendemains de défaite. En mon for intérieur, je ne doute pas de mes capacités à rebondir, à atteindre la fois suivante le point d'arrivée que je me suis fixé. Mais je sais aussi qu'un autre cheminement s'impose pour y parvenir : celui d'un homme évoluant au plus près de ses convictions, s'affirmant tel qu'il est et s'exprimant selon son cœur, fidèle à ses valeurs, ses principes, son idée de la France et sa vision du monde.

Dans l'immédiat, quelques-uns s'interrogent autour de moi sur l'avenir du mouvement gaulliste, dont Alain Juppé est devenu le secrétaire général en juin 1988, succédant à un autre de mes proches, Jacques Toubon. Mais le souci de ceux qui se posent une telle question est avant tout de savoir s'il me reste encore un rôle à jouer à la tête du RPR et, sous prétexte de rénovation, comment organiser, en réalité, ma succession. Je ne leur en veux pas de penser qu'il vaut peut-être mieux changer de leader, ni de me reprocher de n'avoir pas réussi à les mener à la victoire. Et peut-être suis-je, en effet, cet « homme fini » qu'ils ne se privent pas de brocarder. La politique est ainsi faite et je ne suis pas étonné que certains, me sentant affaibli, songent à voler de leurs propres ailes. Mais il n'en est pas moins vrai que rien, à tort ou à raison, ne m'incite alors à abdiquer comme ils le souhaiteraient, l'adversité, d'où qu'elle vienne, étant plutôt de nature à me galvaniser.

En mars 1989, les électeurs parisiens me confirment massivement leur confiance en permettant à la majorité sortante de s'imposer, pour la deuxième fois consécutive, dans tous les arrondissements de la capitale. Alors que plusieurs grandes villes de province, Strasbourg, Dunkerque, Quimper ou Aix-en-Provence, basculent à gauche, Paris a résisté de manière éclatante à la poussée socialiste. Cette victoire me conforte dans le sentiment que je suis probablement le seul, au sein de l'opposition nationale, à pouvoir encore remporter les futures batailles électorales.

Tel n'est pas l'avis, cependant, de la petite douzaine de jeunes parlementaires RPR ou UDF qui, le 6 avril 1989, lancent contre moi – mais Raymond Barre et Valéry Giscard d'Estaing sont également visés – un *Manifeste de la rénovation* réclamant la constitution d'un parti unique de la droite et du centre. C'est leur seul véritable projet pour la France. Le seul, en tout cas, sur lequel ils ont réussi à s'entendre.

Parmi eux, je regrette de voir figurer Philippe Séguin. Probablement me tient-il rigueur de lui avoir préféré Alain Juppé pour assurer la direction du RPR, comme il m'en voudra plus tard d'avoir désigné celui-ci comme « le meilleur d'entre nous », formule qui ne pouvait guère lui faire plaisir, en effet, mais ne visait pas à le blesser. On oublie toujours à quel point la politique est aussi faite d'affectivité. Combien se sont éloignés de moi parce qu'ils se sentaient mal aimés ou incompris ?

Philippe Séguin a été de ceux-là, très souvent. Notre relation en a souffert, même si je lui ai toujours conservé estime et affection. Son caractère peut se révéler difficile, brutal, parfois même insupportable. Ceci n'en fait pas moins de Philippe Séguin, à mes yeux, un responsable politique de premier ordre, habité par des convictions gaullistes exigeantes et passionnées, et sachant les défendre avec force, courage et énergie. Un homme de devoir et d'engagement, soucieux du bien public et foncièrement attaché au service de l'État. Mais autant ma relation avec Alain Juppé a toujours été naturelle, sûre et spontanée, autant celle nouée avec Philippe Séguin doit être constamment recherchée, travaillée, acquise parfois au prix d'efforts démesurés.

S'il comprend très vite le peu de sérieux de l'entreprise rénovatrice et a tôt fait de s'en dissocier, Philippe Séguin entre de nouveau en dissidence, l'année suivante, en s'alliant avec Charles Pasqua à la veille de nos assises nationales qui doivent se tenir au Bourget en février 1990, pour obtenir un changement de ligne politique à la direction du RPR. Comme Séguin, Pasqua ne me pardonne pas mon échec à la présidentielle, dont il rejette la faute sur la cohabitation que j'ai eu tort d'accepter, d'après lui, bien qu'il y ait lui-même pris une part déterminante. Refusant maintenant la stratégie d'union avec l'UDF que j'entends préserver, Philippe Séguin et lui préconisent un retour aux fondamentaux du gaullisme, sans compromis aucun avec les convictions de nos partenaires.

Le débat d'idées est nécessaire au sein d'une famille politique et je l'ai moi-même souhaité en favorisant, d'un commun accord avec Alain Juppé, la constitution de courants internes à l'intérieur du Rassemblement. La motion déposée par le tandem Pasqua-Séguin en vue d'une refondation du RPR n'aurait donc rien, en soi, qui puisse me choquer, si elle ne me paraissait inspirée par une autre motivation : l'éviction d'Alain Juppé et, à travers elle, la limitation de mon propre rôle à la présidence du RPR.

Je réagis en conséquence, déterminé à barrer la route non seulement à une opération purement politicienne, mais plus encore à l'idée même de transformer le mouvement gaulliste en une organisation monolithique et passéiste. À celle présentée par Philippe Séguin et Charles Pasqua, j'oppose donc ma propre motion, signée conjointement avec Alain Juppé, et clarifie d'une formule, que n'eût peut-être pas désavouée le Général, tout ce qui me distingue de la position adverse : « Si vous cherchez la place de Chirac dans le Rassemblement, vous ne la trouverez ni à gauche, ni à droite, ni au centre, mais au-dessus et avec tous les moyens de l'occuper. »

À l'issue d'un débat agité au Bourget, le 11 février, devant 20 000 militants, 68 % des mandataires se prononcent en faveur de la motion Chirac-Juppé, les autres soutenant la motion Pasqua-Séguin.

Réélu président du RPR à l'unanimité du Conseil national, et assuré par là même de garder, pour l'avenir, la maîtrise de l'appareil, je n'en suis que plus libre pour continuer, dans le même temps, à affirmer un engagement personnel au-dessus des contingences partisanes et conforme à ce que je crois être l'intérêt de la France. Quitte à me situer, parfois, à contre-courant de ma famille politique...

*

Des bouleversements majeurs sont intervenus dans le monde depuis mon départ de Matignon, en mai 1988. Le démantèlement en URSS du système communiste sous l'impulsion de Boris Eltsine, et en dépit des réticences prévisibles de Mikhaïl Gorbatchev. La chute du mur de Berlin en novembre 1989, qui ouvrira la voie, dix mois plus tard, à la réunification de l'Allemagne. Le retrait, en janvier 1990, des troupes soviétiques de Hongrie et de Tchécoslovaquie et le début, simultanément, de la crise yougoslave. Le déclenchement, au début de l'année suivante, de la guerre du Golfe, après l'invasion du Koweït par les troupes irakiennes. Et les prémices de la tragédie rwandaise qui débouchera sur un génocide ethnique d'une ampleur effroyable, ajoutant à cette sorte de malédiction qui semble peser sur le destin de l'Afrique…

C'est dans ce contexte d'une fin de siècle où le monde craque de toutes parts, si foisonnant de promesses et si lourd de drames et d'incertitudes, que vient s'ajouter un sujet de préoccupation grandissant, mais auquel l'opinion publique et la plupart des responsables politiques, sans parler des dirigeants des grands pays, ne prêtent encore qu'une attention distraite. Il concerne ni plus ni moins que l'avenir de notre planète et celui des hommes qui la peuplent.

L'article que je publie dans *Le Monde*, le 16 juin 1992, au lendemain de la conférence des Nations unies sur l'environnement et le développement, témoigne de l'importance que j'ai attachée, dès cette époque, à cette question vitale, qui engage le sort de l'humanité tout entière. Cet article s'intitule précisément : « Le devoir de l'humanité ». J'y dresse le constat d'une situation alarmante qui, dix-sept ans plus tard, à l'heure où j'écris ce livre, n'a rien perdu, hélas, de son actualité, tant nous aurons tardé à réagir. En voici l'essentiel :

« *Les enjeux de la conférence qui vient de s'achever étaient, au sens étymologique du terme, essentiels. Au cœur du débat, figurait la question de la compatibilité des exigences du développement avec les grands équilibres écologiques.*

« *Pourtant, comme on pouvait le craindre, ce sommet s'est souvent résumé en une polémique entre le Sud et le Nord, occultant les véritables priorités de cette fin de siècle : l'explosion démographique des pays en voie de développement, avec son corollaire, l'extension de la pauvreté et de la malnutrition ; les atteintes industrielles à l'environnement dans les pays riches, qui sont autant d'hypothèques sur l'avenir.*

« *Rien d'étonnant dès lors à ce que les engagements souscrits à Rio par la communauté internationale soient, il faut bien l'admettre, nettement insuffisants au regard des ambitions initiales. La convention sur les changements climatiques, destinée à limiter les effets des gaz à effet de serre, n'est qu'un accord-cadre, sans objectif précis ni échéancier contraignant.*

« *La convention sur la biodiversité, conçue pour protéger la variété des espèces animales et végétales, ne comporte aucune disposition concrète et n'a pas été signée par les États-Unis. La déclaration en faveur des forêts n'est qu'une somme de promesses, sans la moindre portée juridique. Fait symbolique, le compromis final sur le financement laisse libres les pays riches d'atteindre ou non l'objectif de 0,7 % de leur PNB affecté à l'aide au développement. Toute ambition a disparu en la matière.*

« *L'échec relatif du sommet de la Terre ne saurait, pour autant, conduire à la résignation. Il doit être l'occasion d'un sursaut, tant il est urgent de dépasser le stade des pétitions de principe et des déclarations générales pour mettre en avant des objectifs clairs et réalistes.*

« Première priorité à mes yeux : la création d'un système d'observation des risques écologiques à l'échelle planétaire. L'enjeu est capital : il s'agit d'évaluer avec précision les risques d'atteinte à l'environnement, les facteurs qui les influencent et les enchaînements qui les entretiennent. C'est dans cet esprit que j'avais engagé en 1987 une coopération entre le SNES et la NASA en faveur du satellite Topex-Poséidon d'observation des océans. Ce type d'initiative doit être encouragé, en liaison étroite avec la communauté scientifique internationale, insuffisamment associée aujourd'hui au combat pour l'environnement. Ses connaissances sur l'atmosphère, les climats, les forêts, les pluies acides, l'effet de serre, la valorisation et le retraitement des déchets, les énergies renouvelables sont si précieuses pour notre avenir commun, qu'il y aurait une incroyable irresponsabilité collective à ne pas les exploiter.

« Deuxième exigence : la maîtrise de la croissance démographique dans les pays du Sud. Six milliards d'hommes aujourd'hui, plus de dix en 2050, avec une proportion de pauvres et de déshérités en forte progression. Ce ne sont pas là des extrapolations aléatoires, mais des perspectives certaines.

« L'exode rural qui a hypertrophié nos villes et nos banlieues depuis 1950 est désormais un phénomène planétaire. Les campagnes se désertifient, aussi bien en Amérique du Sud, en Afrique équatoriale ou dans le sous-continent indien ; partout, la population des villes du Tiers-Monde croît exponentiellement et vient, pour une part, chercher en Europe, aux États-Unis et au

Canada, subsistance et travail. Ces gigantesques mouvements de population n'en sont qu'à leur début, tant sont grandes les inégalités de richesse sur la planète. C'est le grand défi des vingt ou trente années à venir. Nous devons en être conscients, en analyser les causes et chercher à infléchir la tendance.

« Comment ? En agissant dans le respect des libertés individuelles, des croyances et des cultures. Par l'information, l'éducation, les aides médicales et techniques que l'on doit apporter aux gouvernements intéressés. En aidant plus particulièrement les pays en voie de développement qui font un effort pour maîtriser leur démographie. En matière de démographie comme d'environnement, il ne saurait y avoir de fatalité.

« Troisième impératif : placer l'économie de marché au service d'un meilleur équilibre entre développement et environnement. L'économie et les valeurs de liberté et de propriété qui la fondent ne sont nullement incompatibles avec le respect de l'environnement. Bien au contraire : chacun sait aujourd'hui à quel point le communisme a généré de pollution, d'industries dangereuses et de risques, notamment nucléaires, pour la sécurité mondiale. L'économie libérale, parce qu'elle repose sur la responsabilité individuelle, est mieux à même de faire respecter les disciplines.

« Encore faut-il se méfier des idées trop théoriques, dont le meilleur exemple est l' "éco-taxe" que la Communauté européenne voudrait imposer. Limitée à l'Europe, elle aurait des effets pervers, dans la mesure où les États-Unis, avec la Chine et le Brésil, sont les principaux responsables des émissions de gaz. Cette "éco-taxe" pèserait donc sur la compétitivité des entreprises européennes,

sans s'attaquer au problème là où il se pose avec le plus d'acuité.

« De même, il faut en finir avec cette soi-disant tradition vertueuse, notamment de la France, qui refuse tout lien entre aide et action pour l'environnement. Les investissements, les transferts de technologie, l'assistance technique doivent être encouragés dans les pays qui intègrent les considérations écologiques dans leurs politiques nationales.

« De même, devrait-on, dans nos procédures d'aide à l'exportation, donner priorité à ce qui favorise conjointement le développement et l'environnement : tel est par exemple le cas des équipements améliorant l'alimentation en eau potable, le traitement et l'élimination des déchets, ou encore la fourniture d'énergies renouvelables.

« En clair, il faut rompre avec la politique "de la fin de mois", humiliante pour les pays aidés, coûteuse pour le contribuable français, bénéficiant trop souvent à des entreprises étrangères, pour promouvoir une politique de partenariat mutuellement bénéfique. À l'aide accordée au développement par les pays riches doit correspondre, au Sud ou à l'Est, une contrepartie pour l'environnement.

« Ce qui est en cause, c'est le droit à l'existence de milliards d'hommes sur cette Terre. Ce qui est à l'ordre du jour et au cœur de notre avenir, c'est la solidarité, c'est-à-dire la volonté politique d'inventer enfin une solidarité planétaire. Jusqu'à présent, elle a manqué. »

Cet enjeu, comme tous ceux auxquels le monde est confronté, d'Est en Ouest et du Nord au Sud, achève alors de me convaincre que la réponse aux grands problèmes de l'humanité passe par une coopération renforcée entre les nations fondées à se reconnaître une communauté de destin. C'est tout l'intérêt, à mes yeux, de la construction européenne et tout le sens de mon engagement en faveur d'une coopération toujours plus étroite entre les pays et les États qui ont décidé de s'y associer. Comment ne pas ressentir plus que jamais la nécessité d'une telle entreprise à l'heure où l'effondrement du communisme a mis un terme à l'ordre bipolaire instauré depuis 1945, où l'Allemagne a recouvré son unité, où les États-Unis restent la seule grande puissance mondiale, où le Japon, les nouveaux pays industriels du Pacifique et la Chine elle-même connaissent une expansion considérable, où la situation de l'Afrique, enfin, ne cesse de se dégrader, aux portes mêmes de notre continent ?

Voilà pourquoi je n'ai pas hésité à prendre parti pour la ratification du traité de Maastricht, qui permet la création de l'Union économique et monétaire, impliquant celle de la monnaie unique à dater du 1er janvier 1999. J'ai demandé publiquement au président Mitterrand d'organiser un référendum à ce sujet, malgré les risques liés à ce genre de consultation. Il me paraissait impossible de ne pas solliciter directement l'avis des Français sur une question engageant à ce point leur avenir. Mais si la réponse va de soi du côté de l'UDF et du Parti socialiste, je n'ignore pas, pour les avoir quelque temps partagées, qu'elle se heurte à de fortes réticences au sein du RPR.

Beaucoup, dans nos rangs, redoutent que le traité ne porte gravement atteinte à l'indépendance et à la souveraineté de la France, en aboutissant à l'instauration d'une Europe fédérale et au renforcement d'une autorité purement bureaucratique. Or, le traité devrait, selon moi, apaiser leurs inquiétudes, puisqu'il exclut expressément un tel système et stipule que l'Union européenne « respecte l'identité nationale des pays qui la composent ». En augmentant les pouvoirs du Parlement européen, le traité permet en outre de restreindre la toute-puissance de la Commission de Bruxelles tant décriée à juste titre. Je n'ai jamais été favorable à une Europe fabriquée par des technocrates sans légitimité, comme il m'est arrivé de le dire avec une certaine véhémence lorsque cette Commission ne paraissait pas prendre suffisamment en compte les intérêts de la France.

Mais ces arguments ne parviennent pas à convaincre, au sein du RPR, tous ceux qui, sceptiques depuis toujours sur la question européenne, entendent saisir l'occasion du référendum pour sanctionner, de surcroît, la gestion socialiste. Les opposants au traité de Maastricht se mobilisent en masse sous l'impulsion conjointe de Philippe Séguin et de Charles Pasqua, qui s'évertuent tous deux à m'expliquer qu'en me prononçant pour le « oui », je trahirais les idéaux gaullistes. À leur tour, Pierre Juillet et Marie-France Garaud s'efforceront, le 4 juillet, quelques heures avant que je me déclare officiellement en faveur du traité, de me ramener à la raison, en invoquant, avec la solennité qui s'impose, ma « responsabilité historique » dans cette affaire : « Le résultat dépend de vous, insiste Pierre Juillet. De vous seul. De grâce, réfléchissez ! » Je lui réponds que « c'est tout réfléchi » et que j'irai confirmer mon choix, le soir même, à la Mutualité, lors d'une réunion de tous les cadres du mouvement.

Ce soir-là, l'accueil promet d'être houleux. Je m'y suis préparé, déterminé à laisser parler mes adversaires jusqu'à épuisement, avant d'intervenir à mon tour pour annoncer que je voterai « oui, dans l'intérêt de la France, de la paix et de la démocratie ». Hué durant la première partie de mon discours, ce qui ne m'était jamais arrivé depuis la création du Rassemblement, je réussirai à retourner la situation en fin de séance, ovationné debout par une salle, sinon conquise, du moins soucieuse de me témoigner sa fidélité.

La partie n'est pas gagnée pour autant et c'est de justesse que le « oui » l'emportera le 20 septembre 1992, avec 51,05 % des suffrages exprimés contre 48,95 % en faveur du « non ». Sans doute en eût-il été autrement si je n'avais fait prévaloir mes convictions sur des considérations plus partisanes. Je ne vois aucune raison de le regretter.

*

En mai 1991, à l'occasion du dixième anniversaire de son accession au pouvoir, François Mitterrand a choisi une femme, Édith Cresson, pour succéder à Michel Rocard au poste de Premier ministre. Choix à première vue judicieux. J'ai de l'estime et de la sympathie pour Édith Cresson, que je connais de longue date. J'ai même pris sa défense, un jour, à Châtellerault, lors d'une réunion publique où elle était prise injustement à partie par des militants du RPR. Elle ne manque ni de courage ni de ténacité, qualités qui lui seront fort utiles dans ses nouvelles fonctions. Mais je ne peux m'empêcher de me demander quels moyens réels de gouverner lui seront accordés. D'autant, je n'en doute pas, qu'elle sera surveillée de très près par le chef de l'État…

Autour d'elle s'établit assez vite un climat de doute et de perplexité, alimenté par ses propres bévues et entretenu en sous-main par certains de ses ministres. Rien n'est fait, il est vrai, pour lui faciliter la tâche. Face aux problèmes qui s'accumulent – aggravation du chômage, de l'insécurité, des déficits publics … – la fronde gagne peu à peu toutes les corporations, des infirmières aux agriculteurs. Mais les tensions les plus vives sont celles qui se manifestent dans les banlieues, où les incidents se multiplient, liés pour partie aux difficultés d'assimilation d'une population étrangère le plus souvent sans emploi.

Le 27 mai 1991, la mort d'un jeune « beur » durant sa garde à vue au commissariat de Mantes-la-Jolie fait scandale dans cette petite ville de la région parisienne, qui compte un grand nombre d'immigrés d'origine maghrébine. Tandis que le Premier ministre n'hésite pas à menacer d'expulsion ceux qui se trouvent sur notre territoire en situation irrégulière, si besoin au moyen de « charters » – formule naguère tant reprochée par la gauche à Charles Pasqua –, c'est tout le débat sur l'immigration, exploité avec succès par le Front national, qui agite la classe politique française, à la mesure des problèmes qu'il soulève dans une société en pleine mutation.

Ce débat, je n'entends pas l'occulter et me sens d'autant plus à l'aise pour y prendre part que j'ai souvent exprimé mon attachement à la vision d'une

France pluraliste et multiraciale. C'est une des raisons qui m'ont conduit à instaurer, en 1976, le regroupement familial pour les immigrés déjà présents sur notre sol. Mais les abus d'une immigration incontrôlée ont fini, quinze ans plus tard, par devenir insupportables pour quantité de nos compatriotes, souvent les plus modestes, qui s'irritent de voir des familles étrangères de plus en plus nombreuses bénéficier, dans beaucoup de cas, de prestations sociales sans même travailler ni payer d'impôt. Cette dérive est devenue une véritable aubaine pour les thèses extrémistes et xénophobes que j'ai toujours combattues. Il me paraît vain désormais de dénoncer les idées extrémistes si l'on ne prend pas conscience du phénomène qui les alimente et si l'on ne se décide pas à le traiter.

C'est ce combat qui m'incite, le 19 juin 1991, lors d'un dîner-débat à Orléans, à stigmatiser les carences d'une politique d'immigration qui ne sert plus que les intérêts du Front national à force d'être mal ressentie par l'opinion. Je parle à ce sujet d'« overdose », puis, évoquant les difficultés de voisinage, pour un « travailleur français » habitant la Goutte-d'Or, avec certaines familles d'immigrés, j'ajoute à cela la gêne occasionnée par « le bruit et l'odeur »... Formule malencontreuse, inutilement provocante, qui ne reflète en rien le fond de ma pensée et ne peut qu'être mal interprétée.

Elle soulève un tollé chez ceux qui veulent y voir une tentative de capter les voix du Front national. Tel n'est pourtant pas le sens ni l'objectif de mon discours d'Orléans. Il ne s'agissait nullement dans mon esprit de concéder quoi que ce soit, pour des raisons électorales, aux théories d'un parti avec lequel j'ai refusé toute alliance, trois ans auparavant, et de manière, à mes yeux, irréversible. Mais de lever un tabou concernant la question même de l'immigration, telle qu'elle se posait réellement dans le pays, et les solutions qu'il fallait lui apporter sous peine, justement, de faire le jeu du Front national.

La reconquête politique que j'ai amorcée dès le lendemain de ma défaite de mai 1988 ne passe évidemment pas par le reniement de mes valeurs personnelles. Elle repose tout au contraire sur la volonté d'exprimer dans tous les domaines – Europe, environnement, chômage, immigration, situation des plus démunis… – des convictions fondées en grande partie sur mon expérience d'élu, à Paris comme en Corrèze, de ministre et de chef de gouvernement, deux fois confronté aux réalités sociales, économiques, culturelles d'une nation en proie à une crise morale et politique encore aggravée, dans les dernières années du second septennat de François Mitterrand, par des drames, des scandales minant jusqu'à l'autorité de l'État.

Je m'abstiendrai ici de commenter ce que fut le climat de cette fin de règne, marquée par la souffrance et la maladie d'un homme que j'avais appris à respecter et me garderai d'accabler à l'heure où quelques-uns de ses amis ne se priveront pas de lui reprocher son passé et de pointer du doigt ses erreurs et ses insuffisances. Ce n'est pas dans un esprit de revanche ni dans celui d'en découdre personnellement avec le chef de l'État que je me lancerai, au début de 1993, dans la campagne des élections législatives dont tout indique qu'elles aboutiront, pour l'opposition, à une victoire éclatante. Mais au soir du premier tour, le 21 mars, la déroute de la majorité sortante est telle – le Parti socialiste ayant recueilli à peine 17 % des suffrages – que j'estime de mon devoir de m'interroger publiquement sur la légitimité d'un président à ce point désavoué par le pays.

C'est l'éventualité même, dans ces conditions, d'une nouvelle cohabitation que je remets en cause, le 23 mars 1993, dans la déclaration suivante : « Si le second tour confirme le message du premier, le président de la République devra en tirer toutes les conséquences. Ce serait de l'intérêt de la France que de ne pas rester, vis-à-vis de nos partenaires étrangers, dans une certaine ambiguïté. Son intérêt serait sans aucun doute que M. Mitterrand démissionne et que nous ayons de nouvelles élections présidentielles. »

Cinq jours plus tard, la déroute de la gauche sera pire encore que prévu, avec 62 élus contre 257 pour le RPR et 215 pour l'UDF. Mais elle ne suffira pas à convaincre le chef de l'État de quitter ses fonctions, comme je le lui demandais. C'est une des raisons pour lesquelles je déciderai, quant à moi, de ne pas prendre la direction du nouveau gouvernement, comme j'y étais destiné, et de laisser place à celui que j'estime, dans ces circonstances, le plus qualifié pour le faire.

24

LA VICTOIRE

J'avais confiance en Édouard Balladur.

C'est à mon instigation qu'il est devenu Premier ministre en 1993, prenant la tête d'un deuxième gouvernement de cohabitation dont j'ai exclu, par avance, d'assumer la charge, malgré les recommandations de beaucoup de mes proches. Sa nomination répondait, au demeurant, à un souhait qu'Édouard Balladur m'avait souvent exprimé en privé, sans que j'y aie vu ou voulu y voir, pendant longtemps, les signes annonciateurs d'une ambition rivale. Ce n'est pas faute pourtant d'avoir été mis en garde, de tous côtés, contre un tel risque. Mais un accord politique, ayant aussi valeur de contrat moral, était scellé entre nous pour les deux années à venir. Une répartition des tâches, en quelque sorte, Édouard Balladur dirigeant le gouvernement pendant que je me consacrerais à la préparation de l'élection présidentielle. Et je ne croyais pas devoir douter de sa parole.

Si j'avais souhaité qu'Édouard Balladur occupât, lui plus que tout autre, les fonctions auxquelles il aspirait, c'est en raison, non seulement de ses compétences et du rôle éminent qu'il a joué dans l'élaboration et la mise en place du programme économique réalisé lors de la première cohabitation, mais aussi des liens qui nous unissaient de longue date.

C'est dans l'entourage de Georges Pompidou, notre mentor commun, que nous avons fait connaissance, puis travaillé de concert, chacun dans son registre, lui jusqu'au bout en tant qu'homme de cabinet, moi comme membre du gouvernement, à partir de 1967. Devenu l'un de mes plus proches conseillers à la fin de 1980 – « Faites quelque chose pour lui, je vous en prie », m'avait demandé Claude Pompidou, alors qu'il se sentait probablement sous-employé à la seule présidence de la société d'exploitation du tunnel du Mont-Blanc –, Édouard Balladur se voyait contraint de me reconnaître, de fait, une autorité politique dont il était probablement jaloux.

Sans doute étions-nous aux antipodes l'un de l'autre sur bien des plans, mais il n'est rien de mieux que les contraires pour s'attirer. Je faisais figure de provincial un peu rustique à côté de ce grand bourgeois de la capitale, aux allures distantes et pétri de bonnes manières. Nous n'avions ni les mêmes goûts en matière artistique, ni, à quelques exceptions près, les mêmes fréquentations dans les milieux parisiens. Hormis le fait de s'appeler par nos prénoms – le voussoiement est de rigueur avec Édouard Balladur –, nos relations étaient dénuées de toute familiarité. Cela mis à part, nous n'en avions pas moins certaines affinités en matière politique, et longtemps j'eus le sentiment que nous partagions la même vision des choses concernant l'avenir du pays. Ce qui m'inspirait confiance chez Édouard Balladur, malgré un excès d'orgueil et de certitude, c'était sa profonde intelligence, sa culture et ce que je croyais être sa loyauté envers moi. Je ne cultive pas à l'égard des autres une méfiance spontanée.

Au début du mois d'avril 1993, c'est par la télévision que j'apprends la composition définitive de l'équipe Balladur, bien que nous nous soyons téléphoné à ce sujet, lui et moi, à plusieurs reprises dans les jours précédents. Très vite le Premier ministre veille à établir une certaine distance avec le président du RPR. Je prends acte de cette volonté d'autonomie et ne me reconnais, dès lors, aucun devoir de solidarité vis-à-vis d'une politique gouvernementale que j'entends soutenir sans m'interdire toute liberté de jugement à son égard.

C'est ainsi que je m'abstiens de réagir lorsque Philippe Séguin, à la mi-juin 1993, se livre à une attaque en règle contre la politique sociale et économique des pays industrialisés, et de la France en particulier. Dénonçant le fait que « la préoccupation de l'emploi » demeure selon lui « seconde dans les choix qui sont effectués, reléguée qu'elle est après la défense de la monnaie, la réduction des déficits publics, le productivisme ou la promotion du libre-échange », le nouveau président de l'Assemblée nationale évoque « un véritable Munich social », où se retrouvent, déclare-t-il, « tous les éléments qui firent conjuguer en 1938 la déroute diplomatique et le déshonneur : aveuglement de la nature du péril, absence de lucidité et de courage, cécité volontaire, silence gêné, indifférence polie à l'égard de générations d'exclus... ». Je ne me sens nullement en désaccord avec la déclaration de Philippe Séguin. Si bien que je ne l'ai pas désavouée, au grand dam de Matignon. Le 19 juillet, au cours d'un déjeuner des responsables de la majorité, Édouard Balladur s'étonnera de mon silence dans cette affaire, regrettant que je nc me sois pas porté à sa rescousse…

Au fond de moi, j'ai encore peine à croire que le Premier ministre soit en train de trahir ses engagements, comme on me l'assure déjà de divers endroits. J'en aurai pourtant, comme tout le monde, un début de confirmation le 12 août, lors d'une intervention télévisée où, interrogé sur la future élection présidentielle et la question de savoir s'il me considère toujours comme le « candidat naturel » du RPR, le Premier ministre s'abstient de répondre. Mais tout s'éclaire définitivement pour moi le 11 septembre, après un tête-à-tête de deux heures à Matignon pour procéder, comme on dit, à un « large tour d'horizon ». La presse parle d'une visite de « réconciliation ». C'est presque le cas, bien que nous ne soyons pas encore officiellement fâchés.

À l'issue de l'entretien, Édouard Balladur me raccompagne jusque sur le perron. Je revois cette scène comme si c'était hier. Je suis déjà en train de descendre les marches après que nous nous sommes salués, quand Édouard Balladur me rappelle : « Jacques… » Je me retourne et l'entends me faire la déclaration suivante : « Ne vous y trompez pas. Je ne serai jamais votre Premier ministre. » Il avait attendu l'ultime moment pour m'adresser cette mise au point inopinée. J'en suis stupéfait, mais le message a le mérite d'être clair. À partir de ce jour-là, j'aurai de plus en plus de mal à accrocher le regard d'Édouard Balladur.

C'est en vain que nous tenterons de faire bonne figure, deux semaines plus tard, lors des Journées parlementaires du RPR qui se tiennent à La Rochelle, à partir du 26 septembre. Nos entourages respectifs ont pour consigne de dédramatiser l'événement. Tout doit être fait pour sauver les apparences et rassurer nos militants. Je m'y emploie, de mon côté, en insistant devant les parlementaires sur ma bonne entente avec le Premier ministre, « un ami de trente ans », avec lequel les règles du jeu ont été fixées de longue date...

Mais personne n'est dupe de ce qui se passe et tout devient transparent dès la séquence suivante, sur les quais de La Rochelle, où nous allons marcher, à quelque distance l'un de l'autre, escortés par une meute de photographes et de cameramen, avant de nous attabler à une terrasse pour prendre un café, sans parvenir à se parler ni même à se regarder. Il s'agissait de montrer officiellement que nous étions toujours amis. Mais toute opération de communication a ses limites...

Je n'aurai jamais d'explication d'homme à homme avec Édouard Balladur. Je ne l'ai d'ailleurs pas cherchée, considérant, puisque la bataille était engagée, qu'il n'y avait plus qu'à la laisser suivre son cours.

Inévitablement, les rangs commencent à s'éclaircir autour de moi. Le premier à s'éloigner, parmi les membres du gouvernement Balladur, sera le ministre du Budget, Nicolas Sarkozy.

Le 24 octobre, interrogé par un journaliste sur les raisons de ses absences de plus en plus fréquentes aux réunions de mes conseillers, Nicolas Sarkozy déclare qu'il entend se consacrer exclusivement, selon la consigne du Premier ministre, à son département ministériel, sans se préoccuper de la future élection présidentielle. Mais un mois plus tard, au terme d'une réunion du bureau politique du RPR, rue de Lille, il demande à me parler en tête à tête. « J'ai l'intention, m'annonce-t-il, de soutenir Balladur s'il est candidat à l'élection présidentielle – C'est très bien, lui dis-je, mais pourquoi viens-tu me dire cela ? – Je suis un politique, me répond-il, je fais de la politique et il est évident que Balladur sera élu. Donc, j'ai décidé de le soutenir. » Je ne cherche pas à l'en dissuader, lui recommandant tout au plus de ne rien précipiter, de ne pas mettre « tous les œufs dans le même panier ». Je lui confirme, avant de nous séparer, que je serai candidat quoi qu'il arrive.

Cette première défection ne me laisse pas indifférent. Nicolas Sarkozy est à mes yeux bien plus qu'un simple collaborateur. Je l'avais remarqué à l'occasion d'un de nos meetings, au milieu des années soixante-dix. Ayant demandé à prendre la parole pendant quelques minutes, en tant que délégué départemental des jeunes gaullistes des Hauts-de-Seine, il s'était exprimé avec brio pendant plus d'un quart d'heure. Il avait à peine vingt ans et faisait preuve d'un tempérament politique prometteur. Je lui demandai de venir travailler à mes côtés, ce qu'il fit aussitôt, prenant part efficacement à toutes mes campagnes, avec cette volonté, qui ne l'a pas quitté, de se rendre indispensable, d'être toujours là, nerveux, empressé, avide d'agir et se distinguant par un sens indéniable de la communication.

En 1983, c'est tout naturellement, même s'il l'a contesté par la suite, que je lui apporte mon soutien lorsqu'il décide de se lancer dans la bataille des municipales à Neuilly-sur-Seine, devenant maire de la ville au détriment de Charles Pasqua que je ne suis pas parvenu à dissuader de se présenter. La ferveur et l'enthousiasme de Nicolas Sarkozy ne me feront pas défaut au cours des dix années suivantes, même s'il s'agace parfois, désireux d'exister par lui-même, de ne pouvoir exercer sur moi une influence exclusive.

Le 19 décembre, c'est au tour de Simone Veil et de François Léotard de se rallier à Édouard Balladur, en soulignant publiquement que ce dernier a, selon eux, les « qualités requises » pour faire un bon candidat. Je préfère ne pas réagir directement et laisse le secrétaire général adjoint du Rassemblement, mon ami Jean-Louis Debré, sur qui je sais pouvoir compter sans réserve et qui est, avec sa franchise chaleureuse, l'incarnation même de cette vertu très rare en politique, la fidélité, s'étonner d'une démarche aussi précipitée, qui ne peut que semer le trouble au sein de la majorité. Mais le plus irrité par cette annonce, qu'il estime à juste titre prématurée, est d'abord le chef de l'État, déjà agacé par les intrusions trop manifestes du Premier ministre dans son domaine réservé et qui commence à distiller contre lui quelques-unes de ses petites phrases assassines dont il est coutumier, comme celle de « l'étrangleur ottoman ». Le Président n'est pas moins excédé, me dit-on, par l'insistance et la sollicitude avec lesquelles le chef du gouvernement s'acharne à prendre des nouvelles de sa santé.

Je n'ai jamais cru à une bonne entente durable entre les deux hommes, sachant le peu qu'ils ont en commun. Le moins qu'on puisse dire est qu'ils n'ont pas les mêmes références de vie. Je me sens plus proche, à cet égard, de François Mitterrand. Nous pourrions facilement marcher ensemble dans la glaise, à la campagne, sur le même chemin, en décrottant de temps en temps nos chaussures sans plus de façons. Tandis qu'Édouard Balladur, s'il s'y aventurait, aurait une manière plus distinguée de marcher en de telles circonstances.

Ce n'est pas mon seul point commun avec le chef de l'État. Au début de janvier 1994, j'exprime les mêmes réserves que lui concernant l'abrogation, dans des conditions trop hâtives, de la loi Falloux, qui limitait, voire interdisait, l'affectation de fonds publics à l'enseignement privé. Je saisis cette occasion pour rappeler mon propre attachement à la laïcité. Peu après, je propose que l'État lance un plan d'aide en faveur des écoles publiques, financé par les recettes des nouvelles privatisations. Le mois suivant, c'est au sujet de la politique de l'emploi menée par le gouvernement et de ses choix en matière de défense nationale, que j'émets de nouvelles critiques, jugeant l'une insuffisante pour lutter contre l'accroissement du chômage, l'autre de nature à affaiblir nos capacités de dissuasion nucléaire.

Il me paraît évident, désormais, que c'est sur le plan des idées et des choix fondamentaux que je pourrai le mieux affirmer tout ce qui me sépare de mon futur concurrent.

*

Cette époque où je me suis trouvé seul face à moi-même, abandonné de beaucoup, mais soutenu par quelques amis sûrs, et entouré des miens plus que jamais mobilisés à mes côtés, a été l'une des plus heureuses de ma vie. Je m'y suis préparé, sans le savoir, en acquérant peu à peu, depuis mon échec de 1988, une plus grande liberté d'action et de réflexion. Sans doute cette épreuve se révélera-t-elle salutaire. C'est peut-être à elle que je devrai, en fin de compte, cette victoire à laquelle je n'ai cessé de croire et qui, pourtant, n'a jamais paru si improbable.

Autour de moi, tandis que d'autres s'effaçaient, certaines présences n'ont cessé de se renforcer. Celle de Bernadette a toujours été et demeure essentielle. Je sais tout ce que je lui dois après trente années d'engagement politique. Elle n'a jamais ménagé ses efforts pour me soutenir en Corrèze, dès ma première campagne électorale, où elle m'accompagnait partout, dans les cafés, dans les fermes, puis à Paris, où elle m'a aidé, sur le terrain, cage d'escalier après cage d'escalier, à gagner les arrondissements les plus difficiles, avant de prendre une grande part aux actions sociales et culturelles de la ville. À Matignon, enfin, où elle a rempli sans relâche les fonctions, parfois ingrates, d'épouse de Premier ministre.

Bernadette a son franc-parler et ses opinions peuvent être tranchantes, parfois trop à mon goût, surtout quand elles me concernent. Mais ses avis, ses conseils, ses critiques m'ont souvent éclairé sur les décisions qu'il me fallait prendre, les hommes en qui je pouvais avoir confiance et ceux dont je devais me détourner. Son intuition, sa capacité d'écoute et son sens politique, son expérience de tous les milieux, des plus modestes aux plus fortunés, lui valent souvent d'avoir raison avant tout le monde, moi y compris. Longtemps, elle a paru un peu en retrait, effacée, se limitant à un rôle de second plan, mais il n'est rien de plus important, parfois, que les gens qu'on croit à l'écart. Bernadette ne l'a jamais été, en réalité. Nous sommes restés indissociables, partenaires et complices d'une même aventure, et les aléas de la traversée n'y ont rien changé.

Mais on ne mène pas le type de carrière qui est le mien sans avoir dû sacrifier une grande partie de sa vie personnelle. En particulier, ce qui devrait compter plus que tout pour un père de famille : l'éducation de ses enfants. Je m'y suis bien moins consacré que je ne l'aurais dû, laissant à Bernadette la tâche d'élever Laurence et Claude et le soin de suivre leurs études. Mais, comme elle, j'ai veillé, autant que je le pouvais, à aider nos deux filles à se construire, en leur transmettant ces valeurs que mes parents m'ont inculquées : tolérance, respect de l'autre, refus de plier devant les puissants, attention aux plus démunis...

Laurence a été une élève brillante, travailleuse, appliquée, en avance dans beaucoup de domaines, et d'un caractère très fort. À l'âge de quinze ans, c'était une jeune fille extrêmement jolie, volubile, dynamique, sportive, entreprenante. C'est le moment où tout a basculé dans son existence, comme dans la nôtre... Un drame dont j'ai longtemps refusé de parler, par simple pudeur, par refus de divulguer quoi que ce soit de ma vie privée ou familiale, et parce qu'il ne sert à rien d'exhiber ses souffrances en public.

La maladie de Laurence s'est déclenchée en juillet 1973. Bernadette se trouve alors en vacances en Corse, à Porto-Vecchio, avec sa mère, Laurence et

Claude. Je suis resté à Paris, accaparé comme toujours par mes fonctions ministérielles. En rentrant d'une régate à laquelle elle vient de participer – la voile est une de ses passions –, Laurence se plaint d'un violent mal de tête, avant d'être saisie d'une forte fièvre liée, selon un premier médecin, à une lombalgie. Mais la nuit se passe mal et, le lendemain, la situation n'a fait qu'empirer. Un deuxième médecin, appelé en consultation par Bernadette, diagnostique une poliomyélite. Bernadette m'alerte aussitôt, en me demandant de venir la rejoindre le plus vite possible. Entre-temps, un troisième médecin établit un tout autre diagnostic : selon lui, Laurence souffre, en réalité, d'une méningite. Non seulement elle ne peut pas être soignée sur place, mais il estime, en outre, qu'elle n'est plus transportable.

Après avoir pris, à Paris, l'avis de personnes compétentes, je vais chercher Laurence en avion sanitaire, entouré d'une équipe soignante, pour la conduire à l'hôpital de la Pitié-Salpêtrière. Dès son arrivée, elle subit une ponction lombaire qui tourne au cauchemar : l'aiguille se casse pendant l'examen. J'entends Laurence hurler de douleur. Nous nous précipitons à son chevet, tandis que les infirmières accourent, prises de panique. Je laisse imaginer le sentiment d'effroi, d'impuissance et de révolte qu'on peut éprouver dans un moment pareil…

Un malheur suivant l'autre, c'est à la même époque qu'est intervenue la mort de ma mère. Atteinte de plusieurs cancers successifs – le premier, un cancer du sein, avait été découvert et opéré du vivant de mon père –, elle avait affronté la maladie avec un courage inébranlable, sans jamais exprimer une plainte, ni auprès de moi, ni auprès de Bernadette, qui a pris soin d'elle jusqu'au dernier moment. Vers la fin de l'été 1973, alors qu'elle ne quitte plus son lit depuis plusieurs semaines, à notre domicile familial de la rue de Seine, son médecin nous prévient que ses jours sont comptés. Nous décidons de la faire transporter en ambulance jusqu'en Corrèze, pour qu'elle puisse terminer sa vie dans notre propriété de Bity qu'elle aime tant. Bernadette l'accompagne dans une voiture séparée, Laurence, qui vient juste de sortir de l'hôpital, allongée à ses côtés. Je les rejoindrai peu après.

Ma mère décédera quelques jours plus tard, sans que je sois présent à ce moment-là, contraint de regagner Paris après une nuit entière passée auprès d'elle. Je ne m'attendais pas à une fin aussi rapide, que je redoutais sans, probablement, vouloir me l'avouer. Lorsque Bernadette me téléphone pour me prévenir, à peine suis-je rentré à Paris, je ne trouve qu'un seul mot à dire : « Déjà ! », incapable d'ajouter quoi que ce soit, tant je suis bouleversé et comme pris de court. J'étais resté très proche de ma mère et je ressens sa disparition avec une tristesse infinie.

C'est à Bity, dans les semaines suivantes, que Laurence a commencé à ne plus s'alimenter, donnant les premiers signes du mal dont elle est atteinte et qui nous sera confirmé quelque temps plus tard : une anorexie mentale dont la méningite a été le facteur déclenchant, mais dont on n'a jamais réussi à établir définitivement l'origine. Selon le professeur Jean Bernard, que nous consulterons par la suite, la maladie de Laurence serait d'origine virale. La méningite aurait détruit l'hypophyse qui ne pourra plus jamais fonctionner normalement. Mais cette maladie pourrait être liée, selon d'autres spécialistes, à la frustration que l'enfant, dès son plus jeune âge, a pu éprouver dans les rapports avec son père. N'ai-je pas été assez présent pour elle ? En a-t-elle beaucoup souffert, sans que je m'en sois suffisamment aperçu ? Ce sont des questions que je me suis inévitablement posées. Longtemps, je me suis efforcé de venir déjeuner avec elle chaque jour, quand elle a commencé ses études de médecine, pour l'entraîner à se nourrir. Mais en vain.

Laurence s'est mise peu à peu à sombrer, alternant les tentatives de suicide et les périodes d'hospitalisation. Elle a été prise en charge par un des grands psychiatres français, le professeur Louis Bertagna, qui avait soigné André Malraux et qui s'est occupé d'elle avec une patience admirable. Mais rien n'y fait là non plus. Le 18 avril 1987, alors que nous venons d'arriver en Thaïlande et qu'elle suit un stage dans le service du professeur Lejeune, Laurence se jette du quatrième étage de son logement parisien. Elle échappe à la mort miraculeusement, ce qui n'empêchera pas qu'une rumeur sordide, alimentée par on ne sait qui, se mette à circuler, selon laquelle Laurence serait en fait décédée et aurait été enterrée clandestinement.

Les lettres de condoléances ont commencé d'affluer, provenant parfois d'amis de longue date qui nous font part de leur émotion en toute bonne foi. Nous n'avons répondu à personne. Que pouvions-nous faire d'autre que de nous taire ? Démentir eût été pire que tout. Il me paraissait impensable de publier un communiqué assurant que ma fille était toujours vivante. Et puis, d'une certaine façon, ce drame ne concernait que nous, même s'il m'a aidé à prendre conscience, de manière encore plus aiguë, du désarroi des familles confrontées au handicap d'un des leurs, et rendu plus sensible, plus attentif que je ne l'étais déjà à toutes les formes de la détresse humaine.

Le 19 juillet 1979, Bernadette et moi sommes présents à l'aéroport de Roissy pour accueillir, en plein exode des boat-people, les cent quatre-vingts réfugiés vietnamiens de Poulo Bidong. Des hommes et des femmes que nous voyons débarquer en France, démunis de tout, les mains vides, sans bagages, sans papiers, sans autres vêtements que ceux qu'ils portent sur eux. En tant que maire de Paris, alors que presque personne ne se préoccupait d'eux, j'avais déjà fait affréter un avion pour leur apporter sur place des couvertures et de la nourriture, avant d'organiser leur venue chez nous et leur prise en charge dans des familles d'accueil.

C'est alors que je remarque une très jeune fille en train de pleurer, assise dans un coin. Elle paraît avoir quinze ans tout au plus. Je m'approche d'elle et lui tends un mouchoir. Elle s'appelle Anh-Dao et elle est la seule à ne savoir où aller. Bernadette s'approche à son tour et la saisit dans ses bras en essayant de la réconforter. Comme personne ne l'attend, nous convenons de l'emmener avec nous. Bernadette et moi nous occuperons d'elle comme de notre propre fille. Il en sera ainsi jusqu'à son mariage, sans que personne ou presque n'en ait jamais rien su pendant longtemps.

La maladie de sa sœur et le sentiment de ne pas avoir été assez attentif à sa propre vie ont probablement beaucoup compté dans la décision que j'ai prise, au début des années quatre-vingt-dix, de proposer à ma fille cadette, Claude, d'intégrer mon équipe de communication. Un jour où nous traversons en voiture la place de la Concorde, Claude me confie qu'elle ne souhaite pas faire carrière dans l'univers de la publicité, où elle a débuté son parcours professionnel. « Pourquoi ne viendrais-tu pas travailler avec moi ? » lui dis-je aussitôt. Elle paraît d'abord étonnée par ma suggestion, puis accepte de tenter l'expérience. C'est ainsi que notre collaboration s'est nouée, à une époque où Claude me semblait en quête d'elle-même et où j'éprouvais, de mon côté, le besoin de me retrouver. J'aspire à ce moment-là à changer d'image auprès des Français. Qui mieux qu'elle peut m'y aider ?

Vive, belle, sensible, intuitive, d'un naturel calme et réservé, mais prompte, dès qu'il le faut, à s'affirmer, Claude partage avec moi une même pudeur dans l'expression de nos sentiments et un même instinct de rébellion face à tous les conformismes – ce qui fait que nous sommes assurés de bien nous entendre… Proche des milieux parisiens, ceux du show-biz, de la mode, du cinéma, que je n'ai pas beaucoup l'habitude de fréquenter, et très au fait des évolutions de la société française, Claude ne se contente pas de me conseiller dans le choix de mes vêtements ou de certaines de mes apparitions publiques, pour faire « moins politique », plus « branché » en somme. Elle m'aide surtout à sortir du cadre trop confiné des discours politiques traditionnels, à prendre davantage conscience des nouvelles attentes de l'opinion et de l'émergence de certains problèmes, et à me faire bénéficier, à ce sujet, des relais qui sont les siens. C'est à elle que je dois, par exemple, d'avoir pu rencontrer Nicolas Hulot qui sera le premier à m'alerter sur l'urgence des questions d'environnement à l'échelle planétaire.

Contrairement à ce que j'ai souvent entendu dire concernant notre relation, le rôle de Claude n'est pas de me rassurer, même si elle peut parfois y contribuer, mais d'abord de m'éclairer sur des réalités sociales et des changements de mœurs dont je ne suis pas assez informé. C'est dire qu'elle jouera un rôle décisif dans la campagne pour l'élection présidentielle de mai 1995.

*

Le drame de l'exclusion et de ce que j'appellerai plus tard la « fracture sociale » est au cœur de mes préoccupations depuis la fin des années quatre-vingt. C'est dès ce moment-là que j'ai perçu la nécessité de mettre en place de nouvelles structures pour venir en aide aux plus déshérités, à un nombre croissant d'hommes et de femmes condamnés à vivre en marge de la société, « sans domicile fixe », selon une expression qui tend alors à devenir de plus en plus courante, et voués à une errance apparemment sans issue.

En 1989, la création de la carte Paris-Santé, décidée par la municipalité contre l'avis du gouvernement socialiste de l'époque, a permis à plusieurs dizaines de milliers de personnes en grande difficulté – elles seront 130 000 dans la capitale en 1995 – de bénéficier d'un libre accès aux soins médicaux, la Ville prenant en charge leur inscription à la Sécurité sociale et assurant le règlement du tiers payant. Ce dispositif fera école, puisqu'il sera repris sur le plan national trois ans plus tard. En novembre 1993, je décide d'amplifier cette action de solidarité en procédant, sur les conseils de Xavier Emmanuelli et en tandem avec lui, au lancement du Samu social.

Xavier Emmanuelli, symbole de tout ce qu'un cœur humain peut porter en lui de dévouement et de générosité, est depuis 1992 responsable médical du CHAPSA, le Centre d'hébergement et d'accueil pour les personnes sans abri, fondé par l'abbé Pierre à Nanterre en 1954, après avoir été médecin de la prison de Fleury-Mérogis et l'un des initiateurs, en décembre 1971, de Médecins sans frontières avec Claude Malhuret et Bernard Kouchner. C'est dire qu'il est on ne peut mieux informé sur la montée de plus en plus inquiétante des phénomènes d'exclusion dans notre pays.

Xavier Emmanuelli a l'idée de mettre sur pied un dispositif plus efficace afin de porter secours aux nouveaux laissés-pour-compte de la société, le plus souvent privés de tout moyen de subsistance et souffrant de traumatismes et de graves problèmes de santé qui achèvent de les plonger dans un isolement inextricable. Son projet se heurte au scepticisme de la DDASS et du ministère de la Santé, comme saisis de panique à l'idée de faire sortir de l'ombre toute une population qu'ils ne savent pas comment traiter. C'est alors qu'il prend rendez-vous avec moi, à la mairie de Paris, pour venir m'en parler en octobre 1993.

Je le reçois en compagnie du délégué général aux Affaires sociales et sanitaires de la ville, Antoine

Durrleman, et, après avoir libéré ma matinée, l'écoute longuement m'exposer son projet. À la fin de l'entretien, ma résolution est prise : « Toubib, lui dis-je, on y va ! L'administration nous mettra sans doute des bâtons dans les roues, mais peu importe. Ça va marcher ! » C'est ainsi qu'est né le Samu social dans la capitale, placé sous la direction de Xavier Emmanuelli et de son adjointe, Dominique Versini.

Une nuit de novembre 1993, nous sommes partis en compagnie d'infirmières et de travailleurs sociaux, à bord de véhicules banalisés, à la rencontre des premiers SDF auxquels nous pourrions proposer, si besoin, d'être pris en charge pour des traitements médicaux. La plupart se sont méfiés au premier abord, en nous voyant arriver, par crainte que nous cherchions à les convaincre de rejoindre un lieu d'hébergement. Mais il ne s'agissait pour nous, comme ils l'ont vite compris, que de leur permettre, s'ils le souhaitaient, de bénéficier des mêmes soins que tout le monde, sans atteinte à leur dignité. Ce qui m'a frappé en les voyant, c'est la jeunesse de beaucoup d'entre eux.

En février 1994, Xavier Emmanuelli me fait un premier état de la situation : « Nous attendions 8 000 appels, me dit-il. Ils ont été 15 000. On nous appelle de partout. Quel flot ! » À cette date, je mesure définitivement à quel point la misère et la détresse sont beaucoup plus importantes et méconnues dans notre pays qu'on ne le pense : personnes seules dans la ville, infirmes laissés à eux-mêmes, malades sans ressources, toxicomanes, enfants dépourvus de parents, immigrés mal insérés, chômeurs de longue durée, jeunes en quête d'emploi…

Tous, aussi différents que puissent être leur situation, leur passé, leurs perspectives d'avenir, éprouvent la même angoisse du lendemain et partagent le même sentiment d'incertitude et d'abandon.

Combien sont-ils ? Sept millions, dit-on, qui devraient se loger, se nourrir, se vêtir et se soigner avec moins de 60 francs par jour, si les aides sociales n'existaient pas. Tous les maires sont confrontés à ces détresses qui, l'espace d'une rencontre, ont un visage, une histoire, souvent la même. Le flot des existences précaires a débordé. La certitude du lendemain est devenue un privilège. L'« insécurité sociale » est partout.

Beaucoup a été fait par l'État, par les collectivités locales, par les associations, par de simples bénévoles. Et pourtant la lèpre est toujours là et gagne du terrain. Est-ce une question de moyens financiers ? Je ne le crois pas, à en juger par l'effort consenti. Est-ce une question d'organisation ? Sans doute. Nos structures administratives, dans ce domaine, sont complexes et instables. Elles se chevauchent et se défont depuis longtemps au gré des gouvernements. Est-ce une question de mentalité ? Certainement. Il y a une indifférence instinctive devant la misère qui souvent engendre la peur et conduit à faire un détour, pour ne pas voir. Il y a de la pudeur aussi chez ceux qui n'osent rien demander ni même révéler qu'ils ont mal.

Je tire pourtant de mon expérience de maire la conviction que nous pouvons gagner cette bataille contre l'exclusion. Chaque jour, je rencontre des bénévoles, des travailleurs sociaux, des associations qui surmontent leur découragement et réussissent dans leur action. Encore faut-il parvenir à briser la spirale de l'isolement. Au centre des banlieues réputées difficiles, aux confins des départements les plus ruraux foisonnent des projets de réinsertion, montés avec cœur et intelligence. Leurs responsables me disent : « Les cas désespérés n'existent pas si l'on parie sur la dignité humaine et le respect de la personne, si l'on fait appel au cœur et notamment au cœur des jeunes. » En les écoutant, je me dis souvent que c'est avec leur foi, leur enthousiasme qu'on peut traiter l'exclusion pour ce qu'elle est, une maladie de la société, qu'il faut prévenir, puis combattre sur le terrain.

Prévenir, c'est d'abord s'attaquer au chômage, cause première de l'exclusion parce qu'il peut entraîner la perte du revenu, du logement, de l'identité, d'un but dans la vie, et qu'il est un facteur de dissolution de la cellule familiale. La valeur de l'emploi comme facteur d'intégration est irremplaçable, mais, au-delà du cas des chômeurs, on voit bien que la marginalisation guette les plus fragiles. Ceux qui n'ont pas la force ou qui n'ont pas acquis les moyens de se défendre contre l'adversité. Ceux à qui il manque les valeurs et les références auxquelles on peut se raccrocher dans le désarroi. D'où le rôle essentiel de la famille et de l'école pour apporter des repères et éviter les dérives. Tout ce qui viendra conforter ces deux institutions en crise sera un point décisif marqué contre l'exclusion.

Mais prévenir l'exclusion, c'est aussi être amené à réviser notre politique de logement, alors que la France compte, début 1994, quarante ans après les premiers appels de l'abbé Pierre, deux millions de personnes en situation d'habitation précaire. C'est enfin recréer des situations normales d'existence dans des quartiers et des banlieues peuplés de déracinés sans emploi, dépourvus de moyens et d'équipement sociaux et éducatifs, où l'insécurité s'accroît, entretenue par de petits groupes hostiles et rejetés, où les forces de l'ordre finissent par se décourager, et où se développe, tel un cancer ignoré, une économie souterraine de la drogue. En janvier 1994, j'ai été frappé par ce titre d'un grand hebdomadaire : « Le vertige suicidaire des banlieues ».

Le drame de l'exclusion est à l'origine du livre que je publie le 21 juin suivant, intitulé *Une nouvelle France*, et qui connaît dès sa parution un grand retentissement. Conçu dans le plus grand secret – seuls sont dans la confidence ma fille Claude, Maurice Ulrich et deux de mes collaborateurs, Jean-Pierre Denis et Christine Albanel, qui prennent part à sa rédaction, retranchés avec moi dans une villa de Montfort-l'Amaury –, l'ouvrage sera confié à une éditrice qui m'a été recommandée par le publicitaire Jean-Michel Goudard. Elle s'appelle Nicole Lattès et vient de fonder sa propre maison, NiL, une petite structure qui permettra de mieux garantir à la fois la confidentialité et l'effet de surprise que nous recherchons. C'est à Nicole Lattès, dont j'ai pu apprécier à ce moment-là le savoir-faire et l'efficacité, que je ferai appel de nouveau, en janvier 1995, pour la publication de mon deuxième livre, *Une France pour tous*, avant de la choisir, dix ans plus tard, pour assurer celle de mes *Mémoires*.

Une nouvelle France s'inspire des mêmes convictions que je défendais, en 1978, dans *La Lueur de l'espérance*, s'agissant non seulement du rôle fondamental de l'État, dans le maintien de la cohésion nationale et de la solidarité entre les citoyens, mais aussi de la mise en place d'une démocratie plus directe et de la nécessité de mieux concilier développement économique et intégration sociale. Mais c'est un constat plus sévère que je suis contraint de formuler quinze ans plus tard, en soulignant le divorce qui s'est peu à peu opéré entre les Français et ceux qui les gouvernent.

Une crise économique dont ils ne voient pas la fin a rompu pour beaucoup le lien de confiance qui les unissait à la société. Anxiété devant le chômage et le risque de l'exclusion, vulnérabilité devant l'évolution des techniques et l'ouverture des frontières, inquiétude devant un avenir qui remet en cause cette croyance héritée des Lumières : demain sera plus radieux qu'aujourd'hui et les fils plus heureux que leurs pères. Il ne s'agit plus de langueur, ni de malaise, mais d'une véritable déprime collective. Un mal tantôt rampant, tantôt s'exaspérant en explosions de colère quand un quartier, une profession, une génération a le sentiment de n'être ni entendu ni compris. Cette coupure entre la vie politique et les citoyens conduit une partie de nos compatriotes à vivre comme en exil à l'intérieur de la démocratie. D'autres ne voient de remèdes que dans les solutions simplistes que leur propose l'extrémisme ou le populisme.

Je préconise un nouveau contrat social, fondé sur une priorité absolue, à l'heure où cinq millions de Français se trouvent privés d'emploi : la lutte contre le chômage, avec toutes les mesures d'urgence qui doivent en découler, et le changement de mentalité qu'elle impose, comme l'esprit de reconquête qu'il s'agit à nouveau d'insuffler à notre pays en valorisant ses atouts.

Mon projet pour la France n'a rien de pessimiste ni de fataliste. Il s'appuie sur notre modèle social, qui procède à mes yeux d'un choix fondamental de justice et de solidarité. Je n'ai jamais opposé pour ma part protection sociale et initiative économique. Les deux m'ont toujours paru conciliables et répondre, de surcroît, à notre tradition républicaine. Mon action, dans ces deux domaines, depuis que j'occupe des responsabilités gouvernementales a toujours visé à tirer le meilleur parti, tout en le faisant évoluer, d'un modèle français auquel nous sommes profondément attachés et que nombre de pays nous envient. Il découle d'une longue tradition humaniste que tous ceux qui se réfèrent, comme moi, à la pensée du général de Gaulle, ont plus que jamais le devoir et la mission de poursuivre.

*

Durant l'été 1994, la promotion de mon livre terminée, je quitte la France à destination du Japon pour y passer, en compagnie de Bernadette, la majeure partie de nos vacances d'été, retirés dans un hôtel de montagne, à deux heures de Tokyo. Bernadette a raconté ce séjour quasi monastique dans son livre d'entretiens avec Patrick de Carolis, persuadée que de cette retraite est née ma victoire l'année suivante. J'avais besoin, en tout cas, de cette longue période de solitude et de méditation pour me préparer au combat qui allait s'engager dès mon retour à Paris.

L'emplacement, à flanc de montagne, est très beau. Le lieu, typique de ce qu'il y a de plus authentique dans l'hôtellerie japonaise – on y dort à même le sol, sur un tatami –, et la cuisine kaïsaki, comme toujours, d'un extrême raffinement. Non loin de là se trouve un musée célèbre de sculptures en plein air, où nous aimons à nous rendre à pied tous les soirs, après les grandes chaleurs du jour.

J'aime le Japon, et m'y sens parfaitement chez moi, comme en Chine. Chaque fois que j'y retourne, je retrouve les émotions de l'époque où je découvrais, au musée Guimet, la statuaire bouddhique. Moi qui ne suis guère sensible à la musique en général, j'aime à écouter celle de ce pays, comme je suis toujours émerveillé au Japon par la virtuosité de la poterie, l'harmonie des jardins, le raffinement esthétique et la sensibilité du théâtre, et fasciné par le vieux rituel des lutteurs de sumo.

Ce qui m'intéresse dans le sumo, ce n'est pas le combat lui-même, qui est une forme de lutte asiatique qu'on trouve un peu partout, en Inde ou en Chine, mais l'affrontement de deux volontés, de deux intelligences qui s'expriment essentiellement à travers le regard. Le grand moment d'un combat de sumo réside dans ces quelques instants où les deux adversaires s'observent et durant lesquels on lit véritablement dans leurs yeux toute l'intensité du monde. Je ne connais pas d'autre forme de regard plus intense que celle de deux sumotori qui s'observent avant de s'affronter. J'éprouve un grand respect pour ces hommes parce qu'il s'agit de beaux combattants, qui illustrent une tradition très ancienne, puisant ses origines dans la lutte mongole.

Ce rituel m'a beaucoup appris sur la façon d'aborder les autres pour tenter de les connaître et de les comprendre. On découvre beaucoup de choses dans un simple regard et le premier est toujours très instructif, même s'il peut être parfois trompeur. Et comme les sumotori, j'essaie d'en tirer des conclusions. Leur rituel est aussi pour moi une leçon de vie : celle qu'il ne faut jamais lâcher prise et qu'on doit se battre jusqu'au bout, jusqu'à l'instant décisif où l'on pressent comment tout va se jouer et quelle peut être l'issue du combat.

*

Le 26 août 1994, Paris célèbre le cinquantième anniversaire de sa libération, en présence du chef de l'État. La veille, celui-ci m'a fait savoir par l'intermédiaire de son chef de cabinet, qu'il souhaitait, après son discours, pouvoir se rendre quelques minutes avec moi dans mon bureau pour y signer le livre d'or de la ville. Ce geste n'a rien d'habituel de la part du président de la République, lors d'une telle cérémonie. Mais François Mitterrand a manifestement décidé de bousculer les usages, pour des raisons sans doute multiples et, comme toujours chez lui, quelque peu imprévisibles.

Un mois auparavant, le chef de l'État a subi une intervention chirurgicale difficile, liée au cancer qui le ronge depuis plusieurs années et dont plus personne n'ignore la réalité, ni ce qu'il peut impliquer à brève échéance. Ayant constaté l'état d'épuisement dans lequel le Président se trouvait, lors du conseil des ministres qui a suivi son opération, Édouard Balladur a cru bon d'organiser aussitôt son état-major de campagne, en prévision d'une élection présidentielle anticipée. Une interview du Premier ministre, intitulée « Ma politique étrangère » et publiée au même moment, n'a fait qu'ajouter à l'exaspération de l'Élysée, déjà perceptible depuis des mois.

S'agit-il aussi pour François Mitterrand, comme on me l'indique dans un premier temps, de monter dans mon bureau afin de se reposer quelques minutes, au terme de la cérémonie ? Toujours est-il que ce moment a été préparé avec une grande minutie depuis la veille. Si bien qu'après les prises de parole successives du maire de Paris et du chef de l'État, le Premier ministre, qui n'a aucun titre à s'exprimer ce jour-là, assistera à notre départ commun à l'intérieur de l'Hôtel de Ville, obligé de patienter, sous les yeux de quatre mille invités et devant toutes les caméras de télévision, jusqu'à notre retour un quart d'heure plus tard. Un laps de temps qui dut lui paraître interminable et dont François Mitterrand avait voulu, de toute évidence, qu'il fût interprété par l'opinion comme un camouflet.

En fait, François Mitterrand n'a pris, durant les minutes que nous avons passées ensemble, seul à seul, aucun médicament et il m'a même paru plutôt en bonne forme. Après avoir paraphé le livre d'or, comme convenu, en y apposant sa seule signature, il m'a glissé en confidence : « C'est votre tour. Vous allez être élu. »

Je ne sais s'il le pensait sincèrement à ce moment-là, mais François Mitterrand me fera adresser au cours des mois suivants plusieurs messages d'encouragement par l'intermédiaire de certains de ses lieutenants et de son conseiller, Jacques Pilhan, qui entretient alors des contacts fréquents avec ma fille Claude. J'aurai l'occasion de revoir le chef de l'État lors de diverses cérémonies officielles et nos rencontres seront toujours chaleureuses. Le 5 janvier 1995, lorsque je lui présente à l'Élysée les vœux de la mairie de Paris, nous nous isolerons de nouveau quelques minutes et le Président me confiera : « Quatorze ans de combats politiques, c'est long. Mais cela m'a permis de mieux vous connaître. »

Si mon isolement semble aller croissant au cours de l'automne 1994, les sondages restant favorables au Premier ministre au point de lui laisser penser qu'il est élu d'avance, je sais pouvoir compter, néanmoins, sur quelques appuis qui vont se révéler déterminants. À commencer par celui du secrétaire général du RPR, Alain Juppé, qui s'est imposé par ailleurs comme un des grands ministres des Affaires étrangères de la Ve République. Le 24 septembre, lors de l'université du Rassemblement qui s'est tenue à Bordeaux, Alain Juppé n'a pas fait mystère de son engagement à mes côtés, malgré les pressions de l'autre bord : « Que Jacques Chirac montre le chemin, déclare-t-il, il sait qu'alors vous serez là – et moi avec vous – pour le suivre. » Durant cette même période, grâce à Denis Tillinac, un homme de cœur qui est aussi, de longue date, un ami personnel, j'entretiens des échanges fructueux avec plusieurs intellectuels de renom, comme Régis Debray et Emmanuel Todd, qui partagent et viendront enrichir mes propres analyses sur l'état de la société française.

Le 4 novembre, j'annonce sans plus attendre ma candidature à l'élection présidentielle, lors d'un voyage de travail dans la région Nord-Pas-de-Calais, vieille terre de tradition gaulliste. Il ne s'agit pas seulement, comme les commentateurs l'écrivent aussitôt, de contraindre mon adversaire présumé à se dévoiler, mais avant tout d'engager dès à présent le dialogue que je crois nécessaire d'ouvrir avec les Français. C'est tout le sens de ma déclaration publiée dans *La Voix du Nord* :

« *La vie politique de notre pays est polarisée depuis plusieurs mois par l'élection présidentielle, mais les Français ignorent qui sollicitera leurs suffrages et quelle sera la nature du débat. Ils déplorent les camouflages tactiques qu'ils perçoivent légitimement comme des offenses à leur civisme. Ils sont las de cette hypocrisie. Dans un climat aussi délétère, le désarroi tourne vite à l'aigreur puis au ressentiment : les pires démagogies risquent d'y prospérer. Déjà on observe la glaciation de toute initiative par le discrédit qui pèse sur l'ensemble de la classe politique. Je me refuse à contribuer à l'entretien d'un tel climat. C'est de l'avenir de la France qu'il s'agit : les Français ont le droit de savoir qui a l'ambition de le prendre en charge, dans quelles perspectives et vers quels horizons.*

« *Aussi, ai-je décidé de clarifier la situation en annonçant aujourd'hui que je suis candidat lors de la prochaine élection présidentielle. Le choix des électeurs sera décisif. Pourquoi brouiller leur esprit en esquivant les questions qui se posent ?*

« *Le système économique et social bâti, dès l'origine de la V*[e] *République, dans l'euphorie d'une France régé-*

nérée et d'une croissance soutenue est en cours d'implosion. Le monde cherche de nouveaux équilibres, non sans appréhension. Les échanges de biens, de capitaux et d'informations se sont mondialisés, les pôles de puissance se sont déplacés, l'innovation technologique frappe de désuétude les modes de raisonnement et d'action hérités du passé. Partout s'est ouverte la plaie du chômage. Elle menace de désagréger les sociétés. Le retour attendu de la croissance ne suffira plus à résoudre le problème crucial de l'emploi. Notre pays a besoin d'une véritable politique de changement.

« *Entre les risques d'une rupture qui sèmerait le désordre et le confort d'une tiédeur qui enliserait notre pays dans un déclin léthargique, la nécessité du changement s'impose à la raison. Il doit intervenir en deux phases et à des rythmes différents.*

« *D'abord, la bataille contre le chômage et pour l'insertion des jeunes, la lutte contre l'exclusion, la juste répartition des fruits de la croissance, appellent des réformes dans un délai de six mois après l'élection du nouveau président de la République. Nous sommes là en état d'alerte et d'urgence, le temps nous sera compté.*

« *Ensuite, l'adaptation des structures aux mutations profondes que connaissent l'Europe et le monde fera l'objet de réformes programmées et concertées dans les domaines de l'éducation, de la fiscalité, de la protection sociale, de l'administration et de l'environnement.*

« *Ainsi, l'État républicain, armé de rigueur et de cohérence, pourra-t-il relever les défis du futur. Ainsi, nos compatriotes, confortés dans leur aspiration à une éthique nouvelle, retrouveront le goût de l'effort, le sens de la créativité et la voie de l'espérance.* »

Le 12 novembre, conformément à l'esprit des institutions, je quitte la présidence du RPR pour m'adresser aux Français directement. Mais il faudra encore plusieurs semaines avant que l'opinion commence à basculer en ma faveur, à tel point que, faisant campagne sur l'île de la Réunion, à la fin de l'année 1994, et constatant le peu d'enthousiasme que j'y rencontre, je confierai à Jean-Louis Debré, en plaisantant : « Si ça tourne mal, nous ouvrirons ensemble une agence de voyages. Tu la tiendras, et moi je voyagerai… »

Dans les tout premiers jours de 1995 paraît mon deuxième livre, *Une France pour tous*, sur la couverture duquel j'ai tenu à faire figurer un pommier comme symbole de la vitalité que je souhaite restituer à notre pays. Au-delà de mon programme de réformes dont je rappelle les grandes lignes, et du thème de la « fracture sociale » développé ici avec plus de force sous l'impulsion de Philippe Séguin, c'est mon parcours personnel, l'histoire de près d'un tiers de siècle de carrière politique et celle du changement qui s'est opéré chez moi au terme d'une longue période de recul et de réflexion, que je veux expliquer aux Français qui n'ont souvent de ce que je suis, et sans doute en grande partie par ma faute, qu'une image un peu sommaire et caricaturale :

« *Dois-je l'avouer ? Je me reconnais mal dans les portraits qu'on a faits de moi, dans les jugements portés sur moi. Sans doute en suis-je responsable : je n'aime pas me répandre, ni me justifier, et ma conception de l'homme d'État récuse la théâtralité. Les médias m'auraient sûrement mieux traité si une réserve, qui me semble élémentaire, ne m'avait constamment dicté de taire mes états d'âme. On ne se refait pas.*

« *Mais on évolue au fil des expériences. Qu'ai-je de commun avec le jeune député de 1967, avec le Premier ministre encore jeune de 1974 ? J'ai gardé l'amour de mon pays et de la chose publique, une certaine allergie aux doctrinaires, une allergie certaine aux idéologues qui veulent du passé faire table rase. J'ai en horreur la servitude et l'injustice. Les gens simples m'inspirent une sympathie naturelle qui m'a souvent valu le reproche de préférer les lieux populaires aux salons mondains. Reproche justifié.*

« *Au fond, j'ai gardé toutes mes convictions : à trente ans, je pensais déjà que le but de l'action politique, en France, consistait à unir les Français autour de l'État pour qu'ils se sentent solidaires d'un grand dessein.*

« *C'est ma façon d'agir qui s'est infléchie. Je suis devenu moins technicien, moins formaliste, je crois plus à la volonté de réformer qu'à la déclinaison d'un chapelet de recettes. Pour reprendre une distinction chère à Régis Debray, le démocrate que j'ai toujours été est peut-être devenu plus républicain.*

« *Ma relation au temps s'est modifiée. Longtemps, j'ai agi vite, parce que les délais étaient brefs, et parce que je me résignais mal à l'inertie des êtres et des choses. À présent, je mesure les pesanteurs, j'en tiens compte, je fais la part de l'urgence et de la longue durée. C'est le privilège de l'âge et des épreuves.* »

Lorsqu'il annonce son soutien définitif à ma candidature, le 19 janvier 1995, Philippe Séguin vise juste, sans doute, en me désignant comme un homme mûri par les épreuves qu'il a eu à vivre et à surmonter au cours des derniers mois, et « prêt » désormais pour assumer la plus haute fonction de l'État. Encore me faut-il achever d'en convaincre les

Français et parvenir à sceller entre eux et moi cette « rencontre » qui seule peut déterminer leur confiance à mon égard.

Voilà pourquoi je me suis attaché à établir avec eux la relation la plus directe sur le terrain, d'homme à homme si je puis dire, et à l'abri de toute présence médiatique, en allant les voir, les écouter, leur parler jour après jour sur leurs lieux de travail, dans leurs quartiers, à leur domicile, en tête à tête ou lors de petites réunions informelles, qui m'en ont plus appris sur les difficultés auxquelles mes compatriotes sont confrontés que tous les rapports d'experts ou les analyses savantes des meilleurs sociologues.

« Où êtes-vous encore ? Vous perdez votre temps, il faut faire de la politique. Il n'y a que cela qui compte ! » s'exclame parfois, au téléphone, un des principaux organisateurs de ma campagne, ulcéré de me voir consacrer des semaines entières à visiter les coins les plus reculés du pays. Le fait est que je ne me préoccupe guère de l'agitation parisienne, ni de se qui se passe ou se trame du côté de mes concurrents, de la dernière « petite phrase » véhiculée par les uns ou de la dernière petite manœuvre fomentée par les autres. À l'exception de celle qui visera à m'atteindre, à travers mon épouse, à propos d'une affaire de vente de terrains, qui fera d'ailleurs long feu quelques jours plus tard. J'enverrai alors un messager auprès de ceux que je soupçonne d'être à l'origine d'une telle opération, pour leur signifier que je peux tout leur pardonner ou presque sur le plan politique, mais non qu'on veuille s'en prendre à ma famille, en se servant, qui plus est, des moyens de l'État pour le faire.

Le 17 février, le meeting qui rassemble plus de vingt mille personnes à la porte de Versailles marque un tournant décisif dans le déroulement de la campagne présidentielle. Il confirme en premier lieu que la grande majorité des militants gaullistes me sont restés fidèles. La défection attendue de Charles Pasqua, annoncée quelques semaines auparavant, n'y a rien changé, entraînant tout au plus le ralliement, lui-même sans surprise, de quatre parlementaires à la candidature de mon concurrent. Le mouvement qui se dessine en ma faveur a d'autant plus de force qu'il émane du peuple et dépasse les frontières de ma seule famille politique. C'est tout ce qui fait ma différence avec Édouard Balladur…

Si la question sociale est au cœur du dialogue que j'ai engagé avec les Français, je n'oublie pas que le destin de notre pays se joue aussi, et plus que jamais, sur la scène internationale. Le 16 mars, j'expose les orientations qui seront les miennes dans ce domaine, lesquelles s'inscrivent, il va sans dire, dans la droite ligne de l'enseignement du général de Gaulle.

J'ai toujours été convaincu de la place singulière que la France occupe dans le monde, en raison de son histoire, de sa langue, de sa culture, de ses valeurs. Forte de sa volonté d'indépendance, la France est un pays qui compte au regard des autres nations et dont la voix est attendue et écoutée. Dépositaire d'une vision et d'un idéal humanistes, elle a vocation à transmettre cet héritage, à exprimer une ambition qui dépasse le cercle de ses seuls intérêts.

Voilà pourquoi le Général a tenu à ce que, dans les institutions de la Ve République, le chef de l'État fût investi d'une responsabilité prééminente concernant la politique étrangère, de manière à faire prévaloir la permanence des grands intérêts de la France sur les combinaisons de circonstance.

Conduire la politique étrangère de la France signifie pour moi, à la veille du XXIe siècle, affirmer plus que jamais la personnalité spécifique de notre pays et préserver sa pleine liberté d'action. Lorsqu'il en va de ses intérêts vitaux ou de questions essentielles pour son avenir, la France doit garder la maîtrise de ses décisions. Ses choix politiques ne sauraient être dictés par quiconque. Cette attitude est la meilleure possible dans un monde devenu multipolaire depuis la fin de la guerre froide, où doit s'organiser un autre mode de relations entre les États, unis par des valeurs communes, également attachés à leur indépendance, mais conscients de la nécessité d'assumer leurs responsabilités dans le cadre d'une étroite coopération.

Lorsque le mur de Berlin est tombé, certains ont voulu croire que l'heure de la « fin de l'Histoire » avait sonné. Constatant la chute du totalitarisme et l'effondrement du modèle communiste, ils en ont aussitôt conclu que l'humanité entrait dans un nouvel âge d'or où la paix, la démocratie et la prospérité allaient triompher de manière durable et même irréversible. Cette illusion s'est vite dissipée face aux réalités du monde.

S'il est vrai qu'un mouvement puissant, depuis le début des années quatre-vingt dix, propage la démocratie sur tous les continents et que l'humanité accède peu à peu à la conscience d'une destinée qui s'inscrit dans une histoire universelle, il n'en est pas moins vrai que, très vite, le vent de l'Histoire s'est levé de nouveau, chargé d'orages et de tempêtes. Très vite, nous avons vu se déchaîner des forces destructrices qu'on pouvait croire définitivement dominées, comme celles qui ravagent des États encore fragiles. Ainsi du Rwanda et de l'ex-Yougoslavie, où l'Europe retrouve le visage hideux de la barbarie. Face au monde tel qu'il est, la France doit rester fidèle à la responsabilité morale qui lui est assignée vis-à-vis des autres peuples.

*

Le 12 avril 1995, à onze jours du premier tour, Édouard Balladur, que je n'ai plus croisé ni revu depuis plusieurs mois, m'écrit pour me demander, de manière pressante, de débattre avec lui devant les Français, « en toute clarté », de « ce qui oppose nos convictions », en ajoutant, de manière assez cocasse, que la démocratie ne saurait se résumer « à une suite de monologues à travers la France ». Je me contenterai de décliner cette invitation à mes yeux parfaitement inopportune. Le seul débat que j'aurai le devoir d'accepter est celui qui m'opposera à mon adversaire, quel qu'il soit, dans l'hypothèse où je serai présent au second tour.

Le 23 avril, les résultats du premier tour me placent, avec 20,84 % des voix, en deuxième position derrière le candidat du Parti socialiste, Lionel Jospin, qui totalise 23,30 % des suffrages. Édouard Balladur arrive troisième, avec 18,58 % des voix. Il me fait savoir le soir même qu'il se désiste en ma faveur.

Mon score est plus étroit que prévu, mais suffisant pour espérer l'emporter. Conforté par son avance,

Lionel Jospin se révélera un adversaire coriace et très déterminé. Mais à partir de 18 heures, le 7 mai 1995, les résultats ne font déjà plus de doute. À 20 heures, ma victoire est confirmée, avec 52,7 % des suffrages exprimés contre 47,3 à mon concurrent.

Enfermé dans mon bureau de la mairie de Paris, j'achève de mettre au point la déclaration que j'adresserai peu après aux Français, depuis la salle des fêtes de l'Hôtel de Ville. Du dehors me parviennent les échos de la foule immense, jeune, fervente et enthousiaste, qui est en train de déferler vers la place de la Concorde. Bernadette me rejoint, s'efforçant de maîtriser son émotion.

En moi se mêlent des sentiments inexprimables, qui sont ceux d'un homme heureux d'avoir atteint le but qu'il s'était fixé et qui doit prendre conscience, dans le même temps, d'incarner désormais l'espérance de tout un peuple et d'être en charge de son unité. Tels sont bien, à mes yeux, le rôle et la mission du chef de l'État sous la Ve République. Élu directement par le peuple, le président de la République ne doit pas s'adresser à telle ou telle fraction, mais au peuple de France tout entier. Il doit veiller à garantir la cohésion nationale, et rechercher sans cesse et dans tous les domaines ce qui peut la renforcer. Car tout doit être fait pour apaiser les tensions, dans un pays, la France, dont l'histoire montre qu'il peut être enclin aux disputes, aux antagonismes, à de brusques embrasements. Je veux être le Président d'une France unie, riche de ses différences, capable de faire vivre ensemble des femmes et des hommes de toutes origines et respectueuse de toutes ses composantes humaines.

Cette victoire, je la dédierai, ce soir-là, à la mémoire de mes parents et à tous « les patriotes simples et droits » qui ont fait de la France une nation tolérante, fraternelle, inventive et conquérante. Celle en qui je crois depuis toujours.

ANNEXES

Discours d'Égletons (Corrèze), le 3 octobre 1976

Au-delà de nos préoccupations immédiates, au-delà des soucis qui sont les nôtres, il y a les Français qui s'interrogent, il y a la France, aux prises avec ses difficultés sociales, économiques, politiques. Ces difficultés, j'ai lutté de toutes mes forces pour les surmonter. Ces problèmes, j'ai mis depuis deux ans, tout mon cœur, toute mon énergie pour leur trouver une solution. Et le jour où j'ai considéré que, dans le cadre qui m'était fixé, avec les moyens dont je disposais, je n'avais plus de chance sérieuse de réussir, j'ai estimé de mon devoir de remettre la démission de mon Gouvernement au Président de la République.

J'ai servi en toute loyauté le Chef de l'État. Mais je suis de ceux qui croient que la loyauté implique la franchise. J'ai donc été conduit à tirer les conclusions de la situation telle que je l'appréciais.

Certains aujourd'hui voudraient m'opposer au Président de la République. Ils perdent leur temps. Ma conception du service de l'État, mon attachement à la Ve République sont trop rigoureux pour que je sois jamais tenté de le faire. Il est le garant de nos Institutions, élu du peuple français, et nul n'a le droit de contester sa légitimité, sa primauté et ses pouvoirs, si ce n'est le peuple lui-même quand il est normalement consulté. Ma position, à cet égard, est claire. Je n'y reviendrai pas. J'espère avoir été compris.

C'est dans ce cadre que j'entends aujourd'hui poursuivre

ma tâche au service du pays : défendre l'indépendance nationale, affermir les institutions de la République, renforcer la liberté.

Ces grandes options, présentées au peuple français et adoptées par lui lors des élections présidentielles demeurent la charte de mon action politique.

Sur tous ces problèmes, j'aurai l'occasion, dans les deux mois qui viennent, de préciser ma pensée et, ensemble, nous en délibérerons lors de nos prochaines Assises. Je ne voudrais aujourd'hui qu'évoquer brièvement quelques points parmi les plus importants.

La défense des principes de notre démocratie c'est d'abord bien entendu, celle de l'indépendance nationale. Comme personne ne met en cause aujourd'hui cette affirmation, nous avons tendance à croire que la cause est entendue et peut-être avons-nous commis l'erreur de laisser à nos adversaires le soin de tirer parti d'un mot d'ordre qui appartient à tous, mais sans doute et d'abord à nous les gaullistes qui l'avons restaurée. Or, l'indépendance n'est pas un mot; elle n'est pas une profession de foi ou le thème de discours ou de programmes électoraux. Elle s'affirme. Elle suppose qu'un effort permanent soit effectué pour que notre pays soit doté d'une défense nationale moderne, forte et efficace. Elle exige que notre action extérieure sache persévérer dans le refus des allégeances et nous maintenir hors des blocs antagonistes. Il faut donc dénoncer les procès de tendance qui évoquent absurdement notre retour à l'OTAN. Il faut éviter que certains textes, certaines déclarations, puissent créer une équivoque quant à notre volonté de demeurer indépendants, non seulement selon les textes mais selon l'esprit et dans les faits. Il faut que le monde comprenne que cette œuvre ne sera pas interrompue et que les meilleurs garants de la continuité dans ce domaine sont les hommes de la majorité qui a permis de l'assurer jusqu'ici.

Mais le ressort de l'indépendance extérieure, il faut aussi le trouver en nous-mêmes, dans la stabilité intérieure et la liberté des citoyens.

Les institutions politiques stables et démocratiques que le peuple français s'est données à l'appel du Général de Gaulle ont fait la preuve de leur efficacité au cours des dernières années parfois mouvementées, souvent difficiles que nous avons vécues. Pourtant les signataires du programme commun socialo-communiste veulent les remettre en cause par le biais de retouches, de réformes ou de modifications plus ou moins hypocrites. Nous ne le permettrons pas. Notre régime politique serait irrémédiablement détruit et nous reviendrons d'abord à la faiblesse d'autrefois, aussitôt suivie par l'autoritarisme et la dictature.

Le respect scrupuleux du texte de nos institutions constitue pour nous un dogme sur lequel il ne nous est pas possible de transiger.

Enfin, la liberté, en France, comme dans un grand nombre d'autres pays, est, elle aussi, menacée.

Elle l'est parfois de notre faute. Alors que les Français dans leur grande majorité sont attachés à la société démocratique et libérale, trop nombreux sont ceux qui, peut-être parce qu'ils doutent de notre capacité à la défendre, refusent les disciplines nécessaires et préfèrent aux efforts le renoncement et la facilité.

Elle l'est surtout par nos adversaires; s'ils venaient au pouvoir, ils auraient tôt fait de créer, que certains d'entre eux le veuillent ou non, une société de contrainte où l'autorité bureaucratique d'un État proliférant rendrait rapidement insupportable la vie de nos concitoyens.

Contrairement à ce que pensent un grand nombre de jeunes, peut-être parce qu'ils n'en ont jamais été privés, la liberté n'est pas un merveilleux privilège que l'on a une fois pour toutes. C'est un bien difficile à conquérir, une plante fragile et menacée qu'il faut perpétuellement protéger et défendre.

La liberté peut être détruite aussi bien par une trop grande emprise de l'État que par la démission de l'autorité.

Elle s'évanouit et meurt là où l'État n'est plus capable d'assurer à tous les citoyens la sécurité dans leur vie quotidienne face aux violences, aux agressions du monde moderne, aux excès des minorités destructrices.

Nos concitoyens aspirent à la sécurité, ils veulent être protégés, ils veulent voir renforcée et plus perpétuellement contestée l'autorité d'un État qui tient sa légitimité du suffrage universel, ils veulent que cesse la complaisance envers la licence et le renoncement.

Mais au-delà de ces principes permanents qui concernent l'organisation de la société, il y a les hommes et les femmes qui la composent. Il y a leurs problèmes, toujours nouveaux, toujours plus complexes, et qu'il faut résoudre.

Le devoir de l'homme politique n'est pas de rêver pour les autres, mais de les écouter, de démêler avec eux le possible du souhaitable et d'en tirer des règles pour son action.

Que veulent donc les hommes et les femmes de ce pays? Leur attente, telle que je la perçois, est à la fois simple et très ambitieuse :

— un monde juste,

— une vie quotidienne qu'ils maîtrisent davantage et dont ils assument eux-mêmes plus directement la responsabilité.

La justice, bien sûr, tout le monde la veut. Mais comme la liberté, elle a ses disciplines.

La justice n'est pas l'égalitarisme : la diversité, la différence entre les hommes sont un droit autant qu'un fait.

La France de demain ne saurait être une société d'assistés où chacun recevrait d'une bureaucratie tentaculaire la même portion congrue de la pénurie collective. Certaines inégalités en revanche sont intolérables : toutes celles qui résultent de rentes de situation où le mérite personnel n'a que faire, toutes celles que sécrète le jeu de certains mécanismes économiques quand l'État ne maintient pas la mesure.

Réduire ces inégalités, voilà ce que doit être, concrètement, notre action de justice.

La deuxième discipline de la justice, c'est la solidarité.

L'excès des revendications, la relative facilité avec laquelle celles-ci sont satisfaites, l'acharnement croissant avec lequel chacun s'en remet à l'État pour satisfaire tous ses besoins et toutes ses exigences créent un climat d'inflation psychologique non moins dangereux que l'inflation elle-même et non moins générateur d'angoisse.

Car, je vous le demande, quand nos entreprises et nos syndicats se laissent entraîner dans une course échevelée des salaires et des profits, où sont les bénéficiaires? Où sont les victimes? De tous côtés : chômeurs frustrés de leur dignité de citoyen à part entière, entrepreneurs épuisés de dettes, personnes âgées désemparées par le coût de la vie, mal-logés accablés par l'alourdissement des charges locatives, petits agriculteurs que la terre ne nourrit pas, épargnants aux revenus non indexés, tous se retrouvent au bout du compte dans le malheur, le désespoir ou la révolte.

Il est urgent que les partenaires privilégiés de notre système social prennent conscience de la solidarité nouvelle que la crise a fait surgir entre tous.

Certes, la société d'hommes responsables pour laquelle nous nous rassemblons ne saurait être fondée sur l'assistance. Mais la solidarité n'est pas l'assistance. Elle permet au contraire de concilier le goût de l'initiative personnelle et la sécurité à laquelle nous aspirons légitimement.

Pour mettre en œuvre cette solidarité, il faut, bien sûr, des réformes. Et quoi qu'on en ait dit, je le crois profondément. Je rappelle que personne, dans l'histoire de notre République, n'a plus que le Général de Gaulle, transformé notre société. Je continuerai, pour ma part, et à ma place, dans cette voie.

Des réformes donc! Mais lesquelles et comment ?

Je voudrais tout d'abord dire que mon expérience gouvernementale m'a enseigné que l'évolution nécessaire des choses devait être recherchée de façon différente selon leur nature.

Il y a des domaines où l'on peut et où il faut apporter des améliorations progressives.

C'est le cas de la famille, cellule de base de notre société, lien privilégié où la très grande majorité des hommes et des femmes de notre pays ont choisi de faire leur bonheur. Il faut la préserver et l'aider davantage non seulement sur le plan matériel mais aussi sur le plan moral.

C'est le cas de la commune qui doit bénéficier d'une beaucoup plus grande autonomie de permettre à tous les citoyens qui la composent de participer directement aux responsabilités de sa gestion.

C'est le cas de la libre association des hommes pour l'organisation de ce qui touche au cadre de vie : urbanisme, équipements collectifs, écologie. Le seul moyen en effet d'éviter la répétition de certaines erreurs consiste à substituer aux actions administratives forcément arbitraires et systématiques, les initiatives de ceux qui vivent sur le terrain. La qualité de la vie, ne l'oublions pas, est le domaine privilégié de la différence parce qu'elle est l'expression renaissante de la culture.

Et je pense d'ailleurs que trop souvent la mainmise des partis politiques sur ces associations empêche les citoyens d'y exercer pleinement leurs responsabilités.

C'est le cas de l'emploi des deniers publics. Compte tenu de l'importance de plus en plus grande des interventions publiques dans l'économie et du poids croissant des charges sociales de la Nation, l'État doit avoir pour souci constant de veiller de façon permanente au bon emploi de l'argent public et de donner l'exemple d'une gestion rigoureuse éliminant peu à peu le gaspillage, les abus et les dépenses inutiles.

C'est le cas enfin, pour ne prendre que quelques exemples, de la concertation indispensable avec les organisations syndicales et professionnelles, non pas pour leur transférer un pouvoir de décision qui n'appartient qu'à la puissance publique, mais pour élaborer réellement et honnêtement avec les solutions les mieux adaptées aux problèmes qui se posent à nos concitoyens. Un État sûr de son autorité ne craint pas en effet la concertation véritable. L'autoritarisme est le masque de la faiblesse.

Mais il y a des domaines où les améliorations partielles aussi justifiées soient-elles, ne font qu'ajouter à la confusion. Dans ce cas, la réforme ne consiste pas à amender et à améliorer, il faut procéder à une refonte complète d'un système.

C'est le cas maintenant, j'en ai acquis la conviction, de notre système fiscal, reconnaissons-le, trop complexe, insuffisant et injuste. La fiscalité de demain devra bien sûr, permettre une plus juste appréciation des revenus mais elle devra être assise non seulement sur la dépense et les revenus mais aussi sur le capital.

C'est le cas également des rapports entre l'homme et l'État, entre l'administré et l'Administration. Le progrès, aujourd'hui consiste à donner à chaque citoyen une maîtrise accrue sur sa vie quotidienne. Les peuples en marche vers la démocratie se sont d'abord débarrassés des barons et des princes qui monopolisaient le pouvoir. Par l'élection, expression périodique de la démocratie, ils ont obtenu de choisir les représentants qui exercent ce pouvoir en leur nom. Le moment est désormais venu où cette forme de démocratie apparaît à son tour insuffisante. Les citoyens veulent aujourd'hui passer de l'exercice périodique de la démocratie à des formes originales de démocratie du quotidien. Vous sentez bien autour de vous cette aspiration de plus en plus pressante de chacun à choisir sa vie, sa maison, sa rue et le paysage de sa rue, son travail et l'organisation de son travail.

La démocratie que nous devons inventer doit permettre l'exercice continu de la responsabilité individuelle, ce qui suppose une transformation profonde de l'Administration, de ses méthodes, de ses structures.

C'est le cas enfin, et pour prendre un dernier exemple, de la participation. Vous savez combien cette idée nous est chère. Pour être effective, la participation suppose non seulement un droit à l'information, l'accès aux responsabilités, mais également une meilleure diffusion de la propriété par l'association de tous au capital. Voilà les bases de la véritable et nécessaire réforme de l'entreprise.

Je reste persuadé qu'il existe dans le pays une majorité pour appuyer une telle politique. Pour la mener à bien, j'aurais souhaité que l'occasion soit donnée à cette majorité de s'affirmer rapidement et sans équivoque. Il n'en a pas été ainsi.

Reste, bien entendu, les problèmes conjoncturels, et Dieu sait qu'ils sont nombreux et importants. Aujourd'hui, mon successeur a reçu certaines assurances, notamment pour engager la lutte contre l'inflation, problème qui, de tous, est celui qui m'a le plus préoccupé. Il dispose pour ce faire du Ministère des Finances. Je ne doute pas de sa volonté et je connais sa compétence. Je souhaite de tout cœur qu'il réussisse.

Mais dans le domaine politique, il est à craindre que la combinaison à têtes multiples et à autorité diffuse, échafaudée sur les partis, n'ait ni la force ni l'élan nécessaires pour mener notre majorité à la victoire. Il ne faudrait pas que renaissent ces coalitions que nous avons connues et qui n'ont pour but que de s'approprier le pouvoir, pour ciment que l'intérêt électoral et qui tendent désespérément de s'élargir dans le vain espoir de tenir debout.

Alors viendrait le temps des déboires et des désillusions!

Déjà le doute s'insinue dans bien des esprits.

— Il y a ceux qui disent : tout est perdu, il faut se résigner à l'inévitable expérience collectiviste.

— Il y a ceux qui disent : nous n'avons pas les moyens de gagner, il faut pactiser avec nos adversaires.

— Il y a ceux qui disent : quel malheur, la France est coupée en deux, il faut trouver un compromis quitte à perdre notre moitié majoritaire et nous contenter de l'autre.

Eh bien! Non! Je n'accepterai jamais que les Français qui nous ont fait confiance pour promouvoir une société de justice et de liberté soient contraints, sous de fallacieux prétextes à de continuelles reculades. Je n'accepterai jamais de voir chaque concession de notre part accueillie par un redoublement d'impudence et d'audace de la part de ceux qui nous combattent depuis près de vingt ans.

Il ne s'agit pas bien sûr d'entrer prématurément en campagne électorale. Mais l'action politique, la plus noble des actions puisqu'elle conditionne le destin des hommes, est une action permanente.

Que fait l'opposition, et avec un certain succès, si ce n'est de mener un combat politique permanent. L'ignorer ou le sous-estimer est dangereux. Telle n'est pas mon intention. J'ai déclaré il y a quelque temps, m'adressant aux élus de notre Mouvement : je vous conduirai à la victoire en 1978. Eh bien ! je déclare aujourd'hui que ma volonté et ma conviction n'ont pas changé.

Je suis en effet résolu à contribuer à notre victoire parce que je me refuse à laisser des millions de citoyens qui nous ont fait confiance attendre dans la résignation que se joue leur sort, parce que des élections cela se prépare, certes grâce à l'action efficace et soutenue d'un gouvernement responsable mais aussi par l'explication sans relâche de ce que nous croyons, de ce que nous voulons. Il faut convaincre les Français que nous sommes véritablement porteurs d'espérances.

Porteurs d'espérances ! C'est une grande ambition mais aussi une lourde charge que d'autres ont assumée avant nous. Comme eux, fidèles à leur exemple, nous ne nous déroberons pas !

Mon rôle au milieu de vous, est de montrer le chemin, et je vais le faire.

Après tout, si l'honneur et le risque m'en reviennent, c'est que d'autres, plus anciens, n'ont pas cru devoir, ou n'ont pas pu, prendre la charge.

Il serait plus agréable que la politique n'obéisse pas à des lois dures et impitoyables. Malheureusement, il n'en est pas ainsi. La politique est et a toujours été un combat, tout est engagé, le présent, l'avenir de nos enfants, celui de la France.

C'est pour cela et non par je ne sais quel goût de la lutte que j'appelle chacune et chacun d'entre nous à engager toutes ses forces et toute son âme dans cette bataille, et sans attendre.

Je m'adresse à tous les Français sans exclusive, aucune, pour que se constitue le vaste mouvement populaire que la France a toujours su tirer de ses profondeurs lorsque le destin paraît hésiter.

Par vous, autour de vous, au-delà de vous, nous allons essayer de créer le Rassemblement de toutes celles et tous ceux qui cherchent, avec obstination, à se faire entendre, à travailler, à préserver leur liberté de choix et d'expression et qui aspirent à plus de justice, à plus de bonheur sans pour autant renier les principes auxquels ils sont attachés.

Cela suppose de notre part de la patience, de la ténacité, de la grandeur, mais le Général de Gaulle et Georges Pompidou nous ont habitués à fréquenter les rudes sentiers qui obligent les Français à se surpasser pour être eux-mêmes dans la victoire.

Le Grand Rassemblement auquel je vous convie, qui devra allier la défense des valeurs essentielles du Gaullisme aux aspirations d'un véritable travaillisme français, et qui permettra à la majorité de se renforcer pour continuer son œuvre, vous allez devoir en délibérer lors des Assisses Nationales Extraordinaires que notre Secrétaire Général, Yves Guéna, réunira à ma demande avant la fin de l'année.

Vous donnerez ainsi l'exemple de l'effort que chaque citoyen devra accomplir pour que ce Rassemblement triomphe.

Cela suppose pour nous des modifications profondes, de nos statuts et de nos structures.

Ne vous y trompez pas, il nous faudra aussi perdre certaines de nos habitudes, changer nos mentalités, renoncer à la facilité de nous retrouver confortablement entre nous pour parler du passé. Il sera un peu pénible, un peu déroutant d'accueillir des nouveaux venus, parfois d'anciens adversaires, mais le bien de la France est à ce prix.

— Vous croyez être assez nombreux. Je vous dis : pas assez.

— Vous croyez être assez généreux. Je vous dis : pas assez.

— Vous croyez être assez forts. Je vous dis : pas assez.

Chacun de vous sent, chacun de vous sait que les prochaines législatives seront décisives pour le pays et rien ne doit être épargné pour les gagner.

Je sais que la grande majorité d'entre vous souhaite ce Rassemblement. Ensemble nous le ferons. Mais il faut m'aider, me suivre, m'encourager par votre soutien sans défaillance.

Je vous promets quant à moi que je mettrai toutes mes forces, tous mes moyens, tout mon cœur, au service de la France dans le respect de la République et des Institutions.

Discours au Congrès fondateur du RPR, 5 décembre 1976

Amis anciens et nouveaux, je vous salue.

Nous voici réunis pour témoigner que le peuple de France, comme il l'a toujours fait dans les heures difficiles, se rassemble et se retrouve.

Notre histoire est celle d'une Nation de la vieille Europe qui a donné au monde moderne l'essentiel de ses valeurs, qui n'a jamais cédé lorsqu'elles étaient menacées, qui a su en faire le patrimoine de chacun d'entre nous.

Sur ces valeurs, nous avons fondé notre prestige, exalté notre unité. Nous avons bâti l'idéal d'une société de liberté, affirmant la dignité et la responsabilité de ses membres. Qui ne reconnaîtra que ces exigences tiennent au cœur de l'immense majorité de nos concitoyens, et qu'elles valent tous les sacrifices, lorsqu'elles sont menacées? Or, les menaces s'accumulent. Il est temps d'en prendre clairement conscience.

CE QUI MENACE NOTRE SOCIÉTÉ

La menace tient d'abord à notre propre doute. Une inquiétude confuse commence à se répandre. Le spectacle d'un monde divisé, déséquilibré, déchiré; celui de son désordre économique, de ses inégalités, de ses injustices; la rupture d'une croissance exceptionnelle tant par sa durée que par sa vigueur; l'apparition, dans notre société, de formes nouvelles de désarroi moral; l'irruption de la violence que les techniques modernes d'information font pénétrer dans chaque foyer : tout cela conduit beaucoup d'entre nous à s'interroger anxieusement sur l'avenir : allons-nous vivre dans l'éphémère, la destruction permanente de toutes les certitudes, le désordre des valeurs? Chacun sent que la cohésion de la Nation et la fermeté de ses décisions sont d'autant plus nécessaires et que les Français doivent, pour cela, se rassembler.

Mais sachons reconnaître que nous n'avons pas toujours, en tant que citoyens et en tant qu'hommes, défendu avec assez de volonté notre héritage, lutté avec assez de courage pour l'accroître, compris avec assez de cœur qu'il fallait l'adapter à ce que demandent les hommes et les femmes d'aujourd'hui. Tel est bien pourtant le devoir de citoyens responsables : non point céder à la lassitude et se résigner à la politique du pire; non point participer à la division de la France par des slogans ou des idéologies qui exacerbent l'affrontement et l'intolérance.

Ne laissons ni affaiblir, ni dévoyer les valeurs essentielles dont si peu de pays au monde donnent l'exemple. Il est temps, avant que ne s'engagent les compétitions électorales, que nous nous retrouvions en nous-mêmes afin de compter tous ceux qui veulent, pour la France, dépasser les clivages politiques et apaiser les luttes partisanes.

Oui, le moment est venu de nous ressaisir. En nous abandonnant nous-mêmes, c'est la France que nous abandonnons. Rendons l'espérance à notre pays, proposons à sa jeunesse une cause qui l'enthousiasme, suscitons l'engagement de tous ceux qui croient à la France. Que cet appel soit entendu et qu'il soit épargné aux Français d'être conduits à y souscrire plus tard et dans le drame.

Car la vraie menace est en face de nous. La prétendue alternative que nous propose le programme socialo-communiste est dangereuse. Elle est inefficace. Elle est illusoire. Elle est la plus mauvaise réponse au débat sur les libertés. Ouvrons les yeux : bien peu de pays sont libres dans le monde. La plupart vivent sous la dictature des armes ou des idéologies. Beaucoup chez nous n'ont pas oublié ce que c'est de vivre sans liberté. Les jeunes, eux, n'ont heureusement pas connu cela, mais leur vigilance ne doit pas s'endormir : à défaut de souvenirs, qu'ils aient des pressentiments.

Que l'on m'entende bien : je ne mets en cause ni la bonne foi ni la raison d'aucun de nos concitoyens. Je ne dénonce pas des hommes, je dénonce des structures, celles du programme commun, je dénonce la logique de son développement ; il repose, en effet, sur la mise en place d'une bureaucratie qui conduira à supprimer les libertés. Ne vous y trompez pas : les mêmes causes produisent les mêmes effets.

Il n'y aura pas de collectivisme à la française. Quelles qu'aient pu être les illusions ou les ambitions de ceux qui s'y sont prêtés, partout dans le monde où l'on a mis en place les principes socialo-communistes, les libertés ont disparu. Et l'on n'a jamais vu une société devenue collectiviste rétablir ensuite les principes libéraux. Je ne critique pas ici les régimes qui ont estimé que ce type de société convenait à leur peuple. Je dis simplement qu'il ne convient pas à la France.

Et si, au-delà des conséquences politiques du programme commun, j'examine ses propositions économiques, je suis conduit à la même inquiétude. Si les nationalisations ont été justifiées dans le passé, lorsqu'il s'agissait de transférer à la Nation certains secteurs essentiels à son activité, celles que nous promettent aujourd'hui les socialo-communistes concernent des pans entiers de notre économie et ne peuvent avoir pour résultat que de tuer l'initiative, de généraliser l'irresponsabilité et d'engendrer le déficit.

Nous ne voulons pas d'une société où la méfiance vis-à-vis de l'homme, érigée en principe, conduit à transférer à un État de plus en plus puissant et omniprésent ce qui relève de la responsabilité de chacune et de chacun d'entre nous.

Quant à l'autogestion… Elle demeure un mythe. Les rares exemples qu'on en connaisse ont été marqués par l'échec ou par l'anarchie.

Aucune de ces recettes n'est adaptée au dynamisme nécessaire d'une économie moderne. Elles ne peuvent conduire qu'à la récession et ce n'est pas par hasard que tous les pays qui les ont appliquées ont connu et connaissent un développement économique et donc un progrès social inférieurs aux nôtres.

Y a-t-il au moins, dans le programme commun, la réponse à la grande question qui tourmente le cœur des hommes et qui, je le sais, préoccupe plus que jamais peut-être nos concitoyens : la question de l'injustice ? L'expérience montre que le collectivisme ne crée pas une société plus juste. Partout, dans les régimes de ce type, on a substitué aux inégalités d'autres inégalités, aux hiérarchies qu'on voulait abattre d'autres hiérarchies : celle de l'État, celle du parti, celle du syndicat.

Je répète que je ne critique pas ce système dans les pays qui l'ont choisi. Je dis que je n'en veux pas pour la France. Car l'injustice, ce n'est pas par l'idéologie, par la bureaucratie, par leur ordre implacable que nous la réduirons. C'est par d'autres voies.

Voilà les principales raisons du refus que j'entends opposer à la mise en œuvre du programme commun. Nous, nous cherchons autre chose qu'un système qui détruit les libertés, n'apporte pas de solution économique adaptée aux exigences de notre pays, ne donne pas de réponse satisfaisante à l'immense aspiration de nos concitoyens pour plus de justice.

L'espoir pour la France, pour nous-mêmes, pour nous tous et pour ceux qui ont besoin de nous, ne le laissons pas mourir. Ne nous laissons pas tromper. Ne nous faisons aucune illusion sur le processus qu'enclencherait une victoire des partisans du programme commun aux élections législatives. Ce ne serait pas l'alternance démocratique mais un processus irréversible.

Conscients de nos difficultés actuelles, de la nécessité pour la majorité de se ressaisir, convaincus du caractère inefficace et néfaste de ce que nous promet le programme commun, certains que la victoire du collectivisme tue l'espoir, nous devons susciter un élan puissant qui transformera notre combat en victoire.

LES GRANDS OBJECTIFS DU RASSEMBLEMENT

Pour rassembler les Français, nous devons dissiper leurs doutes en marquant quelques repères solides.

La France, aujourd'hui, n'attend pas un programme de plus. Ce qu'elle attend de nous, c'est que nous lui donnions des objectifs. Gardons-nous, bien sûr, d'un optimisme simpliste. Lequel d'entre nous n'éprouve point, parfois, de la lassitude, voire de l'angoisse devant le cours des choses et la condition des hommes ? Quels hommes serions-nous donc si nous n'entendions pas les questions que l'on pose autour de nous, les questions que l'on nous pose ?

Nous avons aussi le devoir de dire que les forces de l'espoir sont, au bout du compte, plus puissantes que celles de l'abandon. Nous avons la volonté de continuer, non pas pour conserver mais pour progresser, non pas pour durcir dans l'égoïsme et dans la nostalgie, mais pour porter l'espérance des Françaises et des Français.

Dans notre action, nous tiendrons ferme sur quelques valeurs essentielles : la liberté, la responsabilité, l'abolition des privilèges, l'épanouissement de la démocratie dans la vie quotidienne.

IL FAUT D'ABORD DÉFENDRE LA LIBERTÉ

Nous nous le devons à nous-mêmes, nous le devons aussi à tous les peuples du monde pour qui notre terre est la terre de la liberté.

Mais si l'accord est unanime sur l'objectif, certains répugnent à prendre les moyens de l'atteindre. Pour que les Français restent libres, nous savons, nous, que la France doit préserver son indépendance. C'est-à-dire le pouvoir de se déterminer elle-même, selon ce qu'elle croit être son intérêt ou sa mission, sans avoir à rechercher à l'extérieur approbation ou consignes.

Or, l'indépendance n'est qu'un leurre si ses deux fondements essentiels ne sont pas assurés :

— Pas d'indépendance sans une économie forte et équilibrée. Dans le désordre monétaire international que nous subissons, au milieu des bouleversements profonds et durables qu'entraîne la hausse continue du prix de l'énergie et des matières premières, l'État doit, plus que jamais, fixer par un plan national les objectifs et les disciplines du développement économique. Pour maintenir la valeur du franc, la gestion des fonds publics et des fonds sociaux doit être plus rigoureuse. Pour assurer les bases du progrès de demain, notre puissance industrielle doit être renforcée de même que la recherche scientifique et les technologies de pointe doivent être fermement soutenues.

— Pas d'indépendance non plus sans une défense efficace, fondée sur la dissuasion nucléaire, relevant des seules autorités de la République. La Nation doit consacrer des ressources accrues à l'équipement de son armée dont la modernisation va probablement exiger que, progressivement, le volontariat se substitue à la conscription.

Sur ces bases, nous pourrons continuer à conduire une politique étrangère sans allégeance aucune et notamment aux superpuissances.

Il y va bien sûr de notre intérêt. Mais il y va aussi de l'intérêt de la communauté internationale à laquelle une France indépendante, cohérente dans ses choix, déterminée dans ses actions, apporte des conceptions originales et généreuses. Prenons-y garde : l'extraordinaire capital d'amitié que nous conservons dans le monde peut s'effriter très vite s'il n'est pas consolidé par une politique de coopération à la fois généreuse et sans complaisance.

Quant à l'Europe, si nous voulons un avenir qui ne soit pas fait de bruit et de fureur, si nous voulons maintenir les principes d'une société, les principes d'une démocratie que nous avons en commun, il faudra nous entendre. Certes, la tâche n'est pas facile. Nous devons participer avec réalisme et activement à l'édification d'un ensemble uni et fort, respectueux de notre souveraineté et de celle de chacune des nations qui la composent.

Nous ferons l'Europe sans défaire la France. Nous en avons la volonté politique.

Dans un pays dont l'indépendance sera ainsi préservée, les Français pourront renforcer leurs libertés. Encore ne suffit-il pas d'énumérer ces libertés comme trop de marchands de rêve se sont mis, depuis peu, à le faire. Ce qui compte, c'est de comprendre et d'assurer les conditions fondamentales qui en permettent l'exercice.

C'est, au premier chef, un État capable de faire respecter la cohésion de la Nation et de garantir à chaque citoyen la sécurité de sa personne et de ses biens. Le peuple français s'est donné, en adoptant la Constitution de la Ve République, des institutions démocratiques et modernes. Leur défense intransigeante reste une donnée permanente de notre action.

C'est, en second lieu, une justice sereine, dégagée des passions, rendue plus humaine et plus proche pour ceux qui ont recours à elle, sévère envers ceux qui s'opposent aux lois de la République.

C'est enfin le renforcement, parmi le plus grand nombre, du sentiment de la sécurité et de l'équilibre. Les droits économiques, sociaux et culturels du citoyen doivent être développés. Le droit au travail, notamment, doit être garanti. Il faut aussi diffuser la propriété ; non seulement la propriété traditionnelle – celle de la maison, du champ, du magasin ou de l'atelier – mais aussi la propriété mobilière trop souvent réservée à un petit nombre de détenteurs du capital.

Dans cette perspective, l'épargne individuelle doit être protégée. Elle est nécessaire tant à l'économie qui y puise ses ressources qu'aux individus qui y trouvent une sécurité ; les Français en ont le goût naturel. Mais il y aurait tromperie intolérable si les avoirs péniblement accumulés se transformaient en peau de chagrin par le jeu d'un prélèvement occulte et permanent. Il faut mettre en œuvre les solutions pour l'empêcher.

Mais la priorité demeure la lutte contre l'inflation qui est la cause profonde du mal. La France traverse actuellement une crise économique. Le Premier ministre a entrepris avec compétence et ténacité de la combattre. Ce combat nous concerne tous. Nous ne le gagnerons qu'avec l'accord profond d'un pays confiant et rassemblé. Certains, par intérêt ou par malice, voudraient nous voir contribuer à l'abaissement de l'État. Eh bien, non! Nous sommes trop soucieux de l'intérêt général, trop fidèle aux enseignements que nous ont transmis le général de Gaulle et Georges Pompidou pour nous prêter à de telles manœuvres. D'ailleurs, si l'on excepte les réactions démagogiques d'une opposition irresponsable, quel Français peut sérieusement croire que l'on peut à la fois lutter contre l'inflation et le chômage et refuser à l'État les moyens du redressement?

DÉVELOPPER LES RESPONSABILITÉS

Tel est le deuxième objectif majeur que nous nous assignons.

Si nous laissons, en effet, aller le cours des choses, il y a grand risque que les individus soient de plus en plus paralysés dans le réseau de contraintes en tous genres qui les enserre du berceau à la tombe. Nous avons au contraire le projet d'une société où chacun soit davantage responsable de ses actes. Pour y parvenir, il faut développer le goût d'entreprendre, de sorte que celui qui veut créer ou développer une unité économique à l'échelle humaine ne se heurte pas à une multitude d'obstacles accumulés par un corps social bloqué et timoré.

Il faut reconnaître au chef d'entreprise la place qui lui revient en tant que créateur d'emplois et de richesses et cesser de le rejeter au premier échec, ou, à l'inverse, lorsque sa réussite est trop éclatante. Le même changement d'attitude est souhaitable vis-à-vis des professions indépendantes.

Prisonniers d'une vision superficielle de l'évolution économique et sociale, certains pensent que le commerçant ou l'artisan isolé doit laisser la place à des organisations plus structurées. Je suis, pour ma part, convaincu qu'artisans et commerçants doivent continuer à jouer une double fonction de progrès : une fonction économique d'abord, parce qu'ils sont les seuls à pouvoir rendre certains services spécialisés ou proches ; une fonction sociale ensuite, parce qu'autour d'eux se tissent, dans le quartier ou le village, des relations quotidiennes d'amitié ou de simple voisinage.

C'est dans le même esprit que doit être poursuivie la modernisation de notre agriculture si nécessaire tant à l'équilibre de notre société qu'à sa puissance économique.

L'exercice de la responsabilité personnelle n'est évidemment pas le monopole des travailleurs indépendants. Le développement de la participation et de la responsabilité doit aussi assurer la nécessaire réforme de l'entreprise. Tous les travailleurs, quel que soit leur place ou leur niveau, doivent pouvoir participer à l'organisation de leur travail et au partage des fruits de leurs efforts. Ils ont droit à une formation professionnelle qui leur donne la responsabilité de choisir et de s'élever. La fonction de l'encadrement, essentielle à l'impulsion et à la bonne marche de l'entreprise, doit être reconnue et renforcée.

D'une structure hiérarchique où les travailleurs sont encore trop souvent contraints à une obéissance passive, nous avons en effet l'ambition de passer à une organisation fonctionnelle où chacun prend la part de responsabilité qui lui incombe. Nous appelons cela la participation. C'est pour nous la dignité des hommes et des femmes de France qui est en cause.

Notre troisième ambition est d'ABOLIR LES PRIVILÈGES, c'est-à-dire les inégalités qui ne trouvent pas leur origine dans le mérite ou le travail. La société où nous vivons est encore marquée par des comportements ou des situations qui sont des séquelles de l'Histoire. Notre double exigence de liberté et de responsabilité nous les rend intolérables.

Il y a d'abord les privilèges de l'argent. Il est juste que la valeur individuelle, l'ardeur au travail, la conscience professionnelle soient rémunérées et comme ces vertus varient selon les individus, il est juste que les rémunérations soient différentes. Mais il n'est pas juste que, par une sorte de grâce d'état ou de naissance, certains continuent à jouir de privilèges immérités. Il est insupportable que d'autres puissent s'enrichir par la spéculation ou la fraude. Il est temps de procéder à une refonte complète de notre système fiscal qui doit être radicalement simplifié. Il faut trouver un équilibre plus satisfaisant entre la part qui doit être prélevée sur la dépense, celle qui doit l'être sur le revenu et celle qui doit l'être sur la fortune.

Mais il y a d'autres privilèges que ceux de l'argent. Il y a les privilèges du pouvoir. Dans un pays marqué par plusieurs siècles de pouvoir central absolu, c'est bien sûr l'administration qui peut être tentée de s'octroyer de tels privilèges. Il n'est pas douteux aujourd'hui que l'État en France n'a pas toujours su éviter les pièges de la bureaucratie. Et les Français en sont venus au point où parfois ils comprennent mal leur administration. Certes, ils l'appellent souvent pour combler une injustice, accorder un avantage; mais ils la récusent bientôt en la jugeant envahissante et importune. C'est qu'après avoir su faire converger les efforts pour doter le pays de moyens de production et d'équipements puissants, après avoir assuré une protection sociale sans précédent, elle s'est, malgré la qualité et le dévouement de ses fonctionnaires, engluée dans le détail. Les textes ont été multipliés si bien que les lois, décrets, arrêtés, circulaires, constituent aujourd'hui un maquis quasi impénétrable non seulement à cause de leur abondance, mais aussi du fait de leur incessant changement. Dès lors, notre système juridico-administratif ne continue à fonctionner que parce qu'un grand nombre de textes ne sont pas en fait appliqués ou que l'on peut y déroger avec tous les risques d'arbitraire que cela comporte. Un effort puissant de simplification est donc nécessaire pour que l'administration retrouve sa véritable vocation qui n'est pas de gérer le système bureaucratique mais de servir le citoyen, qui n'est pas d'empêcher d'agir mais de faciliter la vie de tous.

Il s'agit, au sens strict du mot, d'une révolution : il faut rendre leur État aux Français.

Il y a les privilèges du savoir. La connaissance et la compétence déterminent de plus en plus la place de l'individu dans la société. Mais il ne faut pas que le savoir soit l'apanage d'élites restreintes issues de milieux sociaux privilégiés. Il faut poursuivre avec ténacité l'œuvre de démocratisation de l'enseignement que nous avons entreprise, promouvoir l'égalité des chances, donner davantage à chacun la possibilité, tout au long de son existence, de perfectionner sa formation initiale et de participer aussi à la grande aventure de la science, de l'art et de la création.

Telles sont les conditions du progrès social et de la vraie justice. Telles sont aussi les voies de l'accomplissement personnel, tant il est vrai qu'au-delà du savoir, c'est la culture partagée et vécue qui rend à l'existence sa noblesse et sa saveur.

Il faut ouvrir à tous la culture pour vivre. Il y a presque deux siècles maintenant, dans un mouvement d'enthousiasme et de générosité dont il a le secret, le peuple de France a proclamé aux yeux de l'univers l'abolition des privilèges. L'évolution de notre société et de notre sensibilité rend maintenant plus intolérables ceux qui subsistent encore ou ceux qui se sont recréés. Je vous invite à redonner toute leur signification, toute leur force, toute leur vie, aux beaux et grands principes de notre République : l'égalité et la fraternité.

Il nous appartient enfin de promouvoir la DÉMOCRATIE DU QUOTIDIEN. Plus libre, plus responsable, plus maître de lui-même, le citoyen d'aujourd'hui n'accepte pas de se dessaisir de toutes ses prérogatives aux mains de ceux qui le gouvernent. Il veut aussi, entre deux scrutins, continuer à prendre la parole et faire connaître son point de vue sur les décisions ou les actes qui façonnent sa vie quotidienne. Les Français ont droit à un environnement digne d'eux, c'est-à-dire à une maison, à un quartier, une ville, une nature qui soit à l'échelle humaine. L'homme doit redevenir la mesure de toutes choses

Il a fallu, bien sûr, dans les deux décennies qui viennent de s'écouler, consentir un effort important d'équipement. Mais nous avons parfois le sentiment d'avoir payé un prix très lourd. Le prix de villes qui se vident peu à peu de leurs habitants traditionnels et qui lentement écartent d'elles les humbles et les isolés. Le prix de banlieues souvent maussades, entassant une population transplantée et déracinée, le prix de côtes détériorées, de rivières abîmées, celui du bruit et de toutes les formes de violence.

Oui, il est temps, sans vaine nostalgie du passé, de recréer un paysage pour les Français, tels qu'ils sont, tels qu'ils se veulent.

Inventer la démocratie du quotidien, c'est éliminer toute forme de ségrégation, notamment dans le logement ; c'est lutter pour qu'un urbanisme concerté triomphe de l'urbanisme imposé, c'est mettre fin au paradoxe que constitue un habitat collectif sans véritable vie collective. C'est aussi diffuser une information objective sur l'environnement et se donner les moyens de contrôler le progrès technologique et de sauvegarder le milieu naturel. Le combat pour l'écologie, loin d'être un rêve fumeux, est à la fois l'aboutissement et la chance nouvelle de notre développement. À travers l'aspiration à la qualité de la vie, nous assistons, plus profondément, à un effort des nations pour retrouver leur génie propre et pour décaper la pellicule grise sous laquelle les fumées d'usine ont dissimulé leur visage. La qualité de la vie est le domaine privilégié de la différence, parce qu'elle est l'expression renaissante de la culture.

Pour permettre cette renaissance, le meilleur moyen est encore de rendre la parole aux Français. Aussi devons-nous redonner force aux collectivités intermédiaires. Nos communes, notamment, constituent un capital inestimable : des équipes rompues à l'action concrète sur le terrain, une administration au plus près du citoyen, la certitude du contrôle démocratique par le jeu du suffrage.

Ce que nous proposons, c'est de renforcer l'autonomie des communes, en les dotant de finances saines, en supprimant les interventions abusives de l'État et en transférant toutes les attributions qui, intéressant la vie quotidienne des Français, sont mieux exercées par des collectivités proches que par un pouvoir lointain. Ainsi confortées et sûres d'elles-mêmes, ces collectivités pourront s'ouvrir davantage aux citoyens, reconnaître leur droit d'initiative, faire confiance aux associations qui auront prouvé leur dévouement au bien public. Elles pourront donner directement la parole à la population en l'interrogeant sur les problèmes qui concernent la vie et le développement de la cité.

En fin de compte, notre plus haute ambition en ce domaine, le sens profond de la démocratie au quotidien, c'est de retrouver la joie de vivre ensemble, la générosité et la chaleur dans les relations de travail ou de voisinage. Les jeunes nous ont montré la voie au cours des années récentes. Peut-être l'ont-ils fait parfois avec quelques maladresses ; mais ils nous ont prouvé combien leur exigence de fraternité pouvait être féconde pour peu que nous sachions proposer de justes causes aux énergies que certains tentent de dévoyer.

La vie quotidienne, c'est aussi pour le plus grand nombre d'entre nous, la vie en famille. Bien que les faux prophètes aient prédit sa disparition, la famille est plus que jamais le lieu privilégié du bonheur. C'est en son sein que s'instaure le dialogue le plus fructueux entre les générations, que s'acquiert le sens de la loyauté et de la tolérance. C'est sur elle que se construit la force de la Nation, qui puise dans le nombre de ses enfants les moyens d'exprimer sa solidarité envers ceux qui ont besoin d'elle.

L'État doit garantir à la famille la santé matérielle, ce qui signifie que des mesures juridiques, économiques et sociales doivent parachever et simplifier notre législation, afin d'assurer un juste équilibre entre ceux qui assument des charges familiales et ceux qui n'en assument pas.

Voilà nos objectifs. Voilà notre combat. À nous tous de puiser en nous-mêmes la force de réussir. Ce sera la force de la France rassemblée.

RASSEMBLEMENT DANS L'ACTION POLITIQUE

La tâche qui nous attend maintenant, c'est de construire le Rassemblement. « Comment vont-ils donc faire ? », s'interrogent certains, sceptiques ou faussement inquiets.

Je le proclame ici bien nettement : nous nous rassemblons pour la démocratie et contre tout ce qui la menace. Nous nous rassemblons dans la majorité. Nous nous rassemblons pour agir et proposer, et non pour dénigrer.

RASSEMBLEMENT POUR LA DÉMOCRATIE D'ABORD

L'une des vertus fondamentales du gaullisme a toujours été de savoir refuser, quand il le fallait. Eh bien ! Nous dirons non à tout ce qui peut nuire à la démocratie ! Nous n'accepterons pas que tombe sur notre pays la nuit de la dictature, et ceci d'où qu'elle vienne : nous repoussons avec la même détermination les idéologies perverses du fascisme et du collectivisme. Combien sont vaines et ridicules les insinuations de ceux qui veulent nous présenter sous le visage de l'autoritarisme !

Nous avons, nous, en matière de démocratie, notre tradition et nos références. Je vois cheminer la calomnie. J'entends les malveillants colporter le mensonge pour susciter la peur ! Mais qu'importe ! Laissons les bêtes de l'ombre à leurs glapissements ! Poursuivons notre route.

Le meilleur moyen de défendre la démocratie, c'est de la rendre plus efficace et plus vivante. Pour cela, nous devons faire en sorte que tous les citoyens participent davantage au fonctionnement des institutions de la République. L'une des missions essentielles du Rassemblement sera de permettre cette participation : nous allons l'organiser pour qu'il soit un lieu de réflexion, de consultation, de suggestion et, si besoin est, de critique. Il ne faut pas laisser à une poignée de professionnels de l'activisme politique ni aux instituts de sondage le monopole d'exprimer, à leur façon, ce que pensent et veulent les Françaises et les Français.

C'est à vous de le dire. L'information réciproque et la communication entre les citoyens et le pouvoir aboutissent évidemment au Parlement, pièce essentielle de notre vie politique et civique. Je souhaite que les élus qui se réclameront de nous assument pleinement, par leur assiduité et leur capacité, la double fonction parlementaire :

— D'abord, contribuer, par leurs initiatives, à l'élaboration de la loi.

— Ensuite, contrôler efficacement l'action gouvernementale.

C'est à cette condition que sera maintenu un réel équilibre des pouvoirs, rempart et garant de la liberté et de la démocratie, et que s'établira l'indispensable accord entre la Nation et ses représentants.

RASSEMBLEMENT POUR LA DÉMOCRATIE, MAIS AUSSI RASSEMBLEMENT DANS LA MAJORITÉ !

Il ne doit y avoir aucun doute sur ce point. Actif et vigilant, le Rassemblement pour la République se situera résolument dans la majorité. J'ignore s'il sera toute la majorité, mais il sera tout entier dans la majorité.

Qui, d'ailleurs, pourrait croire que nous voudrions mettre en cause les institutions que le peuple français s'est données à l'appel du général de Gaulle ? Ces institutions reposent sur la primauté du chef de l'État qui doit définir les grandes orientations. Dans ce cadre, le gouvernement doit conduire la politique de la Nation avec l'appui d'une majorité parlementaire garante de l'efficacité du pouvoir législatif.

Voilà l'essentiel. Sur cela, nous ne saurions transiger.

La vraie menace contre nos institutions, elle est dans le programme socialo-communiste qui porte en germe la destruction de notre régime. Ne nous y trompons pas ! C'est à cela que la faiblesse ou la division de la majorité ouvrirait la voie. Si, au contraire, nous nous rassemblons, comme nous exprimons aujourd'hui la volonté de le faire, alors l'espérance revient grâce à nous et autour de nous. L'important, au bout du compte, c'est de nous organiser pour agir, ce qui veut dire pour proposer et progresser ensemble.

Certaines bonnes âmes, prenant sans doute leurs désirs pour des réalités, prétendent que nous allons nous essouffler, que le temps sera long jusqu'aux échéances fixées. Eh bien !

Je les rassure. Une aussi grande espérance ne retombe pas aisément.

Nous avons aujourd'hui donné naissance à un immense mouvement. Notre tâche désormais est de l'organiser pour atteindre le premier objectif que nous lui assignons : remporter, pour la démocratie et dans la majorité, les prochaines élections législatives. À cet égard, je tiens à préciser que c'est aux formations politiques et à elles seules, dans le cadre d'une nécessaire concertation, qu'il appartient de choisir leurs candidats et de donner leurs investitures

Au cours du premier trimestre 1977, et avant les élections municipales, je vous propose de mettre en place au niveau national, mais surtout aux niveaux local, départemental, régional, les structures nécessaires à la vie et à l'action de notre Rassemblement.

Il appartient à chacun d'entre nous de dire à tous ceux qui hésitent ou qui cherchent, sur quelles valeurs fondamentales nous nous sommes réunis, et de leur proposer de nous rejoindre. Moi-même, en me rendant parmi vous, à travers la France, je vous aiderai dans cette tâche.

Grâce à la réflexion engagée en commun au sein du Rassemblement, nos élus pourront, lorsque s'ouvriront les sessions parlementaires du printemps et de l'automne 1977, élaborer des textes législatifs qui, conformément aux objectifs de notre manifeste, traduisent notre volonté de progrès. Et qu'on ne vienne pas nous dire que nous sommes contre les réformes ! Depuis vingt ans, qui plus que nous a changé le visage de la société française ? L'action de réforme doit être poursuivie, avec réalisme, après une réflexion et une concertation approfondies, mais sans hésiter ni tergiverser.

Simultanément, l'année 1977 doit être une période d'action préparatoire pour les élections législatives. Les élections ne s'improvisent pas. Celles qui viennent moins qu'aucune autre. Pour les gagner, il faut un immense effort d'information et de mobilisation. Il faut susciter et entretenir un grand élan d'enthousiasme et d'espoir, non pas artificiellement créé par des états-majors, des dirigeants, des formations politiques, mais issu des profondeurs du peuple français. Nous devons tous nous sentir mobilisés au service de la démocratie et de la République, nous devons chaque jour accroître les rangs de ceux qui combattent avec nous.

L'heure n'est plus à l'attentisme ou au doute. Elle est à l'engagement. Ainsi, nous gagnerons, et notre Rassemblement, uni par une foi commune, renforcé par la victoire, pourra poursuivre l'œuvre de la Ve République.

Voici que s'achève maintenant cette journée du 5 décembre. Voici que se termine cette grande réunion où se sont rassemblés dans l'enthousiasme et l'espoir des milliers d'hommes et de femmes venus de toutes les provinces de notre pays. Nous savons ce qui nous réunit : mais cela ne suffit pas. Nous voyons avec émotion l'immense succès de notre appel : mais cela ne suffit pas. Au-delà de ce jour, par-delà cette enceinte, c'est vers tous les Français que je me tourne, vers tous ceux qui pressentent que notre société est en péril, mais qui n'osent encore élever la voix pour la défendre, vers tous ceux dont les yeux sont ouverts, mais dont les lèvres restent closes.

Oubliez les passions qui vous divisent, mais n'oubliez pas la ferveur. On ne prépare pas l'avenir dans le désenchantement. On ne défend pas la liberté dans le renoncement.

Le rassemblement que je vous propose exige de vous le contraire du consentement aveugle. Il est un mouvement de citoyens, c'est-à-dire d'hommes libres, qui refusent la fatalité de toutes les dictatures, du fascisme comme du collectivisme, d'hommes libres qui veulent façonner leur histoire de leurs mains.

— Vous qui êtes intransigeants sur l'indépendance de la Nation,

— Vous que l'esprit de justice exalte et que l'injustice révolte,

— Vous qui ne tolérez ni l'amertume, ni le mépris, ni l'humiliation,

— Vous qui connaissez le prix de l'effort, de la droiture, de la rigueur,

— Vous qui savez que la responsabilité autant que le savoir fonde la dignité de l'homme,

— Vous qui voulez être des hommes, mais des hommes solidaires,

— Vous qui sentez que notre cause, c'est celle de la liberté,

À vous tous, je dis : n'attendez pas !

N'attendez pas pour défendre les droits civiques durement conquis et affermis par la République ; ils ne sont ni un don de la nature, ni un privilège du destin.

N'attendez pas pour servir une ambition nationale généreuse et humaine ; rejoignez-nous !

Notre peuple, dont c'est la grandeur d'être rebelle à la contrainte, a quelquefois besoin qu'on l'exhorte. Alors, il se rappelle son passé et étonne le monde. Le voici soudain réconcilié avec lui-même, réuni dans le même combat, consacrant toutes ses forces à défendre sa culture et sa société. Le voici rassemblé.

Citoyens et Citoyennes de mon pays, vous êtes les fils et les filles de ces hommes qui ont lutté dans notre longue histoire pour nous donner le droit d'être libres.

L'appel que je lance à mon tour n'est que l'écho de l'éternel appel des nations qui ne veulent pas mourir. C'est au Peuple de France que je m'adresse, Peuple qui sait comprendre, Peuple qui sait donner, Peuple qui sait dire non à ce qui l'avilit, Peuple une fois encore debout et rassemblé.

Vive la République,

Vive la France !

BILAN DU GOUVERNEMENT DE JACQUES CHIRAC 1986-1988

établi au printemps 1988

PRINCIPALES MESURES

1 – INSTITUTIONS

• Rétablissement du scrutin majoritaire.

• Relations confiantes entre Gouvernement et majorité parlementaire : sur aucun texte, pas une voix n'a manqué.

2 – JUSTICE

• Réforme de l'instruction, permettant une meilleure protection des libertés individuelles.

• Amélioration de la condition des magistrats.

• Lancement de la construction de 20 000 places de prison depuis mars 1986.

3 – SÉCURITÉ

• Recul de la criminalité et de la délinquance : – 12 % en deux ans.

• Démantèlement de plusieurs réseaux terroristes (notamment Action directe).

• Otages : sept sur dix sont rentrés en France.

4 – DÉCENTRALISATION

• Forte croissance des dotations de l'État aux collectivités locales.

• Amélioration des textes, notamment sur la fonction publique territoriale.

• 1 200 MF versés par l'État aux régions pour la rénovation des lycées.

5 – ÉCONOMIE

- Liberté des prix, des changes, du crédit.
- Droit moderne de la concurrence.
- Déficit du budget de l'État réduit de 25 %.
- 70 milliards de francs de baisse d'impôts.
- Privatisation de trente entreprises industrielles ou bancaires.
- 6 millions d'actionnaires, soit quatre fois plus qu'avant 1986.

6 – INDUSTRIE

- Retour à l'équilibre des entreprises publiques naguère fortement déficitaires (exemples : Renault, sidérurgie, CDF).
- Record battu en matière de création d'entreprises : 540 000 en 1986-1987.
- Plan d'action en faveur des PME-PMI (allègement des droits sur les mutations de fonds de commerce).

7 – AGRICULTURE

- Réactivation des conférences annuelles agricoles et de la concertation avec les organisations professionnelles.
- Allègement des coûts de production (frais financiers, cotisations sociales, charges fiscales...).
- Succès à Bruxelles : le financement de la politique agricole commune est assuré, à un niveau suffisant, pour cinq ans.
- Solidarité envers les zones défavorisées (montagne).
- Politique d'aménagement rural.
- Mutualisation du Crédit Agricole.

8 – ÉQUIPEMENTS – TECHNOLOGIES

- Accélération spectaculaire du plan autoroutier (+ 5000 km) et du réseau TGV (interconnexion).
- Relance réussie du bâtiment (seuil des 300 000 logements à nouveau franchi) et des travaux publics.
- Conquête de l'espace : Ariane 5, Hermès, Colombus.

9 – AFFAIRES SOCIALES ET EMPLOI

- Recul du chômage, principalement chez les jeunes

• Sauvetage de la Sécurité sociale : équilibre assuré fin 1987 ; paiement des prestations garanti pour l'avenir.

• Solidarité envers les nouveaux pauvres : création des compléments locaux de ressources (une activité + un revenu + une protection sociale).

10 – FAMILLE

• Redressement du pouvoir d'achat des allocations familiales.

• Création du statut de la mère de famille et de l'allocation parentale d'éducation.

• Amélioration du régime fiscal (décote fiscale pour les familles modestes ; meilleure déductibilité des frais de garde ; réforme du quotient familial).

11 – ÉDUCATION – FORMATION – RECHERCHE

• Plan pour la réussite scolaire.

• Meilleure gestion de l'Éducation nationale (déconcentration).

• Rattrapage du retard accumulé dans les subventions à l'enseignement privé.

• Création du crédit d'impôt-formation (25 %).

• Amélioration du crédit d'impôt-recherche.

12 – CULTURE ET COMMUNICATION

• Loi de programme sur le patrimoine.

• Loi de programme sur les enseignements artistiques.

• Loi sur le mécénat.

• Pluralisme audiovisuel.

13 – RAPATRIÉS

• Remise totale des dettes d'installation.

• Amélioration du régime des retraites.

• Achèvement de l'indemnisation.

14 – OUTRE-MER

• Retour à la paix civile

• Référendum en Nouvelle-Calédonie.

• Loi de programme pour les DOM avec croissance forte des engagements publics et défiscalisation des investissements.

• Parité sociale globale engagée.

15 – EUROPE

- Renforcement de la coopération franco-allemande.
- Contribution décisive de la France à la réforme du système monétaire européen.
- Participation active à l'accord sur le financement de la Communauté pour les années 1988-1992.

16 – DÉFENSE

- Loi de programmation militaire assurant la modernisation de notre défense.
- Maintien du consensus national autour de la dissuasion nucléaire, meilleur ferment de notre esprit de défense.
- Progrès de la coopération franco-allemande.
- Succès des propositions françaises devant l'Union de l'Europe Occidentale (charte de la sécurité européenne).

17 – AIDE AU DÉVELOPPEMENT

- Initiatives françaises pour l'allègement de la dette.
- Plan alimentaire proposé à nos partenaires et aux instances internationales.
- Augmentation de 20 % de notre aide publique au développement (APD).

18 – POLITIQUE ÉTRANGÈRE

- Action permanente et efficace en faveur des droits de l'homme.
- Renforcement de notre influence en Afrique.
- Redressement de l'image internationale de la France.

I. UNE FRANCE PLUS FORTE ET PLUS LIBRE

1 – Quand l'État français est mieux géré, l'économie tout entière et chaque Français en tirent bénéfice

¤ Un État mieux géré…

L'alourdissement du déficit budgétaire, multiplié par cinq de 1981 à 1985, avait entraîné un accroissement de la charge de la dette qui menaçait nos finances publiques. Il fallait sortir de l'enchaînement dette-déficit. Il fallait en finir avec le laxisme dans la gestion de l'État.

Le Gouvernement a fait un effort sans précédent de maîtrise des dépenses publiques, qui progressent moins vite désormais que les prix. Il s'agit là d'une situation sans équivalent depuis trente ans.

C'est ainsi que 115 milliards de francs d'économies ont été réalisés en trois ans. Ces économies ont pu être faites grâce à la réduction du train de vie de l'État, mais également par la suppression de dépenses improductives ou la remise en cause de missions inutiles.

On peut ainsi citer en exemple la diminution des subventions accordées par l'État aux entreprises. La logique des interventions publiques a été inversée. Avant mars 1986 : « plus de subventions, plus de charges, moins de compétitivité ». Désormais : « moins de subventions, moins de charges, plus de compétitivité ».

Cette meilleure gestion n'a pas concerné que l'État, mais également les services publics et les entreprises publiques.

La Poste et les Télécommunications offrent un bon exemple de cette meilleure gestion, au bénéfice tant des clients que des agents. La Poste a pu, en deux ans, retrouver le chemin de l'équilibre, puis, en 1987, des bénéfices d'exploitation et améliorer la qualité du service rendu grâce à la modernisation (informatisation des guichets) et à l'innovation (prestations nouvelles, délais garantis). Les Télécommunications, pour leur part, ont procédé à la modernisation des équipements (notre réseau téléphonique est le plus numérisé et l'un des plus performants au monde) et ont mis en œuvre une véritable gestion d'entreprise.

Le redressement est enfin celui des entreprises publiques. Les résultats sont tout à fait probants. Air France ne reçoit plus, depuis 1987, aucune subvention de l'État. La SNCF atteindra dès l'an prochain son équilibre brut d'exploitation. Plus spectaculaire encore, les quatre entreprises publiques du secteur concurrentiel, dont la situation était catastrophique en 1986, ont vu leur problème réglé. La construction navale – qui coûtait aux contribuables 300 000 francs par an et par salarié – a fait l'objet d'un plan qui permet la reconversion des hommes et des sites, en particulier grâce à la création des zones d'entreprises de Dunkerque, La Seyne et La Ciotat. Quant à Renault, Usinor-Sacilor et CDF-Chimie, elles avaient accumulé 108 milliards de pertes de 1981 à 1986 (c'est-à-dire 5 000 francs par foyer fiscal). Elles ont dégagé ensemble 3 milliards de bénéfices en 1987. Dès cette année, elles ne coûteront plus rien aux contribuables.

¤ … au bénéfice des entreprises et de chaque Français

C'est parce que l'État a su mieux se gérer depuis 1986 que nous avons pu poursuivre une politique de réduction des déficits et d'allègement des charges qui a profité à toute l'économie comme à chacun des Français :

— En trois ans, le déficit du budget aura baissé de 25 %. Chaque année, il aura été plus faible que la prévision faite en début d'exercice.

— Nous avons réalisé parallèlement 70 milliards d'allègements fiscaux en trois ans, effort, là encore, sans précédent :

• 33 milliards ont permis de réduire les charges des entreprises pour améliorer leur compétitivité (taux de l'impôt sur les sociétés ramené de 50 à 42 %, allègement de 16 % des bases de la taxe professionnelle, suppression de la taxe sur les frais généraux, récupération de la TVA sur les télécommunications sans majoration de tarif, ce qui représente une baisse de 15 % de la facture de téléphone des entreprises).

• Pour les ménages, 28 milliards d'allègements fiscaux ont été réalisés. Pour le seul impôt sur le revenu, la baisse de la pression fiscale est de 6 % au moins pour tous les contribuables. Deux millions de familles modestes se sont vues exonérer de tout impôt sur le revenu, deux autres millions ont vu leur impôt réduit de plus d'un tiers. Il s'agit donc à la fois d'une réduction massive de l'impôt et d'une répartition plus juste. Parallèlement, et toujours dans le sens de la plus grande justice, nous avons institué la charte des contribuables qui permet de concilier les exigences de la lutte contre la fraude et une meilleure protection des libertés individuelles.

• La baisse de la TVA, qui représente un effort de 9 milliards de francs, a touché en priorité des produits de grande consommation : voitures, disques, médicaments, cliniques...

• Les prix des communications téléphoniques ont baissé de 6 % au niveau local et de 20 % au niveau interurbain.

Tout cela représente une action concrète de réduction de l'impôt, une action de justice. Chacun a pu en voir les conséquences aussi bien sur sa feuille d'impôt que dans ses achats.

2. Le pari de la liberté d'entreprendre a été gagné

Le Gouvernement a libéré l'économie française de contraintes archaïques et a diffusé concrètement la propriété au plus grand nombre de Français :

— Libérer les prix sans inflation : tous les prix, pour toutes les entreprises, sont aujourd'hui libres. Les ordonnances de 1945 sur le contrôle des prix sont abrogées. L'inflation n'a pas dépassé 3,2 % cette année et a connu, hors produits énergétiques, son taux le plus faible depuis vingt ans. La différence de hausse des prix avec l'Allemagne est revenue à 2 %, niveau le plus bas depuis 1973.

— Libérer les changes sans difficultés monétaires : les entreprises françaises sont aujourd'hui à armes égales sur ce plan avec leurs concurrentes. En 1987, le franc s'est comporté solidement sur les marchés monétaires et en particulier la parité franc-mark sort inchangée et consolidée de la crise financière internationale qui a débuté en octobre dernier.

— Libérer l'environnement des entreprises : l'accès au crédit a été facilité; l'encadrement du crédit est supprimé depuis le 1er janvier 1987. Le droit de la concurrence a été modifié pour être plus juste et moins dépendant de l'État. Un programme d'orientation de l'artisanat a été défini en 1986 et les règles relatives à la création et à la transmission des entreprises, notamment des PME-PMI, ont été allégées par la loi du 31 décembre 1987.

— Créer un droit moderne de la concurrence et engager un effort de déréglementation, avec prudence mais efficacité. C'est ainsi que la liberté et la concurrence sont désormais la règle pour la plupart des services nouveaux des télécommunications (câblage, radiotéléphone ou radiomessagerie). Dans le domaine aérien, la concurrence a été ouverte en direction de la côte ouest des États-Unis, du Pacifique ou des DOM. Sur les DOM, le trafic a augmenté de 30 %, les prix les plus bas ont baissé de 30 % et 600 emplois ont été créés.

— Diffuser la propriété de l'économie et des entreprises : les ordonnances sur la participation et l'intéressement permettent de renouveler les relations sociales dans l'entreprise. Plus de 50 % des salariés des entreprises privatisées sont devenus actionnaires de leur société et sont représentés en tant que tels dans leur conseil d'administration.

La moitié environ du programme quinquennal de privatisation a été menée à bien. Trente entreprises publiques, regroupant environ 500 000 salariés, sont redevenues privées. Elles ont retrouvé liberté de gestion et de décision en même temps que crédibilité internationale. Plus de six millions d'actionnaires ont participé aux opérations de privatisation, ce qui représente un quadruplement du nombre des actionnaires en France. Deux tiers d'entre eux ont conservé leurs titres, en dépit des difficultés du marché, proportion qui témoigne d'une fidélité largement supérieure à celle constatée à l'étranger. La privatisation réussie de Matra fin janvier 1988 a témoigné de la continuité du mouvement entrepris et de la confiance que lui accordent les épargnants.

3. La reconquête de la compétitivité est bien engagée

Toutes les décisions économiques du Gouvernement ont tendu vers le redressement de la situation des entreprises :

qu'il s'agisse de la baisse de l'impôt sur les sociétés, de la réduction des charges, de la liberté des changes ou du crédit, le maximum a été fait pour améliorer leur compétitivité. Aujourd'hui, le redressement est en bonne voie : le niveau de rentabilité et de fonds propres des entreprises est le meilleur que nous ayons enregistré depuis le début des années 1970.

Cette amélioration de compétitivité a des conséquences très concrètes. C'est ainsi que nos grandes entreprises, plus libres de leurs décisions, ont participé activement aux grandes restructurations de l'industrie mondiale avec la CGE, Rhône-Poulenc, Bull, Thomson. Aujourd'hui, l'industrie française prend des positions internationales et rachète des entreprises américaines.

Un nouvel élan a été donné à la création d'entreprises grâce à l'opération « Chances » du ministère de l'Industrie et à son réseau d'accueil. C'est ainsi que 540 000 créations ont été enregistrées en 1986-87, soit 17 % de plus qu'en 1984-85.

L'amélioration de la compétitivité des PME passe en premier lieu par une meilleure diffusion à leur profit de l'effort de recherche et d'innovation technologique. Seule une politique active au niveau local peut permettre d'atteindre cet objectif. C'est tout l'enjeu de la création des pôles de compétitivité, développée depuis un an.

La compétitivité pour demain, c'est enfin la participation aux grands programmes technologiques européens. Les industriels français sont à la pointe de cette grande aventure, notamment en matière spatiale avec Ariane 5, Hermès, Colombus.

En deux ans, nos entreprises ont ainsi pu combler une partie de leur handicap de compétitivité. Ces progrès doivent permettre de rétablir la situation de notre commerce extérieur. Nos résultats dans ce domaine ne sont certes pas encore totalement satisfaisants. L'action de reconstruction de notre industrie, entreprise depuis deux ans, devra être poursuivie pour effacer une décennie de retard. Des signes rassurants et positifs sont néanmoins réapparus depuis un an. En effet, même si l'année 1987 se termine par un déficit, d'ailleurs limité à 0,6 % du PIB, sous le coup d'une croissance sensible des importations résultant de la reprise de l'investissement, on observe à la fois un retournement à la hausse de nos exportations industrielles, + 10 % en un an contre – 4 % dans les dix-huit mois précédents, et l'amélioration de nos parts de marché en Europe passées de 13,9 à 14,6 % entre 1986 et 1987. La reconquête de notre compétitivité est bien engagée.

4. Au total, la France est aujourd'hui plus forte et plus libre

C'est ainsi que la France est aujourd'hui objectivement plus forte qu'au début de 1986. Au-delà de tous les résultats qui viennent d'être évoqués, deux indicateurs synthétisent bien les progrès accomplis depuis deux ans et le retour à la confiance pour l'avenir :

— Là où l'investissement productif avait pris un retard de quinze points par rapport à nos grands partenaires de 1981 à 1985, il a augmenté de 10 % en 1986 et 1987, permettant de combler la moitié de ce handicap.

— L'économie française dans son ensemble a cessé, depuis deux ans, de détruire des emplois. En deux ans, un premier pas, essentiel, a ainsi été accompli en vue de résorber le chômage, drame quotidien pour plusieurs millions de nos concitoyens.

Il faut être réaliste sur la crise financière de l'automne dernier. Elle ne trouve pas son origine en France et pourtant la France en subit les conséquences de plein fouet. Tout indique qu'en 1988, celles-ci, pour sensibles qu'elles puissent être, resteront d'une ampleur relativement limitée.

Qu'en aurait-il été si la France avait été plus faible au moment d'affronter cette crise ; des déficits plus lourds, des charges plus lourdes, une inflation plus élevée, des emplois moins nombreux, une absence de liberté dans la décision des entreprises ? À n'en pas douter, nos craintes pour l'avenir seraient plus grandes.

1986 a ainsi clairement constitué une rupture sur le plan économique. Cette rupture a été salutaire et notre économie a marqué des points.

Seule la politique de libération de l'économie, menée par l'ensemble du Gouvernement, dans tous les domaines de son action, avec détermination mais réalisme, a permis d'obtenir ces résultats. Ils sont la démonstration que la liberté, organisée et maîtrisée, ne signifie pas laxisme mais progrès et efficacité.

II. UNE FRANCE PLUS SÛRE ET PLUS SOLIDAIRE

1. La justice a été dotée de moyens nouveaux, afin de mieux garantir son indépendance et son efficacité

Parce qu'il est rassemblé sur l'essentiel et qu'il ne prétend pas s'occuper de tout, l'État peut consacrer aux missions qui, par nature, sont les siennes, les moyens nécessaires. De nombreux exemples pourraient être donnés en la matière, mais le plus éclairant est sans conteste l'effort entrepris dans le domaine de la justice pour assurer l'indépendance de l'autorité judiciaire et conforter les raisons qu'ont les Français d'avoir confiance en elle.

Le Gouvernement s'est fixé plusieurs objectifs :

— Moderniser l'institution par la mise en œuvre de méthodes modernes de gestion. Un effort budgétaire important a permis de commencer à revaloriser la condition des magistrats et d'accélérer l'accroissement de leurs effectifs. C'est la qualité de la justice qui s'en trouve rehaussée : on assiste, dans l'ensemble des juridictions, à une réduction sensible des délais de traitement des dossiers.

— Lutter contre l'insécurité en invitant les magistrats du Parquet à la fermeté. Une bonne entente a été rétablie avec les forces de police. Un ensemble de lois a amplifié les moyens de lutte contre les différentes formes de violence et d'insécurité : contrôles d'identité, mesures contre le terrorisme, la criminalité et la délinquance, le recel, l'alcoolisme au volant, la fraude informatique.

— Engager la réforme pénitentiaire en ouvrant partiellement à l'initiative privée la construction et la gestion de prisons pour éliminer la pénurie : quelque 20 000 places ont été lancées depuis mars 1986 contre 14 500 réalisées auparavant.

Ainsi, non seulement le cours de la justice ne se réglera plus sur le nombre de places dans les prisons, mais l'accent pourra être mis sur la réhabilitation et l'insertion sociale. Les détenus seront traités avec la dignité à laquelle tout homme a droit.

— Lutter contre la drogue avec une loi qui réprime très durement le trafic; la loi de 1970 relative à l'injonction thérapeutique a été effectivement appliquée; des centres de soins appropriés ont été créés.

— Renforcer les libertés individuelles par la réforme de l'instruction : la détention provisoire ne pourra être décidée à l'avenir que par un collège de trois juges.

Enfin, les lois contre le racisme ont été renforcées.

S'agissant du Code de la nationalité, le projet de loi élaboré par le Gouvernement a été largement conforté dans son esprit par les travaux de la Commission des sages mise en place par le Premier ministre.

2. L'État a rempli son premier devoir : assurer la sécurité des personnes et des biens

La sécurité était devenue pour les Français une préoccupation constante. En la matière, l'efficacité implique des moyens : nous nous les sommes donnés. Des textes de loi – contre la criminalité et la délinquance, pour une meilleure application des peines, sur les contrôles d'identité, pour n'en citer que quelques-uns – ont été votés par le Parlement, afin de compléter le dispositif juridique dont nous disposions. De même, grâce à un effort budgétaire sans précédent, la police a été dotée des moyens indispensables à l'accomplissement de sa tâche. Nous avons fait confiance aux forces de l'ordre; les serviteurs de l'État se sont sentis à nouveau motivés et mobilisés. C'est la principale raison des succès que nous avons enregistrés depuis des mois. La criminalité a régressé de 8 % en 1986, tendance très positive qui se poursuit en 1987, avec une nouvelle diminution de près de 5 %.

En ce qui concerne le terrorisme, les mesures qui ont été prises étaient à la hauteur des dangers. Là encore, la loi contre le terrorisme a donné aux forces de l'ordre la possibilité d'être efficaces. Le résultat en est connu : les principaux mouvements terroristes ont été démantelés ou ont subi des coups très durs. Qu'il s'agisse d'Action directe, des mouvements nationalistes corse ou basque, leurs auteurs répondent d'ores et déjà de leurs actes devant la justice.

3. Pour la première fois depuis 1973, des résultats sont obtenus en matière d'emplois

L'aggravation du chômage conduisait à des situations dramatiques et au découragement, notamment des jeunes.

Pour lutter contre ce fléau, le Gouvernement s'est efforcé de restaurer la compétitivité des entreprises afin de leur permettre de créer des emplois; mais il y faudra du temps. Simultanément, le Gouvernement a assoupli les conditions d'embauche et permis d'aménager le temps de travail. Il a modernisé et complété les dispositifs d'insertion des chômeurs avec les formations en alternance tant pour les jeunes que pour les adultes (avec la création en 1987 des contrats et de stages de réinsertion en alternance). Surtout, il a affecté à cette tâche des moyens financiers considérables : dès le printemps 1986, un plan pour l'emploi des jeunes a été lancé, son succès a permis de concentrer en 1987 l'effort financier sur les chômeurs de longue durée.

Le Gouvernement a ensuite cherché à prévenir le chômage en développant la formation. À cette fin, les stages de formation professionnelle offerts aux jeunes ont été développés dans le budget de 1987 et dans celui de 1988. Les dispositifs d'insertion alliant la formation professionnelle et l'activité dans l'entreprise ont été développés. Des conventions de conversion ont été créées afin de faciliter le reclassement des salariés privés d'emploi. Le crédit d'impôt-formation en vigueur depuis janvier 1988 va encourager l'investissement des entreprises dans la formation.

Le Gouvernement a cherché à faciliter le retour à l'emploi des chômeurs. Dans cet esprit, nous avons accru la possibilité qu'ont les chômeurs de travailler de manière occasionnelle sans perdre leurs indemnités. Le Gouvernement a exonéré d'impôts et de charges les emplois de proximité, au bénéfice des familles et des personnes âgées ou handicapées. Nous avons donné un statut à des « associations intermédiaires » dont le but est de fournir du travail aux chômeurs.

Toutes ces actions ont porté leurs fruits :

— 500 000 emplois ont été supprimés entre 1981 et 1986, mais aucun entre 1986 et 1987 ;

— 700 000 chômeurs de plus sont apparus de 1981 à1986, mais l'aggravation a été stoppée depuis mars 1987, avec 115 000 chômeurs de moins ;

— 1 600 000 jeunes ont trouvé du travail grâce au plan d'urgence de mai 1986 et 3 milliards de francs ont été dégagés pour la formation des demandeurs d'emploi, notamment des chômeurs de longue durée.

4. <u>Les acquis de la Sécurité sociale ont été sauvegardés et confortés</u>

Les comptes de la Sécurité sociale du début de 1986 étaient artificiellement présentés. Le régime perdait environ 20 milliards de francs chaque année. Ne rien faire eût signifié accepter l'éclatement de la Sécurité sociale à laquelle les Français sont très légitimement attachés.

Nous avons refusé cette perspective inacceptable. Nous avons assuré sans rupture le paiement des pensions de retraite dont le pouvoir d'achat a été amélioré pour rattraper la perte des années précédentes. L'engagement pris envers les familles de maintenir le pouvoir d'achat des allocations familiales a été tenu. Nous avons lutté contre les abus qui vont à l'encontre même des principes qui fondent notre Sécurité sociale : plan de rationalisation des dépenses d'assurance maladie, engagement d'une concertation approfondie avec les médecins, les professions de santé et les assurés en vue de responsabiliser chacun. Le Gouvernement s'est inspiré de deux principes : plus de solidarité et plus de responsabilité.

<u>Plus de solidarité</u> : des recettes nouvelles ont été apportées à la Sécurité sociale. Un effort exceptionnel a été demandé à

tous en n'excluant aucune catégorie de Français ni aucune forme de revenus. Là où des économies étaient nécessaires, les adaptations nécessaires ont été prévues pour que les plus démunis ou les plus âgés ne soient pas pénalisés.

Plus de responsabilité : la Sécurité sociale ne sera préservée qu'avec l'effort de tous. Les résultats sont incontestables : trois branches sur quatre sont équilibrées en 1987 (famille, maladie, accident du travail) ; la situation de la branche « accidents du travail » autorise même une baisse des cotisations, effective au 1er janvier 1988.

Avec les États généraux qui se sont déroulés dans tout le pays d'avril à novembre 1987, le Gouvernement a entendu ouvrir un débat national : pour la première fois, la parole a été donnée aux Français sur un sujet qui les intéresse tous individuellement et collectivement.

Grâce aux premières mesures arrêtées tout au long de l'année 1987, le financement de toutes les prestations est garanti pour 1988.

Il est vrai qu'au-delà, des problèmes subsistent, principalement pour les régimes de retraite.

Parce que l'avenir de la protection sociale et, par là même, le devenir de notre société sont en cause, le Gouvernement a souhaité recueillir l'avis du Conseil économique et social sur un sujet où l'on ne peut ni improviser, ni imposer.

Une chose est sûre : nous avons préservé la Sécurité sociale malgré toutes les difficultés rencontrées depuis 1986. Nous ferons tout pour qu'il en aille de même demain.

5. Une politique active de solidarité nationale a été développée

Malgré les contraintes financières, le Gouvernement a agi pour renforcer la solidarité nationale.

Il a fait de la politique familiale une priorité et s'est fixé pour objectif d'assurer à toutes les familles le choix et la possibilité d'accueillir tous les enfants qu'elles souhaitent. Les mesures nécessaires ont été prises pour faciliter la conciliation de la vie professionnelle et de la vie familiale et pour permettre le libre choix des mères de famille entre l'activité professionnelle et l'éducation de leurs enfants.

Pour ce faire, l'allocation parentale d'éducation a été réformée de façon à en faire un vrai revenu, sur la voie du salaire maternel. Les conditions de garde des enfants à domicile ont été facilitées par des exonérations de charges sociales, tout en aidant les collectivités locales à accroître et à diversifier les équipements de garde des enfants. Le statut social des mères de famille a été institué afin qu'elles puissent bénéficier de plus larges droits sociaux. Par des mesures fiscales sans précédent, une aide a été apportée aux familles les plus nombreuses ainsi qu'aux familles les plus modestes.

L'emploi des handicapés dans les entreprises et les administrations a été développé par une loi nouvelle. Notre société a le devoir de tout faire pour leur insertion dans la vie sociale, économique et professionnelle.

Le maintien à domicile des personnes âgées a été facilité par le développement de soins à domicile et une incitation fiscale à l'emploi des aides à domicile.

Nous avons lutté contre la pauvreté et la précarité non point en recourant à des mécanismes d'assistance qui portent atteinte à la dignité de la personne, mais en recherchant une véritable insertion sociale. Tout en répondant aux besoins d'urgence, nous avons engagé une action en profondeur pour faciliter l'accès au logement et faire en sorte que tous ceux qui ont des droits puissent mieux les connaître et mieux en user, en particulier dans le domaine de la santé.

Pour aider les plus démunis, nous avons mis en œuvre des dispositifs nouveaux (les compléments locaux de ressources). Ce n'est qu'en associant des ressources, un emploi et une protection sociale que l'on répond en effet véritablement aux exigences de solidarité.

Nous avons maîtrisé les flux migratoires en renforçant les contrôles aux frontières et les sanctions contre l'immigration clandestine. Simultanément, nous avons conduit une politique active d'accueil pour tous ceux qui séjournent régulièrement en France, conformément aux lois et aux traditions de notre pays.

Nous avons enfin lutté énergiquement contre les fléaux que sont l'alcoolisme, la toxicomanie, le SIDA… dans le respect absolu des libertés individuelles et de la dignité de l'homme.

6. La situation des rapatriés a été définitivement réglée.

Un plan très important d'indemnisation et de rétablissement des rapatriés dans leurs droits a été approuvé. Nous l'avons fait dans un souci de justice et de réconciliation nationale. La loi du 16 juillet 1987 a enfin apporté une solution au problème de l'indemnisation des rapatriés : 30 milliards de francs y seront consacrés sur une durée au plus égale à treize ans. Grâce au concours actif des associations, les dossiers des rapatriés les plus âgés et les dossiers les plus simples ont été ou sont en voie d'être réglés. Quant à l'endettement contracté par les rapatriés, le Gouvernement a intégralement effacé la dette liée à la réinstallation; il a en outre mis en œuvre un système de consolidation des dettes non susceptibles d'être effacées. Fin 1987, 12 000 dossiers de retraite des rapatriés seront définitivement réglés. Un effort particulier a été engagé pour les Français musulmans.

Dans le même esprit, le Gouvernement a assuré le rattrapage des pensions des anciens combattants et, comme il l'a promis, a ramené en France les corps des soldats tombés en Indochine.

III. UNE FRANCE PLUS DÉMOCRATIQUE ET PLUS CULTIVÉE

1. La France est à la pointe du combat pour les droits de l'homme

L'institution d'un secrétariat d'État aux Droits de l'Homme était plus qu'un symbole; c'était la marque de la volonté d'être plus présent dans le combat pour les droits de l'homme : création d'une commission nationale des Droits de l'Homme; renouveau de l'éducation civique dans les programmes scolaires; loi sur l'exercice de l'autorité parentale conjointe ; développement des moyens de l'aide humanitaire avec la Fondation pour le mécénat humanitaire; signature de la convention européenne contre la torture et les traitements inhumains.

Le Gouvernement n'a cessé d'agir, partout dans le monde, pour la défense des opprimés, grâce aux interventions de la France dans les instances internationales, ou par l'aide aux organisations humanitaires. Il a dénoncé les atteintes aux droits de l'homme, où qu'elles soient et d'où qu'elles proviennent, sans ostentation, mais avec efficacité.

2. La confiance a été rétablie outre-mer

Le Gouvernement s'est attaché à restaurer la confiance en la République de tous ceux qui, par-delà les océans, constituent la France d'outre-mer. Dans les priorités nationales, les DOM-TOM ont retrouvé la place qu'ils n'auraient jamais dû perdre. Dans le même temps, le respect des lois et la sécurité civile ont été partout garantis (démantèlement de l'ARC en Guadeloupe, restauration des conditions normales d'exercice de la démocratie en Nouvelle-Calédonie).

La loi programme du 31 décembre 1986 témoigne de la fraternité de la métropole avec l'outre-mer. La mise en œuvre de la parité sociale globale sera intégralement réalisée en cinq ans. Parallèlement ont été libéralisés les transports aériens, encouragée la mobilité géographique et professionnelle, développées les télécommunications et élargie la couverture audiovisuelle des collectivités d'outre-mer. Enfin, un effort sans précédent a été fait pour aider au développement économique : défiscalisation dès 1986 et pour dix ans des investissements, remise en juillet 1987 d'un mémorandum sur l'outre-mer auprès de la CEE, triplement depuis 1986 des crédits consacrés aux équipements sanitaires et sociaux et priorité donnée au développement de la formation professionnelle et universitaire (IUT de Guyane, université française du Pacifique,...).

3. La démocratie au quotidien a été renforcée

Le scrutin uninominal à deux tours a été rétabli afin de rapprocher le citoyen de son député et afin de revenir à la logique des institutions de la Ve République. Seul ce mode de scrutin permet d'assurer au pays une majorité stable pour gouverner.

Le Gouvernement a travaillé en étroite collaboration avec le Parlement, en étant attentif aux nombreuses propositions de lois déposées à l'Assemblée nationale et au Sénat. La confiance du Parlement a été demandée et, tout récemment encore, la majorité la lui a renouvelée.

Les textes et les mécanismes de la décentralisation ont été améliorés pour la rendre plus efficace et responsable. Les statuts des agents locaux ont été publiés.

La réforme de l'ENA a été engagée et une importante politique d'innovation et de qualité dans l'administration a été entreprise.

La libération des initiatives individuelles ou collectives a été grandement encouragée par le développement du mécénat : création d'un Conseil supérieur du mécénat culturel, loi du 23 juillet 1987, ouvrant un statut juridique et fiscal aux initiatives des particuliers et des entreprises dans les domaines culturel, scientifique ou humanitaire.

4. Un accès plus libre à la culture et à la communication

L'accès plus libre à la culture a été facilité par la réduction des impôts sur les biens ou activités culturels (suppression de la redevance sur les magnétoscopes, baisse de la TVA sur les disques, les cassettes et les récitals).

Un rééquilibrage des dépenses de l'État au profit de la vie culturelle dans les régions a été engagé, notamment dans les crédits consacrés aux musées, aux archives, aux bibliothèques…

L'investissement culturel sur le long terme a été privilégié : loi de programmation du 5 janvier 1988 sur le patrimoine monumental qui prévoit d'ici 1992 une augmentation de 50 % des crédits affectés aux monuments historiques; loi du 6 janvier 1988 pour donner un nouvel élan aux enseignements artistiques et garantir à tous un accès aux disciplines de la sensibilité; création d'une Fondation européenne des métiers de l'image et du son…

Un plan très ambitieux de soutien à la création contemporaine a été mis en œuvre pour la danse. Des moyens importants ont été consacrés à relancer la commande publique dans le domaine des arts plastiques et soutenir l'aide publique aux productions cinématographiques ou audiovisuelles.

En matière de communication, les quatre objectifs que s'était fixés le Gouvernement en entreprenant par la loi du 30 septembre 1986 la réforme de l'audiovisuel ont été atteints :

— Le désengagement de l'État s'est traduit par la mise en place de la CNCL et par l'association au secteur de l'audiovisuel de centaines de milliers d'actionnaires privés.

— Un véritable équilibre a été instauré entre un secteur public audiovisuel fort, en audience et en moyens financiers (budget en hausse de 9 %), et un secteur privé rassemblant les plus grands groupes français et européens.

— La relance de la création audiovisuelle française a été opérée par l'harmonisation du développement du cinéma et de la télévision, par d'importants moyens consacrés à la création, le développement des programmes de la Sept, la création d'une société de capital-risque destinée à investir dans les sociétés privées de production, et une dotation exceptionnelle au compte de soutien des industries de programmes.

— L'audiovisuel a enfin été conçu comme un outil de la construction européenne et de la francophonie : vocation européenne de la Sept, création avec neuf pays de la CEE, la Suisse et la Suède, d'un fonds de soutien multilatéral aux industries de programmes et à la distribution, renforcement de notre présence audiovisuelle dans les DOM-TOM, extension de TV5, développement de RFO-AITV, montée en puissance de RFI, extension des activités internationales de la SOFIRAD.

Ces résultats ont été obtenus sans porter préjudice à la presse écrite, dont l'équilibre économique a été préservé par le renforcement d'un régime fiscal adapté et par la réglementation de la publicité télévisée.

La création d'un Observatoire de la publicité permettra à l'avenir d'évaluer l'impact du développement des nouveaux médias sur le marché publicitaire.

Enfin, les lois des 1er août et 27 novembre 1986 et l'adoption d'un ensemble de mesures fiscales (TVA uniformisée à

2,10 %, assujettissement à la TVA des communications téléphoniques, pérennisation et extension à la télématique des provisions constituées en franchise d'impôt) et sociales, ont conforté l'environnement juridique et économique de la presse.

Ce développement de l'accès à la culture et à la communication fait de la France un pays plus moderne, plus apte à entrer dans la civilisation du XXIe siècle.

IV. UNE FRANCE PLUS MODERNE ET MIEUX FORMÉE

1. L'équipement de la France avance à grands pas

Priorité a été donnée pendant ces deux ans aux investissements qui préparent l'avenir. Les Français en verront la traduction concrète dans les années à venir. Déjà les premiers résultats sont là en termes d'emplois, d'équité, de qualité de vie.

– Davantage d'emplois

Le secteur du bâtiment était un secteur sinistré. 300 000 emplois perdus, en cinq ans, entre 1981 et 1986. Les mesures prises et le retour de la confiance ont entraîné le redémarrage des investissements. 50 000 emplois disparaissaient chaque année ; 10 000 ont été créés cette année.

– Davantage d'équité

• Le nouvel élan donné à la politique d'aménagement du territoire permet une meilleure équité entre régions. Les autoroutes Clermont-Ferrand-Béziers et Bordeaux-Lyon apporteront une nouvelle chance au Massif central, cœur de l'Europe.

• 200 000 accédants à la propriété en difficultés, par la suite de la flambée des taux des emprunts contractés entre 1982 et 1984, ont vu leurs prêts renégociés.

• La seule vraie protection du locataire, c'est l'abondance et donc le choix des logements. La reprise de la construction locative, encore insuffisante dans les grandes agglomérations, permettra cependant d'évoluer vers une détente du marché du logement.

– Davantage de qualité de vie

• La politique de sécurité routière, qui sauve des vies humaines (information, prévention, mais aussi sanctions), a permis en 1987 une baisse de 10 % du nombre de tués. Le trafic s'est accru en même temps de 4 %. Pour la première fois depuis vingt-cinq ans, il y a eu moins de 10 000 morts sur la route, chiffre encore, hélas ! dramatiquement élevé.

• Le nouveau programme autoroutier et l'interconnexion du TGV vont changer le visage de la France, rapprocher les hommes (quatre heures de Nantes à Bruxelles sans changer de gare), ouvrir directement les régions sur l'Europe (abandon du système radial concentré sur Paris), désengorger la région parisienne en diminuant les encombrements et améliorer la vie des Français. Ce dispositif ambitieux et déjà mis en œuvre (300 km d'autoroutes sont mis en chantier en 1988 contre 100 avant 1986) permettra à la France de jouer son rôle de plaque tournante au cœur d'une Europe de 320 millions d'habitants.

• Pour beaucoup de familles, l'accession à la propriété est une parcelle d'autonomie et de liberté en plus. Cette accession est devenue plus facile. La baisse des taux d'intérêt et les déductions fiscales diminuent le remboursement des annuités de 15 % environ.

Pour la première fois depuis longtemps le nombre de logements construits est en hausse : la barre des 300 000 par an a été franchie.

Des faiblesses persistent : offre foncière insuffisante dans les grandes villes, manque de solvabilité des ménages et déséquilibres d'activités entre les zones rurales. Seule la poursuite d'un effort exceptionnel permettra de répondre en ce domaine aux attentes des Français.

• Le choix de la Savoie pour organiser les Jeux olympiques d'hiver de 1992 a été l'occasion pour le Gouvernement de décisions ambitieuses pour cette région, tant en matière d'infrastructures que d'équipements sportifs et touristiques qui rejailliront sur tout le pays.

La France a fait un effort d'aménagement et d'équipement de son territoire sans précédent en deux ans. Elle est ainsi en bonne place pour être le carrefour du grand marché unique européen, au profit de toutes ses régions et de toutes ses activités.

2. La place éminente de notre agriculture, chez nous et en Europe, a été garantie

L'agriculture, dans un passé récent, avait été trop négligée. Un véritable dialogue avec les organisations représentatives a été rétabli, notamment en réunissant la Conférence annuelle agricole et en relançant les interprofessions.

Le Gouvernement a redonné à notre pays son autorité dans le débat agricole international (en particulier lors de la conférence de Punta del Este) et communautaire (en obtenant notamment le démantèlement des montants compensatoires monétaires).

Il a redressé le revenu agricole en menant une politique d'abaissement des coûts de production (diminution des charges financières; maîtrise des cotisations sociales; allègements fiscaux substantiels; encadrement de la taxe foncière sur les propriétés non bâties).

Il a agi pour la solidarité nationale chaque fois que c'était nécessaire : en cas de catastrophes naturelles; au profit des zones défavorisées, principalement de montagne; envers les producteurs laitiers frappés par les quotas institués avant 1986.

Il a préparé l'avenir de l'agriculture et du secteur agro-alimentaire en élaborant le projet de loi de modernisation, en améliorant le statut de l'agricultrice et les conditions d'installation des jeunes, en engageant la mutualisation du Crédit Agricole, en définissant les principes d'une politique de l'aménagement de l'espace rural ambitieuse.

Grâce à sa fermeté, il a enfin obtenu à Bruxelles que les moyens de financement de la politique agricole commune soient garantis à un niveau suffisant et pour cinq ans.

Au total, jamais depuis 1980 aucun gouvernement n'avait fait autant pour l'agriculture française.

3. La sauvegarde de l'environnement a bénéficié de moyens et d'initiatives renouvelés

Quand les pollutions ont menacé notre territoire, les mesures qui s'imposaient ont été prises : lutte efficace contre les incendies de forêts et adoption d'une loi importante sur l'organisation de la sécurité civile et la prévention des risques majeurs. Une politique de l'eau, de protection des sites et de la nature a été mise en œuvre. Plus généralement, c'est toute une politique de la qualité de la vie qui a été élaborée.

4. L'amélioration de la formation des hommes a été remise au premier rang de nos priorités

La reconquête de la compétitivité et la modernisation de l'économie supposent une meilleure formation des hommes. Mais la formation est avant tout une exigence morale : seul le progrès des connaissances et de la culture permet à la dignité et à la liberté individuelle de s'épanouir.

– L'école

La politique du Gouvernement s'est fondée, en ce domaine, sur trois principes :

¤ La liberté

Le libre choix, par les parents, de l'école de leurs enfants est un droit imprescriptible et sacré.

C'est donc un devoir, pour l'État, d'assurer aux divers ordres d'enseignement des conditions égales de fonctionnement.

Un effort considérable de rattrapage a été effectué au profit de l'enseignement privé, lourdement pénalisé pendant la période 1981-1986, et cela au mépris de la loi. C'est ainsi qu'il a été décidé de remettre le forfait d'externat à niveau en trois ans. Le plan informatique pour tous est d'ores et déjà étendu à l'enseignement privé.

¤ La responsabilité

Une machine aussi lourde que l'administration de l'Éducation nationale ne peut tourner efficacement que si les décisions sont prises au plus près du terrain. C'est pourquoi une ambitieuse politique de déconcentration a été mise en œuvre. Soixante mesures ont été prises entre juillet 1986 et janvier

1988 au profit des autorités académiques. C'est une opération sans précédent.

Dans le même esprit, et grâce en particulier au nouveau statut des maîtres-directeurs, les établissements ont été dotés de responsables aptes à prendre les décisions qui s'imposent et à être les interlocuteurs des parents, des élus et des divers responsables locaux.

¤ La qualité

Sans exagérer les carences de l'Éducation nationale, il faut cependant reconnaître que des progrès importants doivent être réalisés pour lutter contre l'échec scolaire et donner à nos enfants un enseignement de haute qualité.

Des moyens supplémentaires ont été dégagés pour cela : 5 400 emplois d'enseignants ont été créés pour 1987 et 1988 ; le budget de l'Éducation nationale connaît en 1988 une progression très supérieure à celle de la moyenne des dépenses de l'État.

Au total, les rentrées scolaires de 1986 et 1987 se sont bien déroulées.

Le plan pour la réussite scolaire qui bénéficie de crédits spécifiques vise à amener chaque jeune au niveau le plus haut possible de connaissances en fonction de ses aptitudes et de ses goûts. Il a permis de rechercher des solutions personnalisées : cours supplémentaires à effectifs réduits pour la lecture ; étalement sur trois ans du programme de deux années scolaires ; enseignement assisté par ordinateur.

L'école est le lieu de préparation de la vie sociale. Le ministre de l'Éducation nationale a mené depuis 1986 une série d'actions de lutte contre la toxicomanie, l'alcoolisme, le tabagisme, la consommation excessive de médicaments, les maladies sexuellement transmissibles et le SIDA.

– L'enseignement supérieur

Les capacités d'accueil ont été notablement augmentées : neuf départements d'IUT ont été créés ainsi que six premiers cycles délocalisés en Île-de-France.

L'utilisation de l'informatique a permis un meilleur déroulement des formalités d'inscription en université.

La loi de finances pour 1988 permet d'amplifier cet effort : les crédits progressent globalement de 5,6 % et les dépenses en capital de 15 %. Un effort particulier est fait pour les bibliothèques universitaires.

Le troisième cycle des études médicales a été aménagé, la signification des concours et des études de l'internat a été rétablie.

Pour l'avenir, une réflexion approfondie a été conduite par la commission « Demain l'Université ». Sur ces bases, quatre orientations fondamentales ont été retenues :

¤ organiser les études universitaires en faisant porter l'effort sur les premières années;

¤ définir un cadre statutaire souple adapté aux missions de l'université;

¤ améliorer la condition des enseignants et des étudiants;

¤ développer le rayonnement et le prestige des universités.

– La formation professionnelle

La priorité donnée par le Gouvernement à la recherche s'est traduite tant au niveau des structures que des actions (croissance de 10,6 % de l'effort budgétaire de recherche-développement) :

¤ La recherche publique (tout particulièrement le CNRS et l'INSERM) a vu ses moyens confirmés. La reprise des recrutements de chercheurs et la création de 150 emplois de chercheurs nouveaux sont particulièrement significatives.

¤ Le Fonds de la Recherche et de la Technologie a vu sa dotation augmenter de près de 25 % (1987 : 750 millions; 1988 : 930 millions). Onze programmes nationaux (dont le programme SIDA) comportant trente-trois actions prioritaires de recherche ont été définis.

¤ L'augmentation du crédit d'impôt-recherche au profit notamment des PME-PMI (1 100 millions en 1987; 1 600 millions en 1988) confirme la volonté du Gouvernement de privilégier la recherche et le développement.

¤ Les grands équipements ont fait l'objet de décisions essentielles : contribution de la France aux programmes spatiaux, décision de la construction du très grand télescope, montage définitif du financement du synchrotron de Grenoble et, enfin, contribution décisive à l'établissement et à l'adoption du programme-cadre de la CEE pour la période 1987-1991. De nombreux programmes EUREKA ont été engagés avec une forte participation (aux environs de 50 %) des entreprises françaises.

*

Une France plus attentive à protéger son patrimoine naturel ; une France mieux équipée ; une France dotée d'une agriculture plus moderne ; par-dessus tout, une France qui investit dans la formation des hommes et dans la recherche, autant d'actions et de décisions qui nous permettent d'aborder l'avenir dans de bonnes conditions.

V. UNE FRANCE PLUS INDÉPENDANTE ET PLUS AMBITIEUSE

1. La politique de défense a connu un véritable regain

La loi de programmation militaire, votée au printemps 1987 à la quasi-unanimité par le Parlement, permet de reprendre, pour les cinq années à venir, l'effort de défense qui s'était relâché de 1982 à 1986.

Les engagements financiers sans précédent qu'elle comporte – marqués par une progression annuelle de 6 % en francs constants des crédits d'équipement des armées – sont à la mesure des enjeux. Les budgets 1987 et 1988 les respectent au franc près.

Seront ainsi lancées, dans le domaine nucléaire, la modernisation de notre Force Océanique Stratégique (sous-marins de nouvelle génération dotés de missiles M5) et une nouvelle composante stratégique terrestre (missiles S4).

La modernisation des forces classiques sera assurée avec le lancement du porte-avions *Charles de Gaulle*, du char Leclerc et de l'avion de combat Rafale, sans que soit négligée la dimension spatiale de notre sécurité.

La France a affirmé sa détermination d'assumer toutes ses responsabilités en Europe.

À son initiative, les pays de l'Union de l'Europe occidentale ont adopté une charte commune des principes de la sécurité de l'Europe occidentale.

La coopération avec les partenaires européens, et notamment l'Allemagne, a été renforcée dans la ligne de l'effort engagé par le général de Gaulle et le chancelier Adenauer, en vue d'un espace stratégique européen et d'une définition de conceptions communes.

La création prochaine du Conseil de défense franco-allemand et d'une brigade mixte en sont le symbole, comme le lancement de l'hélicoptère anti-chars franco-allemand et la participation de l'Italie et sans doute de l'Espagne au satellite militaire d'observation.

2. La coopération a pris un nouveau départ

Le Gouvernement a rétabli un dialogue confiant avec nos partenaires traditionnels d'Afrique, réorienté vers eux l'essentiel de notre programme d'aide, développé de nouvelles actions de partenariat pour mobiliser les entreprises, sans oublier une vigilance de chaque instant sur les problèmes de sécurité (Tchad).

En deux ans, l'aide publique au développement s'est accrue de 20 %. L'assistance technique a retrouvé les moyens qu'elle avait perdus.

Des initiatives concrètes ont été prises pour aménager la dette des pays en développement : participation à l'augmentation de capital de la Banque mondiale, triplement de la facilité d'ajustement structurel du FMI, adoption par la CEE d'un programme d'aide à l'ajustement des États africains, action du Club de Paris.

3. La francophonie a marqué des points

La francophonie traduit une expression renouvelée de l'identité nationale et une nouvelle forme de solidarité internationale. L'ouverture d'espaces culturels et scientifiques d'expression francophone a donc été favorisée : Fondation internationale des espaces francophones dans la région Midi-Pyrénées, espace francophone à la Villette...

De nombreuses manifestations populaires ont été organisées : semaine de la chanson française, festival du film francophone... En outre, une journée pédagogique consacrée à la francophonie aura lieu dans tous les établissements scolaires. Enfin, l'accueil des associations francophones a été amélioré. Le suivi des sommets francophones constitue une priorité et les liens de la francophonie avec les actions de coopération culturelle et technique ont été renforcés.

4. <u>La France a un grand dessein pour l'Europe</u>

L'Europe est un projet d'ensemble. Il porte tant sur l'économie que sur la défense, la culture ou les droits de l'homme.

Nous avons préparé l'Europe économique dans le cadre du grand marché de 1992, défi considérable et grande chance pour notre pays.

Nous avons œuvré pour une Europe qui s'affirme sur le plan de la défense, notamment dans le cadre de l'Union de l'Europe Occidentale et par un renforcement de la coopération avec nos plus proches voisins.

La France entend également faire de la Communauté non pas seulement l'Europe des marchandises, mais avant tout celle des hommes.

En témoignent :

• l'adoption du programme « Erasmus » : 40 000 étudiants pourront effectuer dans les trois ans à venir une année d'études dans un autre État membre de la Communauté ;

• l'accord de la France :

¤ au projet « Jeunesse pour l'Europe » : 80 000 jeunes Européens, en apprentissage, entrés précocement dans la vie active, ou à la recherche d'un emploi, pourront effectuer un stage dans un autre pays de la Communauté ;

¤ à la directive qui doit permettre aux jeunes, aux retraités et aux conjoints, de s'établir librement dans le pays européen de leur choix.

Nous avons préparé l'Europe de la culture en faisant des propositions concrètes à nos partenaires pour l'accroissement de l'enseignement des langues, le développement des échanges de jeunes, pour l'intensification des relations entre les universités. C'est l'objet du « Livre bleu pour une Europe de l'Éducation et de la Culture » déposé en mars 1987.

Cette Europe doit dépasser les frontières de la Communauté Européenne, s'étendre au Conseil de l'Europe et même, au-delà, vers les pays de l'« autre Europe ». Nous avons affirmé qu'entre les deux Europes, il ne devait pas y avoir de barrière aux échanges entre les personnes.

5. La France affirme sa vocation universelle

L'adhésion de la majorité des Français aux grands principes définis par le général de Gaulle donne à notre pays les fondements de son autorité morale dans le monde.

Nous avons affirmé l'indépendance de la France en redressant son économie, en affermissant sa monnaie, en modernisant ses capacités de défense.

Nous avons développé notre présence dans le monde : nous l'avons montré en Afrique en soutenant le gouvernement légal du Tchad auquel nous lie un accord de défense, en participant au maintien de la liberté de navigation dans le golfe Persique, en affirmant notre présence dans le Pacifique. Nous avons refusé le partage du monde en deux blocs.

TABLE

La fondation Chirac rassemble des femmes et des hommes de tous les continents décidés à agir au service de la paix, du dialogue des cultures et de la protection de la planète.

La Fondation encourage des actions pionnières et concrètes pour favoriser la paix et le développement durable, notamment à travers l'accès de tous à l'eau et à l'assainissement, ainsi qu'aux médicaments de qualité.

En un an, la Fondation a déjà :
- consolidé le premier laboratoire de contrôle des médicaments en Afrique de l'Ouest,
- lancé une mobilisation mondiale contre les faux médicaments,
- fait certifier pour l'exploitation durable plus de un million d'hectares de forêt tropicale dans le bassin du Congo,
- lancé une campagne avec la Banque africaine de développement pour l'accès à l'assainissement dans plusieurs régions rurales d'Afrique,
- préservé la mémoire de langues et de cultures menacées de disparition et ouvert un site Internet consacré aux langues rares.

Enfin, la Fondation remettra, chaque année, un prix pour la prévention des conflits distinguant deux personnalités ou deux institutions qui ont œuvré pour la paix.

Découvrez l'action de la fondation Chirac et les moyens de participer à son action sur son site <http://www.fondationchirac.eu>.